U0095934

戰爭孕育英雄，也製造怪物。

火藥法師

❷ The Crimson Campaign

緋紅戰爭

〔上〕

The Powder Mage Trilogy

布萊恩・麥克蘭——著　戚建邦——譯

Brian McClellan

火藥法師 2 緋紅戰爭・上

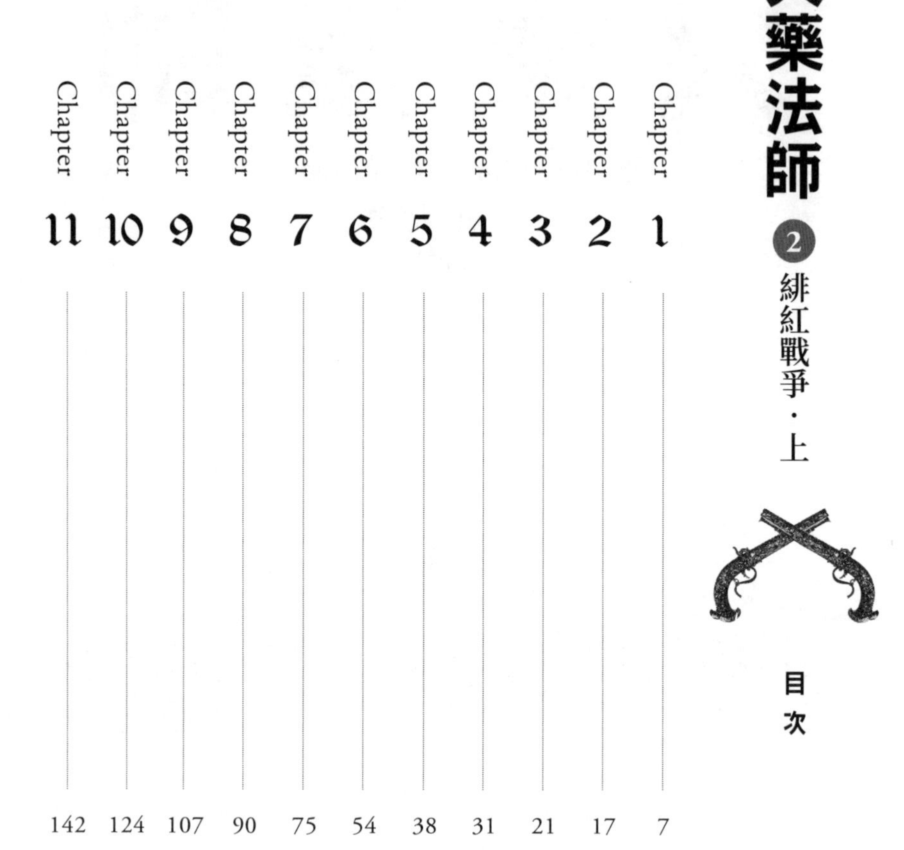

目次

給蜜雪兒
我的唯一
我的朋友、我的夥伴、我的愛

1

阿達瑪動也不動地站在自家避暑小屋外一片濃密的灌木叢裡，透過窗戶看著飯廳裡的人。這棟房子樓高兩層，有三間臥房，孤獨地聳立在林間一條黃土道盡頭。從這裡走路到鎮上要二十分鐘，不太可能有人聽見槍響。

或叫聲。

維塔斯的四個手下正在飯廳裡喝酒玩牌，其中兩人和輓馬一樣高壯，第三人有著中等身材，大肚腩露在襯衫外，留著濃密的黑鬍鬚。

最後一個是阿達瑪唯一認得的人。此人有一張方形臉，頭小得有些滑稽。他名叫狐狸羅加，是大業主在艾鐸佩斯特經營的裸拳拳擊界中個頭最小的拳擊手。他的動作比大部分拳擊手迅速，因為他非快不可，但是觀眾不太喜歡他，所以他很少出戰。阿達瑪不知道狐狸羅加為什麼會出現在這裡。

他只知道自己非常擔心孩子們的安危，特別是他女兒。他擔心和這些傢伙待在一起，孩子們會遭遇危險。

「中士。」阿達瑪低聲喚道。

灌木叢沙沙作響，阿達瑪看見歐里奇中士的臉。他下巴輪廓分明，臉頰一側在昏暗的月光下微微鼓起，暴露了他正在嚼菸草。「我的人就定位了。」歐里奇回應。「他們都在飯廳嗎？」

「對。」阿達瑪監視這棟房子三天了，整整三天他都袖手旁觀那些人對孩子大吼大叫，在他的房子裡抽菸，把菸灰和啤酒灑在菲的上好桌布上。他瞭解他們的習慣。

他知道留鬍子的胖子待在樓上整天盯著孩子，知道兩個壯漢會帶孩子去屋外的茅房上廁所，狐狸羅加則負責監視。他知道這四個人不會讓孩子獨處，直到天黑後，他們才會在餐桌上開始每天晚上的牌局。

他也知道這三天裡，一點妻子和大兒子的蹤影都沒有。

歐里奇中士在阿達瑪手中塞了把上膛的手槍。「你確定你要打頭陣？我的手下都很厲害，他們可以毫髮無傷地救出孩子。」

「我確定。」阿達瑪說。「我的家人，我的責任。」

「如果他們往樓上跑，開槍的時候千萬不要遲疑。」歐里奇交代道。「我們可不希望他們挾持人質。」

我的孩子已經是人質了，阿達瑪很想這麼說。他忍住沒開口，伸手撫平上衣。天空烏雲密布，加上太陽已經下山，裡面的人絕對看不見他。他走出灌木叢，突然想起被召喚前往天際王宮的那晚。一切就是從那晚開始的——政變，接著是叛徒，然後是維塔斯。他默默咒罵戰地元帥湯瑪士把他和他的家人扯入這種局面中。

歐里奇中士的士兵和阿達瑪一起穿越黃土道朝房子走去。阿達瑪知道屋後還有八名士兵，共十六個人。他們有人數優勢，也有出其不意的機會。

然而，維塔斯的手下抓了阿達瑪的孩子。

阿達瑪停在門口。艾卓士兵手持火槍在餐廳的窗戶下方就定位，黑暗中幾乎看不見他們的深藍制服。阿達瑪低頭看著門。菲挑選了這棟房子，而不選離鎮上更近的那棟，部分原因就在於這扇門是堅固的橡木門帶鐵鉸鍊。她認為一扇堅固的門可以讓家人更安全。

他一直不忍告訴她，這扇門的門框長滿了白蟻，他早就打算換新的門了。

阿達瑪後退一步，對準門把旁邊一腳踹過去。

衝擊的力道震爛腐朽的木頭。阿達瑪矮身衝進前廳，拐過轉角時舉起手槍。四名暴徒立刻展開行動，其中一名壯漢衝向通往樓梯的後門。阿達瑪穩穩舉槍開火，對方當場倒地。

「不要動。」阿達瑪說。「你們被包圍了。」

剩下三名暴徒瞪著他，僵在原地。阿達瑪看見他們把目光投向他擊發後的手槍，接著同時撲了過來。

窗外士兵發射的火槍子彈擊破窗戶，玻璃宛如冰霜般撒落房內。剩下的暴徒紛紛倒地，只剩下狐狸羅加。他手持匕首，一瘸一拐地衝向阿達瑪，一邊衣袖染滿鮮血。

阿達瑪倒握槍管，用槍柄擊中了羅加的腦袋。

就這樣，一切都結束了。

士兵擁入餐廳，阿達瑪推開他們衝上樓梯。他先去查看小孩的房間，全都是空的，最後是主臥室，他推門的力量大到差點讓門從鉸鍊脫落。

孩子們全部擠在床和牆之間的狹窄空間裡，哥哥姊姊抱著弟弟妹妹，盡可能把他們護在懷裡，七張嚇壞了的面孔抬頭看向阿達瑪。雙胞胎之一正在哭，肯定是被火槍聲嚇到了，淚水默默地從胖嘟嘟的臉頰滑落。另一個雙胞胎怯怯地從床後藏身處探出頭。

阿達瑪鬆了一大口氣，跪倒在地。他的孩子，他們都還活著。當他們小小的身體撲到他身上時，阿達瑪的眼淚不禁流了下來。孩子們伸出小手摸他的臉，他張開雙臂努力將他們全都一把緊緊抱住。

阿達瑪擦去臉上的淚水，在小孩面前哭似乎不成體統。他深吸口氣讓自己鎮靜下來，然後說：「我來了，你們安全了。我是和戰地元帥湯瑪士的手下一起來的。」

孩子再度開心啜泣，又是一陣擁抱，然後阿達瑪才讓大家安靜下來。

「媽媽呢？喬瑟呢？」

芳妮緒——他排行第二的孩子，幫忙叫其他人安靜。「他們幾週前帶走了艾絲翠，」她邊說邊用顫抖的手指拉了拉黑色長辮。「上週他們又跑來帶走媽和喬瑟。」

「艾絲翠沒事。」阿達瑪說。「別擔心。他們有說要帶媽媽和喬瑟去哪裡嗎？」

芳妮緒搖頭。

阿達瑪心裡一沉，但是沒有顯露在臉上。「他們傷害你們了嗎？有沒有人受傷？」他最擔心的是芳妮緒，她十四歲，幾乎算得上是女人了。她身穿薄睡衣，肩膀露在外面。阿達瑪查看她身上有沒有瘀傷——謝天謝地沒有。

「沒有，爸爸。」芳妮緒說。「我聽到他們在講，他們想，但……」

「但什麼？」

「他們抓走媽媽和喬瑟時，有個男人來了。我沒聽到他的名字，但他看起來像個紳士，說話輕聲細語。他說如果他們不經允許就動我們，他就會……」她越說越小聲，臉色發白。

阿達瑪拍拍她的臉頰。「妳很勇敢。」他輕聲安慰她，內心卻氣得冒煙。只要阿達瑪失去利用價值，維塔斯毫無疑問會任由那些暴徒處置他的孩子。

「我會找到他們。」他說，再次拍了拍芳妮緒臉頰，然後起身。雙胞胎之一抓住了他的手。

「別走。」孩子哀求。

阿達瑪擦掉小孩的淚珠。「我很快就回來。你們和芳妮緒待在一起。」阿達瑪轉身離開。還有一個孩子和他的妻子要被拯救，還要打贏幾場仗，全家人才能安全重聚。

他發現歐里奇就站在臥房門外，將帽子拿在手上，神色恭敬地等候著。

「他們帶走了菲和我的大兒子。」阿達瑪說。「其他孩子都安然無恙。那些禽獸還活著嗎？」

歐里奇壓低聲音，以免被孩子們聽見。「其中一個眼睛中彈，另一個正中心臟。那波射擊我們運氣不錯。」他搔了搔後腦杓。歐里奇各方面看起來都不顯老，唯有鬢角已轉灰。暴力衝突令他臉頰漲紅，不過他的聲音很平靜。

「運氣太好了。」阿達瑪說。「我要有活口。」

「有一個。」歐里奇說。

阿達瑪來到廚房，發現羅加坐在一張椅子上，雙手被反綁在身後，肩膀和臀部上的槍傷還在流血。

阿達瑪從門邊的傘架上抽出一根手杖。羅加神色不善地看著地板。他是名拳擊手，是鬥士，要擊潰他沒那麼容易。

「你運氣很好，羅加。」阿達瑪說，用杖尖指向那些彈孔。「如果盡快治療，你是有機會活下來的。」

「我認識你？」羅加語帶輕蔑，他骯髒的亞麻布衣沾滿血。

「不，你不認識我，但我認識你，我看過你比賽。維塔斯在哪裡？」

羅加猛地轉頭，一臉挑釁。「維塔斯？不認識。」

阿達瑪在拳擊手故作無知的語氣中聽出他知道那個名字，於是用杖尖抵住羅加的肩膀，就在彈孔旁邊。「他是你雇主。」

「吃屎吧。」羅加說。

阿達瑪手上使勁，感覺得出來子彈還在彈孔裡頂著骨頭。羅加身體抽搐，但很有骨氣地一聲不吭。一名優秀的裸拳拳擊手得學會承受痛楚。

「維塔斯在哪裡？」

羅加不回答。

阿達瑪逼近。「你還想活過今晚吧？」

「他手段比你凶殘多了。」羅加說。「再說，我什麼都不知道。」

阿達瑪退開，轉過身去。他聽見歐里奇上前，然後是火槍柄擊中羅加肚子的撞擊聲。阿達瑪等他毆打了一陣子，才回過頭揮手讓歐里奇退下。

羅加的臉看起來像是和索史密斯打了幾回合的模樣，彎腰吐了口血。

「他們把菲帶去哪了？」告訴我，阿達瑪無聲哀求。為了你好，為了她好，也為了我好，告訴我她在哪裡。「那個男孩喬瑟，他在哪？」

羅加朝地板吐口水。「就是你是嗎，這些蠢小鬼的父親？」他不等阿達瑪回答就接著說下去。「我們打算姦了那些小鬼，先從最小的開始。維塔斯不准我們動手，但你妻子……」羅加舔了舔殘破的嘴唇。「她自願。她以為只要滿足我們所有人，我們就不會對小孩亂來。」

歐里奇上前用槍柄朝他的臉頰狠狠一捶，羅加被打得偏向一側，忍不住出聲呻吟。

阿達瑪感覺自己全身都因憤怒而顫抖。怎麼會是菲，是他美麗的妻子、朋友兼夥伴，他的知己，他孩子的母親。歐里奇作勢再打時，阿達瑪抬手阻止了他。

「不，」阿達瑪說。「這樣打對這傢伙不痛不癢，拿盞提燈來。」

他抓住羅加的後頸，把對方從椅子上拖起，從後門推出屋外。羅加摔到花園裡的玫瑰叢中。阿達瑪拉起羅加，故意抓住他受傷的肩膀，然後繼續將他推往茅房。

「讓孩子待在屋裡，」阿達瑪對歐里奇說。「然後帶幾個人來。」

茅房足以容納兩個座位，這對於有九個小孩的家庭來說是必要的。阿達瑪拉開茅房的門，讓歐里奇的兩名手下按住羅加。他從歐里奇手中接過提燈，照亮茅房內部給羅加看。

阿達瑪拉起蓋住茅坑的木板丟到地上，惡臭瞬間沖天。即使天黑了，牆上還是有很多蒼蠅。

「這個坑是我親手挖的。」阿達瑪說。「八呎深。我幾年前就該挖新坑了，最近我的家人常用這個茅坑，他們整個夏天都待在這裡。」他壓低提燈照亮茅坑，誇張地嗅了嗅。「快滿出來了。」他說。「維塔斯在哪？他們把菲帶去哪裡？」

羅加嗤之以鼻。「下地獄去。」

「我們已經在地獄了。」阿達瑪抓起羅加後頸，把他壓入茅房。茅房裡只能勉強擠進他們兩人。羅加掙扎著，但憤怒讓阿達瑪的力量更大。他踢向羅加的膝蓋，把拳擊手的頭塞進茅坑裡。

「告訴我他在哪！」阿達瑪嘶吼。

沒反應。

「快說！」

「不！」羅加的聲音在茅房中迴盪。

阿達瑪持續將羅加的腦袋往下壓。只要再往下幾吋，羅加就會滿臉糞便。阿達瑪忍住噁心。

這樣做很不人道，但話說回來，挾持一個男人的妻子和孩子當人質也一樣殘忍。

羅加的額頭碰到糞便，發出一聲嗚咽。

「維塔斯在哪？我問最後一次！」

「我不知道！他什麼都沒告訴我，只付錢要我看著小孩。」

「怎麼付錢？」阿達瑪聽見羅加在吐。拳擊手渾身顫抖。

「克倫納鈔票。」

「你是大業主的拳擊手。」阿達瑪問。「他知道此事嗎？」

「維塔斯說有人推薦我們。除非大業主同意，不然不會有人雇用我們。」

阿達瑪咬牙。大業主，艾卓黑社會老大，是湯瑪士的議會成員。他是艾卓最有權勢的人之一。如果大業主認識維塔斯，就表示他可能一直都是叛徒。

「你還知道什麼？」

「我和他根本講不到二十個字。」羅加說。他的聲音斷斷續續，一邊流淚一邊解釋。「我什麼都不知道。」

阿達瑪往羅加後腦杓用力一擊，羅加身體一沉，但沒有昏倒。阿達瑪抓住他的腰帶，把他的臉塞入糞堆中，然後提起來，再重新壓下去。羅加揮手掙扎、雙腳亂踢，努力在屎尿之間呼吸。阿達瑪抓住拳擊手的腳踝用力一推，把他倒插進茅坑裡。

之後他轉身離開茅房，氣到無法思考。他要摧毀維塔斯，要對方為了讓他妻子和孩子經歷這一切付出代價。

歐里奇和手下站在旁邊，眼睜睜看著羅加在茅坑裡掙扎。其中一人在昏暗的燈光下一臉噁心，另一人點頭表示贊同。夜深人靜，阿達瑪聽見樹林裡的蟋蟀鳴叫聲。

「你不打算問他更多問題嗎？」歐里奇問。

「他自己也說了，他什麼都不知道。」阿達瑪的胃部一陣翻滾，回頭看了一眼雙腳正在亂踢的羅加，腦中浮現對方強暴菲的畫面，那幾乎阻止了阿達瑪接下來要說的話，但他還是對歐里奇說。「等他快死了再拉出來，然後送去你能在守山人那裡找到最深的礦坑。」

阿達瑪發誓，抓到維塔斯後要讓他更加淒慘。

2

戰地元帥湯瑪士站在巴德威爾南門之上，俯瞰凱斯軍隊。這扇門標示著艾卓疆域最南端，如果他往前丟塊石頭，就會落在凱斯領土上，或許會沿著大北道的斜坡滾落到凱斯部隊岡哨前。瓦賽爾之門——一對五百呎高的懸崖——聳立在他左右兩側，由來自艾德海的水流沖刷數千年、貫穿瑟可夫谷而成，這些水澆灌了凱斯北境琥珀平原的穀物田地。

凱斯軍隊三週前離開南矛山的燜燒廢墟。根據官方報告，圍攻肩冠堡壘的凱斯軍隊約二十萬人，加上隨軍人員，總數將近七十五萬。

探子回報如今敵軍總數已經突破百萬。

這個數字有點令湯瑪士膽怯。打從一千四百年前的大荒蕪年代後，世上就再也沒有集結過如此大規模的軍隊了，而現在這支大軍就在他的國門前，試圖奪走他的國家。

湯瑪士可以從新兵目睹凱斯軍隊時發出的驚呼聲中認出他們，他能嗅到自己部隊裡的恐懼——那股殷切期待和擔心受怕。這裡不是肩冠堡壘，那是單靠幾個連的人馬就能輕易守住的堡壘。這裡是巴德威爾，擁有數十萬人口的貿易城市，城牆年久失修，城門太多而且過於寬敞。

湯瑪士沒讓恐懼表現在臉上，他不敢。他把戰略方面的憂慮、對兒子陷入昏迷的恐懼，還有儘管經神治療後仍隱隱作痛的腳，都深埋心底。除了對凱斯指揮官的莽撞戰略表示輕蔑外，他臉上完全沒有流露其他情緒。

他身後的石階上傳來穩健的腳步聲，西蘭斯卡將軍來到湯瑪士身邊。他是巴德威爾砲兵部隊兼第二旅指揮官。

西蘭斯卡是個四十歲左右的大胖子，喪妻十年，葛拉戰役的老兵。三十年前，在他還沒當上上尉時，左臂被一顆砲彈齊肩炸斷，但他從未讓他的手或體重影響他在戰場上的表現，光這一點就值得湯瑪士尊重，更別說他手下的砲兵在八百碼外就能打掉騎兵的腦袋。

湯瑪士挑選參謀的條件大多基於能力而非性格，西蘭斯卡是湯瑪士部隊裡最接近朋友的人。

「我看他們集結好幾週了，每天還是忍不住讚歎。」西蘭斯卡說。

「讚歎人數？」湯瑪士問。

西蘭斯卡靠在城牆上，吐了口口水。「讚歎軍紀。」他從腰帶上拿起望遠鏡，熟練地用單手拉開鏡筒，舉到眼前。「那些顏色如白紙般的帳篷整齊排列，一望無際，看起來很像模型。」

「五十萬頂營帳排列整齊並不代表軍紀嚴明。」湯瑪士說。「我在葛拉和凱斯的指揮官合作過。他們用恐懼管理部隊，那樣做可以讓營地乾淨整潔，但兩軍交戰時，他們沒多少骨氣，遇上第三輪射擊就會潰敗。」*和我的手下不一樣，*他心想。*跟艾卓部隊不同。*

「希望你是對的。」西蘭斯卡說。

湯瑪士注視著在半哩外巡邏的凱斯哨兵，他們完全暴露在西蘭斯卡的火砲射程範圍內，但不值得浪費彈藥。主力部隊在將近兩哩外紮營，相較於西蘭斯卡的火砲，他們的軍官更擔心湯瑪士的火藥法師。

湯瑪士扶著石牆邊緣開啟第三眼。一陣暈眩過後，他開始看清艾爾斯裡的景象。世界呈現粉彩光芒，遠方有光點，宛如敵軍夜間巡邏的火把——那是凱斯榮寵法師和勇衛法師的光。他閉上第三眼，揉了揉太陽穴。

「你還在想那件事，對吧？」西蘭斯卡問。

「什麼？」

「入侵。」

「入侵？」湯瑪士哈哈一笑。「我瘋了才會主動攻擊兵力超過我們十倍的敵人。」

「你臉上有浮現那種表情，湯瑪士。」西蘭斯卡說。「像是在拉扯鎖鏈的狗。我認識你很久了，你從未掩飾一有機會就入侵凱斯的企圖。」

湯瑪士打量那些崗哨。凱斯軍隊的營地太遠，不可能發動突襲，這裡的地形也不能為夜襲提供掩護。

「如果我能把第七旅和第九旅弄進去突襲，就能打穿他們部隊核心，在他們搞清楚狀況前返回巴德威爾。」湯瑪士輕聲表示。凱斯軍可不容小覷，他們有人數優勢，即使在肩冠堡壘之戰損失慘重，他們還是有一些榮寵法師。

但湯瑪士知道手下最強的旅能做到什麼程度。他熟知凱斯的策略，也清楚他們的弱點。凱斯士兵是從他們龐大的農民人口裡徵召來的，他們的軍官都是拿錢換取職務的貴族，不像他手下的士兵——是愛國者，鋼鐵般的男人。

「我手下幾個士兵去探過路。」西蘭斯卡說。

「是嗎？」湯瑪士壓下思緒遭人打斷的不悅。

「你知道巴德威爾地下陵墓嗎？」

湯瑪士咕噥一聲，表示知道。地下陵墓位於瓦賽爾之門兩座山之一的西柱之下，由天然和人工通道組成，從前用以埋葬巴德威爾的死者。

「明令禁止士兵下去。」湯瑪士說，難以掩飾語氣中的不悅。

「我會懲罰我的手下。但在懲罰之前，你會想聽聽他們怎麼說。」

「除非他們發現了一群凱斯間諜，不然我懷疑這和我有什麼關係。」

「比那個更好，」西蘭斯卡說。「他們找到能把你的部隊送進凱斯的通道。」

這個可能性頓時令湯瑪士心跳加速。「帶我去找他們。」

3

坦尼爾瞪著離他僅一呎的天花板，細數自己躺在麻繩吊床上左右搖擺的次數，聽著輕柔葛拉管樂在屋內迴盪。

他討厭那種音樂。那個聲音彷彿在他耳中縈繞，小聲到幾乎細不可聞，同時又大聲到讓他咬緊後牙槽。他數到十下左右就亂了，於是呼出一口氣。溫暖的煙霧從他的唇間冒出，飄向天花板上剝落的灰泥。他看著煙逃離他的小隔間，飄到瑪拉菸館中央。

這個房間裡有十幾個這種小隔間，其中兩個有人用。待在此地兩週，坦尼爾還沒看到那兩個人起來上廁所、吃東西，或做任何不是在吸長柄瑪拉菸管和叫老闆來加菸的事。

他湊上前去，伸手填充自己的瑪拉菸管。他吊床旁的桌上有個盤子放了幾片黑瑪拉、一個空錢袋和一把手槍。他不記得槍是哪來的。

坦尼爾把盤子上的瑪拉捏成一小塊黏球，塞入菸管末端，菸球立刻點燃了。他吸了一大口到肺裡。

「還要嗎？」

菸館老闆悄悄來到坦尼爾的吊床旁。他是葛拉人，膚色偏棕，不過沒有戴利芙人那麼深，眼睛下方和掌心色澤比較淡。他和大部分葛拉人一樣，很高也很瘦，因長年彎腰到小隔間裡清理或點菸而有點駝背。他名叫金恩。

坦尼爾伸手去拿錢袋，手指在裡面摸索片刻，然後才想起錢袋是空的。「沒錢。」他說。他的聲音在自己耳中都顯得沙啞。

他來這裡多久了？兩週，坦尼爾專心思考這個問題，沒過多久就決定是這個答案了。更重要的是，他是怎麼來的？

不是這裡，不是瑪拉菸館，是艾鐸佩斯特。坦尼爾記得克雷希米爾宮殿之戰，記得卡波摧毀了凱斯法師團，還記得扣下來福槍扳機，看著子彈射中克雷希米爾的眼睛。

之後就是一片漆黑，直到他渾身冒汗地醒來，卡波正滿手鮮血跨坐在自己身上。他記得躺在旅店走廊上的那些人——是他父親的士兵，不過外套上的紋章看起來很陌生。他離開旅店，搖搖晃晃來到這裡，希望能忘記一切。

當然，既然他還記得這些，就表示瑪拉菸沒用。

「軍用外套。」金恩說著，摸摸他的翻領。「你的釦子。」

坦尼爾低頭看著自己身上的外套。艾卓軍方深藍色外套，銀邊銀鈕釦，他從旅店拿來的。這不是他的外套，太大件了，有火藥法師徽章——銀火藥筒——別在翻領上。或許曾經是他的，難道他變瘦了嗎？

兩天前那件外套還很乾淨，他就記得這麼多了。如今外套上沾了口水、食物殘渣，還有瑪拉菸燙出來的小焦痕。他該死的什麼時候吃東西的？

坦尼爾拿出他的腰帶匕首去割鈕釦，又突然停下動作。金恩的女兒走過房間。她身穿褪色白連身裙，在髒兮兮的菸館裡還算乾淨。她肯定比坦尼爾年長幾歲，不過沒有小孩在抓她的裙襬。

「你喜歡我女兒嗎？」金恩問。「兩枚鈕釦，她就會跳舞給你看！」他豎起兩根手指強調。「比那個法特拉斯塔女巫漂亮多了。」

金恩的妻子本來坐在角落演奏葛拉笛，中間暫停了一會兒，時間長得足以和金恩說些什麼。他們用葛拉語交談，接著金恩轉向坦尼爾。「兩枚鈕釦！」他重複道。

坦尼爾割下一枚鈕釦放在金恩手裡。嗯，跳舞？坦尼爾懷疑金恩是否已足夠瞭解艾卓語裡的隱喻，還是說他女兒真的只是要跳舞。

「或許晚點吧。」坦尼爾說，帶著小孩拳頭大小的瑪拉菸球躺回吊床上。「卡波不是女巫，她是……」他頓了一下，思索該如何向葛拉人描述她，他的思緒在瑪拉菸的影響下變得很遲鈍。「好吧，」他承認。「她是女巫。」

坦尼爾拍掉瑪拉菸管的菸灰。金恩的女兒看著他，他雙眼半閉，回應她的目光。就某種標準而言，她很漂亮，但她對坦尼爾來說太高，而且太瘦了——大部分葛拉人都是這樣。她就這樣待在原地，把洗好的衣物堆靠在臀側，直到她父親將她趕出去。

他有多久沒和女人上床了？

女人？他笑出來，鼻孔噴煙。他笑到咳嗽，只換來金恩的好奇一瞥。不，說什麼女人，就是那個女人——芙蘿拉。和她上床是多久以前的事了？兩年半，還是三年？

他再度坐起身，在口袋裡摸索火藥條，心想不知道芙蘿拉現在在哪裡，或許還與湯瑪士和其他火藥法師團的人在一起。

湯瑪士會希望坦尼爾返回前線。

他才不管，就讓湯瑪士來艾鐸佩斯特找自己吧，他父親絕對會在最後才找到瑪拉菸館來。

坦尼爾的口袋裡一根火藥條都沒有，卡波把他的火藥清光了。自從她把他從天殺的昏迷狀態中喚醒後，他就沒吸過任何火藥，就連他的手槍都沒上膛。他可以出去弄點火藥，找座軍營，拿他的火藥法師徽章給他們看。

但是光想到要離開吊床就讓他頭昏眼花。

卡波在坦尼爾開始神遊之前走下瑪拉菸館的樓梯。他雙眼幾乎閉上，一縷煙從他唇間緩緩上飄。她停下腳步打量他。

卡波個子嬌小，五官細緻。她的膚色很白，有灰色的雀斑，紅髮不到一吋長。他不喜歡她頭髮這麼短，那讓她看起來像個男孩。*沒人會把她誤認成男孩*，坦尼爾在她脫掉黑色長外套時心想。她裡面穿著白色無袖上衣，天知道是哪裡弄來的，還有黑色緊身褲。

卡波碰了碰坦尼爾的肩膀，但他沒理她。或許讓她以為他在睡覺，或是深陷瑪拉的影響下沒注意到她，那樣比較好。

她伸出手，一手捏住他鼻子，一手摀他嘴巴。

他猛地起身，在她放手後大口吸氣。「波，妳搞什麼？想殺我嗎？」

她微笑。這已經不是他第一次在瑪拉菸影響下看著那雙綠眼眸時心中浮現不恰當的想法了。他拋開那些想法。他是她的監護人，是她的守護者。還是應該反過來？畢竟在南矛山上保護人的可是她。

坦尼爾躺回吊床上。「妳想幹嘛？」

她拿起用皮革綑起的厚厚一疊紙，是一本素描本，代替丟在南矛山上的那本。他突然心裡一痛。這八年間的素描中，有很多他認識的人早已去世，有些是朋友，有些是敵人。失去那本素描本，幾乎和失去赫魯斯奇來福槍一樣令他心痛。

幾乎一樣痛……

他把瑪拉菸管放到齒間用力吸了一口，在煙霧灼燒喉嚨和肺部並滲入體內時顫抖了起來，那些記憶也隨之消散。

他伸手去拿素描本時，發現自己的手在抖，於是迅速縮手。

卡波瞇起雙眼。她把素描本放在他肚子上，外加一袋炭筆。比他在法特拉斯塔的素描用具好多了。她指指工具，然後模仿他畫畫的姿勢。

坦尼爾右手握拳，不想讓她看見自己的手在抖。「我……現在不畫，波。」

她又指一次，態度更堅持。

坦尼爾吸了一大口瑪拉菸，閉上雙眼，接著發現淚水滑落臉頰。

他感覺到她拿起素描本和炭筆，聽見桌子移動的聲音。他以為她會責備他或給他一拳，或是其他反應。但當他睜開雙眼時，他看見她的赤腳消失在樓梯上。她離開了。他再深吸一口瑪拉菸，擦拭臉上的淚水。

房間開始和他的記憶一起融入瑪拉菸裡——那些死在他手上的人，死在他面前的朋友，他親眼見到的那個神，被魔法加持過的子彈射殺。他不願想起那些回憶。

只要在瑪拉菸館裡再待幾天，他就會沒事了。他會恢復正常，向湯瑪士回報，去做他擅長的事：殺凱斯人。

⚔

湯瑪士離開巴德威爾城牆幾小時後，發現自己身處數千噸重岩石底下四分之一哩深的地方。他的火把在黑暗中忽明忽滅，光影映在洞穴牆凹陷的墳墓上。數百顆頭顱掛在洞頂，以令人毛骨悚然的方式哀悼亡者。他猜想通往死亡的道路是否就是這副模樣。

在他的想像中，應該有更多火焰。

他為了克服幽閉恐懼感，只能不斷提醒自己這座地下墓穴已存在上千年了，不太可能會突然坍塌。

通道出奇寬敞，有時寬到足以容納數百人，最窄的地方也能供馬車通行，不會擦撞牆面。西蘭斯卡提過的兩個砲兵走在前面，他們攜帶自己的火把，興奮地交談著，聲音在穿越不同石室時產生回音。湯瑪士的保鏢歐蘭拿著手槍跟在他身旁，一臉懷疑地看著前面兩名士兵。殿後的是湯瑪士手下最強的兩名火藥法師——芙蘿拉和安卓亞。

「這些洞穴，」歐蘭說，手指沿著牆面摸。「是人工拓寬的。但看看洞頂，」他往上指。「卻沒有斧鑿痕跡。」

「是水沖刷而成的。」湯瑪士說。「可能是幾千年前。」他目光掃過洞頂，然後看向地板。地面緩緩下斜，三不五時出現石階，被每年經過的數千名朝聖者、家屬和牧師踏得平滑。儘管到處都是經常有人行走的痕跡，地下墓穴還是空蕩蕩的，沒有任何生物——牧師在圍城期間停止舉行葬禮，擔心砲火會炸坍洞穴。

湯瑪士小時候會在這種洞穴裡玩，因為他父親是名藥劑師，每年夏天都會在山裡尋找稀有花草、蘑菇、真菌植物。有些洞穴系統深入山脈的心臟地帶，有些則在事情變得有趣時就見底了。

通道豁然開朗，抵達一座大洞窟。火把的光不再在洞頂和山壁閃爍，而是消失在上方的黑暗中。他們站在一池比無月之夜還黑的靜止水面邊緣，他的聲音在空曠的空間中迴盪。

湯瑪士停在等候他們的砲兵身邊，用手指捏開火藥條，撒在舌頭上。火藥狀態來襲，同時帶來暈眩和清晰感。他的腳痛消失，火把黯淡的光芒突然間足以供他打量整座洞穴的景象。

牆壁上整齊排列著石棺，幾乎是隨意層層交疊，起碼有三、四十呎高。洞窟中迴盪著水滴聲，那是地下湖的源頭。除了來時的通道，湯瑪士沒看到出口。

「長官？」名叫路迪克的砲兵出聲，將火把舉在水面上，試圖估算水深。

「我們身處西柱底下數千呎，」湯瑪士說。「離凱斯並沒有比較近。我不喜歡被人帶到奇怪的地方。」

歐蘭扣下手槍擊鎚的聲響劃破洞窟中的死寂，湯瑪士身後的芙蘿拉和安卓亞也舉起他們的來福槍。路迪克和夥伴緊張兮兮地對看一眼，大口吞嚥口水。

「這個洞穴系統看似走到了盡頭，」路迪克用火把指向水池對面。「但其實並沒有，可以繼續往前走，一路通到凱斯。」

「你怎麼知道？」湯瑪士問。

路迪克遲疑，等著挨罵。「因為，長官，我們走過。」

「帶我去。」

他們走到水池另一側的一對石棺後面，然後矮身從一個突出的岩石下方通過。這塊岩石的突出部位比表面上看起來還要深。片刻後，湯瑪士已經來到了另一邊，洞窟再次變為開闊，並通向黑暗深處。

湯瑪士轉向身後的保鏢。「除非我下令，不然別開槍。」

歐蘭摸摸他整齊的鬍鬚，打量那兩名砲兵。「當然，長官。」他的手沒有離開槍柄。歐蘭最近不太輕信他人。

一小時後，湯瑪士離開洞窟，爬出灌木叢和碎石堆，來到陽光下。太陽已越過東方的高山，谷地陷入陰影。

「確認安全，長官。」歐蘭說著，扶他站穩。

湯瑪士檢查完自己的手槍，心不在焉地往舌頭上撒了點火藥。他們站在艾卓山脈南側陡峭的谷地中，離巴德威爾不到兩哩。如果他的推測無誤，他們現在正位於凱斯部隊的側翼位置。

「是一條古老的河床，長官。」芙蘿拉說，在小圓石間找路走。「河的流向往西，然後轉而向南。有座小山丘遮住了谷口。我們此刻距離凱斯部隊不到半哩，但完全沒有跡象表明他們有派人在這座河谷巡邏。」

「長官！」洞穴裡傳來叫聲。

湯瑪士立刻轉身。芙蘿拉、歐蘭和安卓亞全都舉起來福槍，指向漆黑的洞穴。

一名艾卓士兵跑出來，他肩膀上繡著山形袖章，其下有火藥筒圖案。他是名槍兵下士，隸屬歐蘭新組成的精英戰士連——來福槍戰隊。

「安靜，笨蛋！」歐蘭嘶聲道。「你要讓所有凱斯人都聽到嗎？」

信差擦拭額頭上的汗水，在明亮的日光下眨了眨眼。「抱歉，長官，」他對湯瑪士說。「我在山裡迷路了。西蘭斯卡將軍在你們出發不久就派我來找你們。」

「士兵，什麼事？」湯瑪士問。上氣不接下氣的信差向來不是好兆頭。除非有緊急軍情，不然他們絕不會趕成這樣。

「是凱斯軍，長官。」信差說。「我們的間諜回報，他們後天會展開全面進攻。西蘭斯卡將軍請你立刻趕回堡壘。」

湯瑪士掃視他們身處的陡峭河谷。「你們認為我們兩天內可以帶多少人過來？」

「幾千人。」芙蘿拉說。

「一萬。」歐蘭補充。

「一支兩個旅的鐵鎚。」湯瑪士說。「巴德威爾將是鐵砧。」

芙蘿拉有所保留。「長官，和外面那支大軍相比，這只是支小鐵鎚。」

「那我們就得迅速重擊。」湯瑪士再度檢視河谷。「回去吧，派工兵拓寬通道，叫些弟兄上來清理這些碎石，讓我們的人通過時不會引起騷動。凱斯軍進攻時，我們就在巴德威爾的城門擊潰他們。」

4

妮拉坐在廚房地板上看著火苗在大掛鍋底部翻騰，心裡想著世界上大概沒什麼事能比等水煮沸還要無聊了。

大部分貴族宅邸此刻都安靜無聲，她向來很享受那種寧靜——凝止的夜晚空氣能把她和男女主人在家時忙碌混亂的僕役生活隔絕開來。幾個月前，她對生活的認知只有每週為艾達明斯公爵家族和僕人燒水洗衣，而那感覺已經是很多年前的事了。

如今艾達明斯公爵死了，僕人散去，家園遭焚，妮拉從前的一切都消失了。而維塔斯閣下位於艾鐸佩斯特側街中的市區宅邸從來沒有片刻寧靜。

這座大宅某處此刻有個男人正在大吼。妮拉聽不出來他在吼什麼，但感覺對方的語氣十分憤怒。可能是道佛德，那個榮寵法師。他是維塔斯閣下的副手之一，妮拉從未見過脾氣那麼暴躁的人。他很喜歡毆打廚師，屋裡所有人都怕他，就連隨時跟在維塔斯閣下身邊的保鏢也不例外。所有人都怕道佛德，當然，除了維塔斯例外。

在妮拉看來，維塔斯閣下什麼都不怕。

「雅各，」妮拉對和她一起坐在廚房地板上的六歲男孩說。「把鹼水給我。」

雅各站起身來，停在原地，皺眉看她。「在哪裡？」他問。

「臉盆下，」妮拉說。「玻璃瓶。」

雅各在臉盆下面翻來翻去，最後找出那個瓶子。他抓住瓶蓋，用力拉。

「小心一點！」妮拉起身衝到雅各身邊，在瓶子脫手往後翻倒時抓住他的肩膀，一手扶住瓶底。「抓住你了。」她說，然後接過瓶子。瓶子不重，但雅各從來就不是個強壯的孩子。

她扭開瓶蓋，舀出一匙鹼水。

她在雅各伸手去拿打開的瓶子時阻止他。「不行，別碰，那非常毒，會把你粉嫩的手指腐蝕掉。」她抓住他的手，開玩笑地咬了一下他的手指。「就和生氣的狗一樣！」

雅各輕笑著退到房間另一側。妮拉把鹼水放到高架上。他們不該把這種東西放在小孩拿得到的地方，即使雅各是整棟房子裡唯一的小孩。

妮拉在想，如果她還待在艾達明斯宅邸會是什麼情形。兩週前會舉行雅各的六歲生日，會發給僕人獎金，還能額外休假一個下午。公爵有可能跑來調戲自己一次，或不止一次，而公爵夫人就會考慮把她趕出家門。

妮拉想念在寂靜的夜晚幫艾達明斯家洗衣服的日子。她不想念僕役間的勾心鬥角，或公爵不安分的手，但她淪落到了更糟的處境。

維塔斯閣下的宅院。

地下室傳來慘叫聲，而維塔斯閣下的……臥房就在那裡。

「見鬼。」妮拉輕聲說道，目光回到爐火上。

「淑女不講髒話。」這個聲音輕柔平靜，但平靜只是假象，宛如鯊魚環伺的平靜海面。

「維塔斯閣下。」她轉身向站在廚房門口的男人屈膝行禮。

維塔斯是羅斯維人，暗黃膚色。他挺直背脊，一手藏在背心口袋裡，一手隨性地拿著晚餐紅酒杯。他身穿她親手燙平的白襯衫、深藍背心和黑褲子。若是在街上遇到，她很可能會把他誤認為是穿著得體的辦事員或商人。

妮拉知道對維塔斯抱持任何假想都可能是致命的錯誤。他是個殺人凶手，她的喉嚨被他掐住過，她直視過他的雙眼——彷彿能把一切盡收眼底的雙眼——看過他在打量活物時那股冷漠超然的態度。

「閣下，我不是淑女。」妮拉說。

維塔斯仔細打量她。妮拉在那道目光的注視下感覺像被剝光了一樣，彷彿自己是屠夫砧板上的肉塊。她很害怕。

她同時也很生氣。她在想維塔斯閣下躺在棺材裡時，還能不能這麼泰然自若。

「妳知道妳為什麼會在這裡嗎？」維塔斯問。

「照顧雅各。」她偷瞄了男孩一眼。雅各正好奇地看著維塔斯。

「沒錯。」維塔斯突然微笑，臉上和藹可親，但目光依舊冷酷。「過來，孩子。」維塔斯說著，半跪下來。「沒事的，雅各，別怕。」

雅各受過的貴族訓練要求他得服從。他開始往維塔斯走去，一邊回頭尋求妮拉指示。

妮拉感到胸口泛起涼意。她很想衝到兩人中間，從火堆裡抽出鐵條擊退維塔斯。他臉上的笑容遠比面無表情可怕。

「去吧。」她聽見自己小聲說道。

「我有糖給你。」維塔斯拿了一顆用彩紙包的糖果給他。

「雅各，不要……」妮拉開口。

「你可以拿。」妮拉說。「不過最好明天早餐後再吃。」

維塔斯的目光把她定住了。沒有威脅，不帶情緒，就只是冷冷看她一眼。

維塔斯把糖給了雅各，摸摸他的頭髮。

不要碰他，妮拉在心裡大叫。她強迫自己對維塔斯微笑。

「閣下，雅各為什麼在這裡？」妮拉問，透過恐懼擠出這個問題。

維塔斯站起身。「不關妳的事。妮拉，妳知道如何表現得像個淑女嗎？」他問。

「我……我想我知道，但我只是個洗衣工。」

「我覺得妳不會只是洗衣工。」維塔斯說。「所有人都能往上爬。妳撐過了保王分子起義，滲透戰地元帥湯瑪士的總部，打算救雅各出來。而且妳很漂亮，只要好好打扮，就不會有人看穿美麗裡頭的真相。」

妮拉懷疑維塔斯怎麼可能知道保王分子起義的事情。她告訴過他湯瑪士總部的事，但……他說的美麗是什麼意思？

「除了這些——」他向雅各和那些洗滌衣物比了比。「我或許還有其他用得著妳的地方。」雅各忙著偷吃他的糖，完全沒注意到維塔斯那鄙夷的語氣。妮拉注意到了，而她很擔心他所謂的其他用處。

「大人。」她再度屈膝行禮，努力不讓恨意表現在臉上。她或許能趁洗澡時殺了他，就像她在艾達明斯家向總管兒子借的那本推理小說描述的一樣。

「與此同時，」維塔斯邊說邊走到廚房外的走道，一腳抵住門，讓門繼續開著。「把人帶進來。」他高聲吩咐。

有人發出咒罵聲，是一個女人在憤怒尖叫，發出類似野貓發怒時的叫聲。走廊上傳來掙扎的動靜，維塔斯的兩名保鏢拖著一個女人進入廚房。她大概四十來歲，因為生過太多小孩，身體所有不該鬆弛的地方都鬆垮垮的，皮膚上有勤奮工作的皺紋，不過沒被陽光曬黑。她擁有一頭黑色鬈髮，在腦後紮成髮髻，眼袋顯示她睡眠不足。

女人看見妮拉和雅各後就停止掙扎。

「我兒子在哪裡？」她對維塔斯啐道。

「地下室。」維塔斯說。「只要妳配合，我就不會傷害他。」

「騙子！」

維塔斯嘴角露出施恩於人的笑容。「妮拉，雅各，這位是菲。她身體不舒服，得嚴加看管，以免她傷害自己。雅各，她和你住同一間房，你能幫我看好她嗎，孩子？」

雅各認真點了點頭。

「好孩子。」

「我要殺了你。」菲對維塔斯說。

維塔斯走到菲旁邊，在她耳邊低語。她身體一僵，臉色發白。

「好了，」維塔斯說。「妮拉，菲會取代妳的職責。她會洗衣服和照顧雅各。」

妮拉和那個女人對視一眼。她覺得自己腹中的那團恐懼感反映到了菲的臉上。

「那我呢？」妮拉知道維塔斯會如何處置失去利用價值的人，她還記得雅各死去的保姆——那個拒絕配合維塔斯計畫的人。

維塔斯突然穿過廚房，扣住妮拉的下巴，把她的臉左右轉來轉去。他把拇指插入她嘴裡，她得忍住不在他檢查牙齒時咬他，接著他收回手，拿廚房毛巾擦手，彷彿剛剛檢查完一頭牲口。

「洗衣服只讓妳雙手變粗糙一點而已。老實說，真的只有一點。明早我會給妳一些乳液，妳每小時都要擦，我們會讓妳這雙手看起來像貴族仕女的一樣柔嫩。」他拍拍她的臉頰。

妮拉忍住沒朝他眼睛吐口水。

維塔斯傾身向前小聲開口，不讓雅各聽見。「這個女人，」維塔斯指著菲說。「是妳的責任，妮拉。如果她惹我生氣，妳會受罰，雅各也會受罰。相信我，我很擅長懲罰別人。」

維塔斯走開，對雅各微笑。他提高音量道：「雅各，我想你需要幾件新衣服。你想要嗎？」

「非常想要，先生。」雅各說。

「我們明天去買，再加一些玩具。」

維塔斯看了妮拉一眼，雙眼流露出無聲的警告，然後和保鏢一起離開。

菲整理了一下衣服，深吸口氣。她打量廚房，臉上掠過各種情緒：憤怒、驚慌和恐懼。一時之間，妮拉以為菲會抓起油鍋攻擊她。

妮拉好奇她是什麼人，為什麼會出現在這裡？這女人顯然也是囚犯，另一枚維塔斯陰謀下的棋子。她可以信任對方嗎？

「我叫妮拉。」她說。「他是雅各。」

菲的目光停留在妮拉身上，皺起眉點了點頭。「我叫菲。我要殺了那個混蛋。」

阿達瑪從艾鐸佩斯特碼頭區一間破房屋的側門溜了進去。他沿著走廊走，與許多祕書和簿記員擦肩而過，目光始終直視前方。根據他的經驗，不會有人質疑一個看起來知道要去哪裡的人。

阿達瑪知道維塔斯在找他。

這一點並不難猜測。維塔斯還扣著菲當人質，依然擁有籌碼，而且肯定想要弄死阿達瑪或控制他。

所以阿達瑪保持低調。戰地元帥的士兵在保護他的家人，這是阿達瑪為了不讓自己人頭落地而和湯瑪士談妥的條件之一。如今阿達瑪得躲在陰影中行動，找出維塔斯，查出他的計畫，在菲受到更多折磨前解救她，如果她還活著的話。

但他一個人辦不到。

高貴勞工戰士工會總部距離艾鐸佩斯特碼頭不遠，是座醜陋的低矮磚造建築，看起來不怎麼起眼，卻是九國境內最大的工會辦公室。工會所有分部的事務都會通過這裡運作，包含：銀行家、鋼鐵工人、礦工、麵包師、磨坊工，還有其他工人。

但阿達瑪只需要和一個人談，而且他不想在進門時引起注意。他走過三樓一條天花板很低的走廊，停在一間辦公室門外。他聽見裡面的人聲。

「我不管你對這個主意怎麼想，」工會會長理卡・譚伯勒的聲音傳來。「我要找到他，說服他，他是最適合這個職位的男人。」

「男人？」一個女人的聲音反駁。「你覺得女人辦不到嗎？」

「別來這套，雀莉絲。」理卡說。「只是一種說法，別把這事弄成性別問題，妳不喜歡他只是因為他是軍人。」

「你很清楚原因。」

阿達瑪沒聽清楚理卡的回應，因為他聽見了身後地板嘎吱作響。他轉身，發現有個女人站在他身後。

她看起來三十來歲，金色直髮在腦後束起馬尾，身穿套裝制服——寬褲和男僕會穿的那種荷葉邊白上衣，雙手負於身後。

是一個祕書，阿達瑪最不想應付的人物。

「先生，我能為您效勞嗎？」她問，語氣很唐突，目光始終保持在阿達瑪臉上。

「喔，天啊。」阿達瑪說。「這副模樣看起來很不像話，但我沒有要偷聽的意思，只是有事要找理卡談談。」

「祕書應該要讓你在等候室等的。」她似乎一點也不相信他。

「我從側門進來的。」阿達瑪承認道。所以她不是祕書？

女人說：「請隨我去大廳，我們幫您預約會面。譚伯勒先生很忙。」

阿達瑪微微鞠躬。「我不想預約，我只是需要跟理卡談談，這事很急。」

「麻煩您隨我來，先生。」

「我只是要和理卡談談。」

她微微壓低聲音，充滿威脅意味。「如果您不隨我來，我會以私闖民宅的罪名報警。」

「聽我說！」阿達瑪提高音量。他絕不想引發騷動，但他迫切須要引起理卡的注意。

「飛兒！」辦公室裡傳來理卡的聲音。「飛兒！可惡，飛兒，外面在吵什麼！」

飛兒瞇起眼瞪著阿達瑪。「你叫什麼名字？」她語氣嚴厲。

「阿達瑪調查員。」

飛兒的態度立刻變了，完全沒得商量的嚴厲目光蕩然無存。她鬆了口氣。「你怎麼不早說？理卡在全城各地找你。」她走過阿達瑪身邊，打開辦公室的門。「先生，阿達瑪調查員來訪。」

「好了，別讓他站在走廊上，請他進來！」

房間裡很亂但很乾淨——實屬難得。書櫃沿著每面牆延伸，中央擺了張鐵木辦公桌。理卡坐在辦公桌後，面對一個五十幾歲的女人。阿達瑪一眼就能看出她很有錢，她的戒指都是金的，鑲有價值不菲的寶石，衣服是用上好棉布製成。她用頂級花邊手帕搧風，刻意偏頭不看阿達瑪。

「請見諒，雀莉絲，」理卡說。「這事非常重要。」

女人推開阿達瑪離開了辦公室。阿達瑪聽見甩門的聲音，然後就只剩下他們兩人了。他有短暫考慮要不要詢問剛才是怎麼回事，但最後決定不問。理卡可能花上一個小時解釋，也可能宣稱那是私事。阿達瑪脫下帽子和外套，回應理卡的擁抱。

理卡坐回辦公桌後，向空椅子比了個手勢。他們同時開口。

「阿達瑪，我要請你幫忙。」

「理卡，我要請你幫忙。」

他們同時閉嘴，然後理卡哈哈大笑，伸手摸了摸前額禿頭的頭皮。「你已經很多年沒找我幫忙了。」他深吸一口氣。「首先，我對理髮幫的事深表遺憾。」

黑街理髮幫，照理說是理卡手下的街頭幫派，卻跑去阿達瑪家暗殺他。那件事真的才過一個月嗎？感覺像是好幾年前的事了。

「湯瑪士剷除了他們，」阿達瑪說。「沒死的都關在黑刺監獄裡發爛了。」

「我支持他。」

阿達瑪點頭，他沒意願繼續這個話題。他不會把這件事怪到理卡頭上，但如今他對理卡的手下沒有什麼信心。

「菲還在城外嗎？」理卡問。

阿達瑪的眼神必定透露了某些情緒。理卡最擅長解讀他人表情，知道該在什麼時候說什麼話。他站起身來，打開一條門縫。「飛兒，」他說。「不要打擾我。不見人，也別吵。」

接著，他關上門並拴上門閂，回到辦公桌後。

「告訴我發生了什麼事。」理卡說。

阿達瑪頓了頓。他為了是否要來找理卡和來的話要說什麼掙扎了好幾天。他不是不信任理卡，而是不信任理卡的手下，畢竟維塔斯的間諜無所不在。但如果他連理卡都不信任，就完全求助無門了。

「菲和孩子都被一個名叫維塔斯閣下的人抓走了。」阿達瑪說。「對方挾持他們逼我合作。我把和湯瑪士談話的內容和調查結果全都告訴了維塔斯。」

理卡表情緊繃。不管他以為會聽到什麼，肯定都不是這些話。「你背叛湯瑪士？」他沒問出口的是：然後你還活著？

「我把這一切都告訴湯瑪士。」阿達瑪說。「他原諒我了，暫時的，然後要我去獵殺維塔斯閣下。我救出了幾個孩子，但菲和喬瑟還在維塔斯手上。」

「你不能用湯瑪士的兵力對付維塔斯嗎？」

「我得先把他找出來。找出來後，希望一切就能那麼簡單。一旦維塔斯找出我在哪，他肯定會拿菲的性命來威脅我。我得暗中找到他，跟蹤他，救出菲，再讓他體驗一下湯瑪士的憤怒。」

理卡緩緩點頭。「所以你不知道他在哪裡？」

「他和鬼一樣。他剛開始勒索我時，我就調查過他了，但他根本就不存在。」

「如果連你都找不到他，我懷疑我的手下有辦法找到他。」

「我不是要你找他，我要的是情報。」阿達瑪伸手到口袋裡，拿出維塔斯幾個月前留給他的名片，上面有地址。「這是我唯一的線索，地址是離此地不遠的老倉庫。我要知道所有的相關細節。倉庫是誰的？附近的地產在誰名下？上次轉手是什麼時候？你的人有辦法接觸我接觸不到的檔案。」

理卡點頭。「當然，這些都交給我來辦。」他伸手去拿那張名片。

阿達瑪打斷他，抓住理卡的手。「事關重大，我妻子和兒子的性命都靠這個了。如果你信不過你的手下，現在就告訴我，我自己去查。」別忘記理髮幫的事，這句話阿達瑪沒說出口。

理卡似乎聽懂了他的意思。「我有信得過的人，」理卡說。「別擔心，不會出事的。」

「還有件事。」阿達瑪說。「你或許不會想要招惹兩個和此事有關的人。」

理卡微笑。「如果不是湯瑪士，我就想不出是誰了。」

「克雷蒙提閣下和大業主。」

理卡笑容倏地消失。「克雷蒙提閣下不意外。」他說。「布魯丹尼亞—葛拉貿易公司打從一開始就想染指工會。他老謀深算，但嚇不倒我。」

「別太小看他了，維塔斯閣下替他辦事。」而維塔斯挾持他妻兒。在阿達瑪眼中，克雷蒙提就和親手綁架菲和喬瑟沒兩樣。

理卡比了個不在乎的手勢。「你說大業主可能牽扯其中？當然，我不信任他，但我以為你已經洗刷了他背叛的嫌疑。」

「我沒洗刷他的嫌疑，」阿達瑪說。「我只是查出暗殺湯瑪士的人是查爾曼。大業主的其中一個拳擊手狹持了我的家人，而你也明白他對拳擊手接外務是抱持什麼樣的態度——除非大業主同意，不然沒人能為他人工作。」這表示大業主可能和克雷蒙提是一夥的。

「你得步步為營，我的朋友。」理卡警告。「維塔斯或許想利用你，但大業主想都不想就會殺你全家。」他看了阿達瑪給的名片一眼，放進背心口袋。「別擔心，我會調查，但我要你幫我個忙。」

「說吧。」

「你認識雙槍坦尼爾嗎？」

「我聽說過他。」阿達瑪說。「九國境內所有人都知道他。報紙說他在南矛山頂的魔法大戰過後就昏迷不醒。」

「他醒來了。」理卡說。「一週前醒的，但現在失蹤了。」

阿達瑪第一個想到維塔斯，那傢伙正全力對抗湯瑪士，他會抓住機會俘虜戰地元帥的兒子。

「有打鬥痕跡嗎？」

理卡搖頭。「嗯，有是有，但不是你想的那樣。他是自己擺脫守衛的。湯瑪士派自己的手下保護他，我的人也有在監視，而他竟然能從我們兩方人馬眼皮底下溜走，實在令我汗顏。我要暗中把他找出來。」

「你要讓他回來嗎？」阿達瑪問。「我可不打算強迫火藥法師做任何他不想做的事。」

「不，只要找出他在哪裡，然後告訴我。」

阿達瑪起身。「我想想辦法。」

「我會幫你調查這個維塔斯閣下。」理卡抬手制止阿達瑪提出異議。「暗中調查，我保證。」

湯瑪士走進巴德威爾最大的食堂，差點被裡面誘人的香氣沖昏頭。

他迅速穿過數百名士兵正在享用晚餐的餐桌，往廚房走去，試圖不理自己飢腸轆轆的痛苦。

他要找的人很難錯過：又壯又胖，比大部分人高，及腰黑髮綁在腦後，偏淺黃的膚色透露一點羅斯維血統。他站在廚房角落，踮起腳尖，以便能看到最高一排烤箱。

表面上，米哈理是湯瑪士的主廚，他和他的助手提供湯瑪士全軍最高水準的伙食，甚至還包辦了巴德威爾城的伙食。人民熱愛米哈理，弟兄崇拜他。

好吧，或許他們是應該要崇拜他。

他是亞頓轉世，艾卓的守護聖徒，也是真神克雷希米爾的弟弟。這表示他也是神。

米哈理轉向湯瑪士，隔著眾多助手向他揮手，四周揚起雲霧般的麵粉。

「戰地元帥，」主廚叫道。「過來這邊！」

湯瑪士壓下被人當成普通士兵呼來喚去的不悅，從放麵包的桌子之間走過去。

「米哈理——」

神主廚打斷他。「戰地元帥，我很高興你來了，我要和你討論一件非常重要的事。」

非常重要的事？湯瑪士從未見過米哈理如此焦慮。他傾身向前。有什麼事會讓神擔心？「什麼事？」

「我無法決定明天午餐要吃什麼。」

「你混蛋！」湯瑪士大叫，後退一步。他聽見自己的心跳聲，本以為米哈理要說明天早上就是世界末日。

米哈理似乎沒聽到他罵人。「我已經好幾十年沒遇到過不知道要做什麼的情況了，我通常都計畫妥當，但……我很抱歉，你在生什麼氣嗎？」

「我是來打仗的，米哈理！凱斯大軍已經兵臨城下了。」

「饑餓也兵臨我的城下！」

米哈理似乎有些失態，湯瑪士強迫自己冷靜下來，伸手搭上對方的手臂。「你不管做什麼，大家都會吃得很開心。」

「我本來計畫要做水煮蛋配蘆筍、鮭魚片、蜂蜜羊排，還有水果。」

「你已經說出三餐了。」湯瑪士說。

「三餐?三餐?總共才四道菜,當早餐都不夠,而且我五天前做過一模一樣的菜單了,什麼主廚會在一週內就重複菜色?」米哈理用沾滿麵粉的手指拍了拍下巴。「我怎麼會搞混?或許今年是閏年。」

湯瑪士默默數到十,壓下滿腔怒火——坦尼爾長大後他就沒幹過這種事了。「米哈理,我們後天就要開戰了,你能幫我嗎?」

神似乎有點緊張。「我不殺人,如果你是要求這個的話。」

「你能幫上什麼忙嗎?對方的人數是我們的十倍。」

「你有什麼計畫?」

「我要帶第七旅和第九旅穿越地下墓穴,從側面夾擊凱斯軍,趁他們進攻巴德威爾時,在城門重創他們,衝散他們的陣形。」

「好多軍事術語。」

「米哈理,請專心!」

米哈理終於停止在食堂裡四處張望,彷彿在尋找明天的菜單,然後平靜地注視著湯瑪士。「克雷希米爾是指揮官,布魯德也是指揮官,而我是個主廚。但既然你問了,我認為這個戰術聽起來風險很高,報酬也高,非常適合你。」

「你能幫忙做些什麼嗎?」湯瑪士很有禮貌地詢問。

米哈理似乎在思索這個問題。「我可以確保你的人馬在衝鋒前都不會被人發現。」

湯瑪士鬆了一大口氣。「如果是那就太完美了。」他等了一會兒說道。「米哈理，你看起來很焦慮。」

米哈理抓起湯瑪士的胳膊，把他拉到帳篷角落，壓低音量說：「克雷希米爾消失了。」

「沒錯。」湯瑪士說。「坦尼爾殺了他。」

「不，不是，克雷希米爾消失了，但我沒感覺到他死亡。」

「但是九國全境都感覺到了。榮寵法師包貝德告訴我，全世界所有技能師和榮寵法師都感覺到他死亡。」

「那並不是死亡。」米哈理一邊說，一邊揮舞手上的麵團。「那是他對坦尼爾開槍射他腦袋所做出的反擊。」

湯瑪士突然感到口乾舌燥。「你是說克雷希米爾還活著？」包貝德曾警告過他，神是殺不死的。湯瑪士本來希望他錯了。

「我不知道，」米哈理說。「所以才擔心。我一直都有辦法感應到他，就算他身處半個宇宙以外的地方。」

「他在凱斯軍裡嗎？」湯瑪士得取消所有計畫，重新擬定策略了。如果克雷希米爾混在凱斯軍裡，他們可能會全面潰敗。

「不，他不在，」米哈理說。「在的話我會知道。」

「但你說……」

「我保證，」米哈理說。「如果他離那麼近，我會發現。再說，他不會和我正面開戰。」

湯瑪士握緊拳頭。擬定作戰計畫最麻煩的就是不確定因素。他會因此緊張，心知自己無法顧慮到一切，而這次的不確定因素可是神級的。他得執行他的計畫，希望有米哈理幫忙掩飾部隊行蹤就夠了。

「現在，」米哈理說。「如果那個話題已經講完了，我要你幫忙擬定明天的菜單。」

湯瑪士戳了戳神的胸口。「你是主廚，」他說。「我是軍事指揮官，我有仗要打。」

他離開食堂，在前往指揮帳的半路上，才暗罵自己竟然忘了拿一碗米哈理的濃湯。

理卡請阿達瑪去找雙槍坦尼爾後不到二十四小時，他又坐回了理卡的碼頭辦公室裡。

理卡輕咬一支粗製鉛筆的末端，看著面前的阿達瑪。他頭上僅存的頭髮宛如乾草堆般插在頭上，阿達瑪不禁在想，他們上次碰面到現在理卡有沒有睡覺。不過至少他的上衣和外套有換。辦公室裡瀰漫焚香、紙張燃燒和腐敗肉品的味道。阿達瑪懷疑那些文件底下是不是有塊沒吃完的三明治。

「你昨晚沒回家是嗎?」阿達瑪問。

「你怎麼知道?」

「你是說除了你看起來糟透了之外?你沒換鞋子。自從我認識你以來,就沒看過你連續兩天穿一樣的鞋。」

理卡低頭看腳。「你會注意到這種事,是吧?」他揉開眼中的倦意。「別告訴我說你找到雙槍坦尼爾了?」

阿達瑪拿起一張紙,上面寫了那家瑪拉菸館的地址,艾卓軍的英雄就躲在裡面自怨自艾。他將紙遞給理卡,但在理卡伸手去拿時縮了手,彷彿突然改變心意。

「我今天早上在報紙上看到一則有趣的新聞。」阿達瑪見理卡沒有反應,拿出夾在胳膊下的那份報紙丟到辦公桌上。「理卡.譚伯勒宣布競選艾卓共和國第一行政官。」他大聲唸出頭條新聞標題。

「喔,」理卡輕聲說。「這個呀。」

「你怎麼不告訴我?」

「你似乎有很多事情要煩。」

「你要競選我們新政府領導人,請問你還在碼頭上做什麼生意?」

理卡抬頭。「我在建造新總部。事實上,明天就會搬過去。還是在工廠區,不過很適合招待達官貴人。你想去看看嗎?」

「我現在有點忙。」他說完，在看到理卡失望的表情後又補充道。「改天吧，我一定去。」

「你會喜歡的。俗艷、金碧輝煌，但是很有格調。」

阿達瑪嗤之以鼻，他知道理卡的品味，「俗艷」根本不足以形容。他把那張紙丟在理卡辦公桌上。「要不就是你投入找他的人力遠比你宣稱得少，不然就是你的手下都是白痴。」

「我不認得這個地址。」理卡說，笑到臉頰都紅了。

阿達瑪沒有跟他一樣興奮的心情。「打完仗，士兵都會直奔兩個地方，要不回家，要不去尋歡。雙槍坦尼爾是職業軍人，所以我猜是尋歡，而離人民法庭最近的聲色場所就是西北方的葛拉區。我才找到第六家瑪拉菸館就找到他了。」

「你運氣好。」理卡說。「承認吧，他有可能去任何地方，你只是剛好先找葛拉區。」

阿達瑪聳肩。調查工作非常仰賴運氣，但他絕不會對客戶這麼說。「你不會也剛好找到昨天那個地址的檔案了吧？」

理卡翻了翻桌上的文件，找出維塔斯的名片還給阿達瑪，上面用鉛筆寫了一個人名和地址。

「飛兒親自調查的。」理卡說。「那座倉庫是兩年前一個裁縫師買的——還真是什麼人都有。沒有紀錄顯示那個裁縫師曾把倉庫轉手，這表示倉庫沒落在工會手上，也就是說買賣是私下進行的。很抱歉我幫不上更多忙。」

「這是個開始。」阿達瑪站起身，拿起他的帽子和手杖。

「你會帶索史密斯一起去，對嗎？」理卡問。「我不希望你獨自去找這個維塔斯。」

「索史密斯還躺在床上，」阿達瑪說。「他被理髮幫打得很慘。」

理卡皺眉。「他可以去找帕凱爾女士。」

帕凱爾是個古怪的中年女人，和幾千隻鳥一起住在高塔里安區一座老教堂，頭髮裡總是夾雜著羽毛，身上散發雞舍的味道，但她同時也是城內唯一擁有療傷技能的技能師。她能憑意志力縫合傷口和斷骨，而她的價碼比榮寵法師醫者還貴。

「我把所有錢都花在請她治療我被查爾曼打出來的傷上了。」阿達瑪說。「我非這麼做不可，不然就沒辦法去救我的家人。」

「飛兒！」理卡大喊，把阿達瑪嚇得跳起來。

女人片刻後現身。「譚伯勒先生？」

「派人送信給帕凱爾女士，說我要她還之前欠我的人情，有個名叫索史密斯的拳擊手要治療，告訴她今天就出門看診。」

「她不出門看診的。」飛兒說。

「她最好為了我出門。如果她刁難妳，提醒她之前那次山羊事件。」

「立刻就去。」飛兒說。

「山羊事件？」阿達瑪問。

理卡左顧右盼。「別問，我他媽的得來點酒。」

「理卡，你沒必要為了我討人情債。」阿達瑪說。他知道帕凱爾女士的收費標準，光是排隊就要好幾個禮拜，阿達瑪能插隊是透過了戰地元帥的私人請求。

「別放在心上。」理卡表示。「你救我的次數多到數不清了。」他從一疊書後拿了支酒瓶出來，喝掉瓶裡最後一口混濁的酒，然後扮了個鬼臉。他又過了一會兒才放棄找更多的酒，坐回座位上。「但別以為我不會再找你討人情。競選『第一行政官』肯定困難重重。」

「我盡力而為。」

「很好，現在去找那個什麼鬼名字閣下吧。我一直在想，你和菲明年週年紀念要送份大禮給你們，希望你們倆到時候都還在人間。」

6

坦尼爾割下外套上最後一枚銀鈕釦交給金恩，駝背的葛拉人就著燭光仔細檢查後將其收入口袋中，就和他收起其他鈕釦時一樣，接著在坦尼爾吊床旁的桌上放了一顆瑪拉菸球。

儘管金恩掩不住臉上的貪婪，目光裡還是隱含擔憂。

「別抽太快了。要欣賞、品嚐、享受。」金恩說。

坦尼爾把一大塊瑪拉菸塞入菸管，菸在菸管的餘燼中瞬間點燃，他深吸一口菸。

「你一天抽掉正常人二十天的量。」金恩說。他後退站好，看著坦尼爾抽菸。

坦尼爾拿起他的銀火藥法師徽章，在指尖翻轉。「八成是魔法的關係，」他說。「你做過火藥法師的生意嗎？」

金恩搖頭。

「我也不認識會抽瑪拉菸的火藥法師。」坦尼爾說。「我們一般都吸火藥，不必靠其他東西保持活力。」

「那為什麼要抽瑪拉菸？」金恩邊說邊忙著打掃菸館。

坦尼爾深吸口氣。「火藥沒辦法讓我遺忘。」

「啊，遺忘。所有人抽瑪拉菸都是為了遺忘。」金恩心照不宣地點頭。

坦尼爾凝望小隔間的天花板，細數吊床搖擺的次數。

「要上床了。」金恩說著，把掃把放在角落。

「等等，」坦尼爾伸出手，在發現自己看起來有多可悲時又立即縮回手。「給我足以撐過今晚的量。」

「今晚？」金恩搖頭。「已經天亮了。我都晚上做生意，大部分客戶都是晚上來。」

「那就給我今天的份。」

金恩似乎在考慮此事，目光落在剛剛交給坦尼爾的瑪拉菸球上。按他所說，那顆球應該能撐上四、五天。

「給我那個火藥桶，我會給你足夠吸上三週的量。」

坦尼爾握緊火藥桶徽章。「不行。還有呢？」

「這三週還能讓你享受我女兒。」

坦尼爾想到葛拉瑪拉菸館老闆幫自己女兒拉皮條就覺得噁心。

「不。」

「你喜歡藝術？」金恩拿起卡波送來的素描本和鉛筆。

「放下。」

金恩嘆氣，放下素描本。「你沒有值錢的東西，沒錢。」

坦尼爾摸摸外套口袋，裡頭空無一物。他手指順著銀滾邊摸了摸。

「外套值多少？」

金恩嗤之以鼻，摸摸布料。「不多。」

「那個給我。」坦尼爾把瑪拉菸管放在桌上，勾起外套交給金恩。

「你會冷死，我可不支付葬禮的錢。」

「現在是盛夏。把天殺的瑪拉菸給我。」

金恩給他少得可憐的黏稠黑色瑪拉菸球，然後帶著坦尼爾的外套消失在樓梯上。坦尼爾聽見樓上地板傳來腳步聲，以及金恩用葛拉語說話的聲音。

他躺回吊床，深深吸了口瑪拉菸。

據說瑪拉菸一次能讓人遺忘幾個小時。坦尼爾試著回想他之前遺忘的那些時候。他在這下面待多久了？幾天？幾週？感覺並沒有很久。

他拿出嘴裡的菸管，透過室內黯淡燭光打量它，自言自語：「這可惡的玩意兒根本沒用。」他還是能看見克雷希米爾從天而降，從那團雲裡走出來的畫面。神！一個真實存在活生生的神！坦尼爾心想，如果小時候那個牧師知道他長大後會射殺九國之神，不曉得會怎麼說。

那顆魔法加持的子彈射穿克雷希米爾的眼睛時，時間並沒有停止流逝，所以看起來世界可以在沒有神的狀態下繼續存在。但有多少人為了阻止克雷希米爾再現人間而送命？數百名艾卓人、朋友、盟友，還有數千名凱斯人——其中有好幾百個死在坦尼爾手上。

他每次閉眼，就會看見一張新的面孔，有時候是他殺死的男人或女人，有時候是湯瑪士或芙蘿拉，有時候是卡波。或許是瑪拉菸的作用，但是該死的，每次看到那野蠻女孩的臉都會讓他心跳加速。

樓梯吱嘎作響。坦尼爾抬起頭，透過煙霧看見卡波走下樓。她穿越菸館來到他身旁，皺著眉看他。

「幹嘛？」他問。

她拉了拉他的上衣，然後捏捏自己的長大衣。外套，可惡，她第一時間就注意到了。

他伸手護住瑪拉菸球。

她以肉眼難察的速度一把搶走他的菸管。

「妳這個小婊子，」他嘶聲道。「還給我。」

她靈巧閃開他的手，笑嘻嘻地站在房間中央。

「卡波，把菸管給我。」

她搖頭。

他呼吸困難，在視線突然模糊時眨了眨眼，分不清是瑪拉菸的威力還是自己的怒氣。掙扎片刻後，他從吊床上坐起來。

「現在馬上還我。」他雙腳甩出吊床邊緣，卻在試圖起身時，感受到一陣遠比開啟第三眼看艾爾斯時還要強烈的噁心襲來。他重新跌回吊床，耳中迴盪著宛如雷鳴的心跳聲。

「見鬼，」他摀住腦袋兩側喃喃自語。「我整個人都廢了。」

卡波把瑪拉菸管放在房間另一側的凳子上。

「不要放在那裡。」坦尼爾說，聲音聽起來很虛。「拿過來。」

她只是搖頭，一邊脫下她的大衣。他還沒來得及出聲抗議，她已經來到吊床前，把外套蓋在他肩膀上。

他推開外套。「妳會冷。」他說。

她指了指他。

「可惡，現在是夏天。我沒事。」

她又把外套拉到他胸前。

他再度把外套推回給她。「我不是小孩。」

她眼裡似乎閃過一絲光芒。她把外套從他身上扯下來，丟到地上。

「波，妳這是在……」他接下來的話消失在悶哼中，因為她一腳跨過吊床，直接坐在他大腿上。他在她調整臀部坐得更舒服時心跳微微加速。在狹窄的小隔間裡，他們的臉幾乎貼在一起。

「波……」他突然喘不過氣來，一時之間，瑪拉菸管甚至是手裡的瑪拉菸球都被他拋到腦後。

她伸出舌頭舔濕嘴唇，似乎做好了準備，又充滿戒備，就像動物一樣。

坦尼爾幾乎沒聽見樓上菸館開門聲響。地板上傳來腳步聲，有個女人用葛拉話大喊。

卡波低下頭。坦尼爾移動肩膀，把自己推向她。

「雙槍坦尼爾上尉！」樓梯在一雙步伐堅定的靴子下嘎吱作響，一個身穿套裝的女人走進房間，手裡拿著帽子。「上尉！」她說。「上尉，我……」

她在看見卡波坐在坦尼爾腿上時愣住了。坦尼爾面紅耳赤，偷瞄了卡波一眼。她露出心照不宣的笑容，但表情有點惱怒，翻身從他大腿上下來，迅速撿起地上的外套披在肩上。

女人轉過頭去，盯著對面的牆壁。「先生，我很抱歉，我不知道你在忙。」

「她又沒脫衣服。」坦尼爾反駁，發現自己聲音沙啞，於是清了清嗓子。「妳他媽是誰？」

女人微微鞠躬。「我是飛兒・貝克，高貴勞工戰士工會的次長。」儘管在尷尬時刻闖進來，她看起來卻一點也不尷尬。

「工會？妳他媽是怎麼找到我的？」坦尼爾讓自己在吊床上坐好，這個動作令他胃裡翻滾作嘔。他不曉得自己多久沒吃東西了。

「先生，我是理卡・譚伯勒的助理，他派我來找你，很想和你見上一面。」

「譚伯勒？沒聽過。」他躺回吊床，看向卡波。她坐在房間對面的板凳上，一邊拿菸管拍打掌心，一邊打量著工會次長。

飛兒揚起一邊眉毛。「他是工會會長，先生。」

「我不在乎。」

「他派我來請你和他共進午餐。」

「滾。」

「他說可以賺大錢。」

「我不在乎。」

飛兒打量他片刻，轉身走向嘎吱作響的樓梯，就和她來時一樣突然。上方地板傳來沉悶的人聲，他們在講葛拉語。坦尼爾看向卡波，她也回應他的目光，然後眨了眨眼。

這算什麼？

片刻後，工會次長再度下樓。

「先生，你似乎沒錢了。」

坦尼爾尋找他的瑪拉菸管。喔，對了，還在卡波手上。

「把她手裡的菸管拿來給我，行嗎？」坦尼爾對飛兒說。

飛兒面對卡波，兩個女人交換了一個眼神，看起來耐人尋味。坦尼爾一點也不喜歡這樣。

工會次長雙手握在一起。「先生，我不會那麼做。」她兩大步穿越房間，掐住坦尼爾下巴，強迫他面對她。坦尼爾抓住她的手腕，但飛兒比外表看起來更強壯。她端詳著他的雙眼。

「放開我，不然我絕對會殺了妳。」坦尼爾吼道。

飛兒放開手，後退一步。「你來這之後抽了多少菸？」

「不知道。」坦尼爾嘟噥。工會次長衝向他時，卡波動都沒動一下，她還真是個好幫手。

「老闆告訴我，你四天內抽掉了八磅瑪拉菸。」

坦尼爾聳肩。

「這個量足以殺死一匹戰馬了，先生。」

坦尼爾嗤之以鼻。「感覺沒什麼效果。」

飛兒面露困惑，張開嘴又閉上，然後說：「沒什麼效果?我……」她抓起帽子上樓，幾分鐘後又折回來。

「老闆……」飛兒說。「他堅稱親眼看見你抽。我檢查過你的眼睛，一絲瑪拉菸中毒的跡象都沒有。見鬼，我光站在這裡和你說話可能就中毒了。你受到神的眷顧。」

坦尼爾跳下吊床。前一秒他還躺在吊床上，下一秒已經雙手抓住飛兒的領口。他轉頭，眼神無法集中，雙手因憤怒發抖。「我才沒有受神眷顧。」坦尼爾說。「我沒有……我……」

「請你放開我，先生。」飛兒輕聲道。

坦尼爾雙手垂到身側。他後退了一步，喃喃自語。

「我給你點時間打理自己。」飛兒說。「我們會在去找理卡的路上幫你弄件新外套。」

「我不去。」坦尼爾有氣無力。他搖搖晃晃走到角落，慶幸有牆可靠。或許該說他走不了，他懷疑自己能不能走到二十呎外。

飛兒嘆氣。「譚伯勒先生請你去他自己的瑪拉菸館放鬆。先生，那裡比這舒適多了。他的菸館老闆不會拿你的外套。如果你拒絕，我們奉命用武力把你帶過去。」

坦尼爾看向卡波，她正在用看起來很鋒利的織針清指甲，那根針幾乎和她前臂一樣長。她短暫迎向他的目光，又是那種心照不宣的微笑，眼中再度流露出惱怒。

「理卡的菸館比這裡更具有隱私，先生。」飛兒說著，對自己掌心咳嗽。

坦尼爾不確定卡波還會不會像剛剛那樣爬到自己身上。「好吧，飛兒，但是有個條件。」

「先生？」

「我好像兩天沒吃東西了，我要先吃午餐。」

兩小時後，坦尼爾來到艾鐸佩斯特碼頭。碼頭向來是艾卓的貿易中心，將艾德河及其北方支流的貨物一路送往瑟可夫谷，貫穿琥珀平原。由於開戰的緣故，通往凱斯的貿易停擺，通常利用河運的貨物改由騾子和馱馬翻山運送。

儘管運輸方式改變，碼頭依然是艾鐸佩斯特的貿易中樞。平底船運來上游的鐵礦和木材，為艾卓的磨坊和槍匠提供原料，每天製造數以百計的武器和彈藥。

碼頭瀰漫著魚腥、污水和煙味，坦尼爾開始想念金恩菸館中清涼香甜的瑪拉菸味。他的隨行人員包括工會次長飛兒和兩名虎背熊腰的鋼鐵工人。坦尼爾懷疑那兩名工人是要在他拒絕前往時把他扛去見理卡的。

卡波跟在他們身後。鋼鐵工沒有理會她，但飛兒隨時都在留意她。她似乎懷疑卡波不只是個啞巴野人這麼簡單，而坦尼爾認為飛兒也不光是個工會次長這麼簡單。

飛兒停在一間水邊的倉庫前。坦尼爾透過巷子望向艾德海。他能在白天看見海平面上的光芒，以及明顯消失的南矛山，這個景象讓他很想找塊岩石躲藏。神臨死前的痛楚鏟平了一整座山，而他只昏迷一個月就沒事了。他不確定自己為什麼沒死，但他認為這和卡波有關。

他不知道其他人有沒有這麼走運。包現在在哪裡？他在協防肩冠堡壘時認識的那些守山人怎麼樣了？

他心裡浮現克雷希米爾宮殿坍塌時自己抱住卡波的畫面。火焰、石塊，以及山崩時噴灑岩漿的高溫。

「很難相信山沒了，是嗎？」飛兒說著，朝對岸方向點了點頭，同時打開倉庫的門，示意坦尼爾進去。

坦尼爾又看了東邊一眼，轉頭面對飛兒。「妳先請。」

「好。」飛兒沒有拒絕。她看向鋼鐵工，從背心口袋裡拿出鐵灰菸盒，將雪茄遞給他們。「兩位回去工作吧。」男人們朝飛兒點帽致意，點燃了雪茄，然後回到街上。「來吧。」飛兒說。他們全都進去後，她關上倉庫門。「歡迎光臨理卡的新辦公室。」

坦尼爾壓下一股吹口哨的衝動。老倉庫窗戶緊閉，磚塊年久失修，從外面看起來毫不起眼，但裡面別有洞天。

地板都是黑大理石，牆壁潔白無瑕，掛有紅綢掛毯。整棟建築似乎只有一個主要房間，是兩層樓高、至少兩百步長、有回音的大石室，上方掛著十幾盞水晶燈照明。房間末端有長吧檯，吧檯後有個身穿制服的酒保和只穿襯裙的美貌女子。

「您的外套，先生。」女人說。

坦尼爾把他新的深藍制服外套交給她。他覺得自己的目光在她身上停留得有點太久了。他避開卡波，轉頭打量這個房間。牆上都是畫像，壁龕裡有雕像。只有最高級的貴族，甚至是國王才有財力如此裝潢。坦尼爾以為湯瑪士屠殺貴族時就剷除了所有這麼有錢的人，還是他只是換了一批極端有錢有權的傢伙上台而已。

一個男人行過大理石地板朝他們走來。他身穿白色吸菸夾克，嘴裡叼了根雪茄，看起來四十來歲，髮線已經退到頭頂中後。他留著法特拉斯塔風的長鬍鬚，笑容咧到耳根，甚至觸及雙眼。

「雙槍坦尼爾。」對方伸出手說。「我是理卡．譚伯勒。我很仰慕你。」

坦尼爾遲疑地和他握手。

「譚伯勒先生？」

「先生？嘖，叫我理卡，隨時為您服務。這位肯定就是你那知名的夥伴了，戴奈斯人——女士？」理卡深深鞠躬，牽起卡波的手，彎腰輕輕一吻。儘管表現熱情，他看她的目光彷彿在看某樣美麗但不馴服的東西，而且那東西隨時會咬人。

卡波似乎不知道該做何反應。

「我聽說妳很美麗，」理卡說。「但聞名不如一見。」他離開兩人，走向吧檯。「喝酒嗎？」

「有什麼？」坦尼爾覺得心情好點了。

「什麼都有。」理卡說。

坦尼爾懷疑。「那就法特拉斯塔麥酒。」

理卡對酒保點頭。「麻煩來兩杯。這位女士呢？」

卡波比了個三。

「三杯。」理卡吩咐酒保。片刻後，他遞給坦尼爾一個大酒杯。

「狗娘養的，」坦尼爾喝了一口後說。「真的是法特拉斯塔麥酒。」

「我說了什麼都有。坐下來談？」

他帶他們走向房間另一側。坦尼爾暗暗自責被瑪拉菸影響心智，竟沒發現房間裡還有其他人。十幾個男人和約半數的女人悠閒地坐在沙發上抽菸喝酒，輕聲交談。

他們走近那群人時，理卡說：「喔，坦尼爾，我有個問題要問你，部隊會用多少黑火藥？」

坦尼爾揉了揉眼睛。他頭很痛，而且他不是來見理卡親信的。「我不是後勤官，但我想應該很多吧。為什麼問這個？」

「參謀總部的火藥訂單越來越多，」理卡揮了揮手，彷彿那是件小事。「我只是覺得有點怪，感覺他們每週申請的量都在加倍。不過我敢說，沒什麼好擔心的。」

坦尼爾走到那群人面前時，交頭接耳的聲音都消失了，他突然感到渾身不自在。

「我以為這是私人會面。」坦尼爾一手拉住理卡手臂，讓他停下來。

理卡沒有低頭看坦尼爾的手。「給我點時間介紹一下，再來談正事。」

他走了一圈，說出一些坦尼爾聽過就忘的名字，還有他不放在心上的頭銜。這些男男女女都是工會裡各派系的領袖：麵包師、鋼鐵工、磨坊工、鍛工、鐵匠，還有金匠。

理卡說到做到，一介紹完立刻帶他們走到旁邊安靜的角落，只有一個女人隨他們前來，是理卡最開始介紹的人之一，但坦尼爾想不起她的名字。

「來根菸？」理卡在他們就坐時問道。一個穿著和酒保相同外套的男人拿了銀盤過來，上面放著香菸、雪茄和菸管。坦尼爾注意到裡面有根瑪拉菸管。他手指抽動了一下想拿，但是壓下了衝動，揮手讓僕役離開。

「你的祕書說你想要見我。」坦尼爾說，這才發現飛兒不在場。「她沒說原因。我想知道為什麼。」

「我有個提議。」

坦尼爾再度看向那個女人。她年紀略為年長，帶有一股超級富豪特有的輕蔑態度。她叫什麼名字？她代表什麼團體？麵包師？不，還是金匠？

「沒興趣。」坦尼爾說。

「我都還沒說。」理卡說。

「聽著，」坦尼爾說。「我會來，是因為你的工會次長明白表示她會強迫我來。我一直很客氣了。我來了，現在我想走了。」他起身。

「理卡，你就是帶我來看這種貨色？」女人說，用鼻子看坦尼爾。「這種瑪拉菸成癮、不屑你款待的軍人？我為這個國家感到擔憂，理卡，我們把國家交給那些沒受過教育的軍人，他們除了惡習和殺人，什麼都不懂。」

坦尼爾握緊拳頭，撇了撇嘴。「女士，妳並不認識我，妳不知道我是什麼人，不曉得我見過什麼。如果妳不曾凝視另一個人的眼睛，覺悟你們兩個之中有一個得死，妳就不要假裝瞭解軍人。」

理卡靠回沙發上，用火柴點燃雪茄。他看起來像個在拳擊場旁觀戰的觀眾。難道他早就料到會有這種情形？

女人微怒。「我瞭解軍人。」她說。「噁心愚蠢的莽夫。你們姦淫擄掠，不能那麼幹時就殺人。我認識很多軍人，不用殺人就知道你們只是一群穿了制服的低賤強盜。」

理卡嘆氣。「拜託，雀莉絲，現在別提這些。」

「現在別提？」雀莉絲問。「現在不提，什麼時候提？我已經受夠了湯瑪士的鐵腕統治，我不要你把這個所謂的戰爭英雄帶來這裡。」

坦尼爾轉身要走。

「坦尼爾，」理卡說。「再給我一點時間。」

「有她在就免了。」坦尼爾說。他往門口走，結果發現卡波擋著路。「我要走了，波。」

她與他對視，冷眼搖了搖頭。

「你看看！」雀莉絲在他身後說。「那懦夫要逃回他的瑪拉菸館，他不能面對現實。你要和那傢伙站在一起嗎，理卡？他被一個女野人耍得團團轉。」

坦尼爾轉身。他受夠了。他怒火中燒衝向雀莉絲，一隻手抬到半空中。

「打我呀！」她說，把臉往前湊去。「看看你有多像個男人！」

坦尼爾僵住了，他剛剛真的打算動手打她嗎？「我殺了一個神。」他氣得七竅生煙。「我為了拯救這個國家開槍打穿他的眼睛！」

「說謊！」雀莉絲說。「你當著我的面說謊？你以為我會相什麼克雷希米爾再現的鬼話？」

要不是卡波上前擋路，坦尼爾就要動手了。卡波面對雀莉絲，瞇起雙眼。坦尼爾突然有點害怕，他很想教訓這個女人，但他知道卡波的能耐。

「波。」他說。

「給我滾開，妳這個野蠻婊子。」雀莉絲說著，站起身。

卡波的拳頭擊中了她的鼻子，力道強到讓雀莉絲被打翻到沙發後面。雀莉絲尖叫，理卡猛地起身。另一邊原本還在輕聲交談的工會領袖們陷入沉默，瞪大雙眼，一臉震驚地看向這邊。

雀莉絲爬起來，推開試圖幫忙的理卡，頭也不回地衝出房間，鼻子血流不止。

理卡轉向坦尼爾，表情介於恐懼和好笑之間。

「我不會道歉的。」坦尼爾說。「我和波都不會。」卡波雙手抱胸，站在他身邊。

「她是我的客人，」理卡說。他頓了頓，盯著自己的雪茄。「再來點麥酒。」他朝酒保喊。「但你也是我的客人。她晚點會讓我付出代價。我本來希望未來幾個月她能站在我這邊，但現在看來是不可能了。」

坦尼爾看了看理卡，然後看向大門，雀莉絲正在對她的車夫大聲下令。

「我該走了。」坦尼爾說。

「不、不。麥酒！」理卡又喊，雖然坦尼爾看見酒保已經在朝他們走來。「你比她重要。」坦尼爾緩緩坐回椅子上。「我殺了克雷希米爾。」他說。他有點想為此驕傲，但大聲說出來又令他噁心。

「湯瑪士是這樣告訴我的。」理卡說。

「你不相信。」

酒保走過來，將坦尼爾只喝了一半的酒杯換掉。所有人都換過酒杯後，酒保就消失了。理卡喝了一大口酒，然後才開始說話。

「我這個人很實際。」理卡解釋。「雖然我不是榮寵法師或技能師，也不是標記師，但我知道魔法確實存在。兩個月前，如果你說克雷希米爾會再度現身，我會懷疑你是從哪家精神病院跑出來的。」

「但是理髮幫攻擊米哈理時，我人就在現場。我看見你父親，一個比我雙倍務實的人，臉色蒼白得像鬼一樣。他在那主廚身上感應到某樣東西——」

「不好意思，」坦尼爾插嘴。「米哈理是？」

理卡拍拍雪茄上的菸灰。「喔，你和時事脫節了對吧？米哈理是亞頓轉世，是克雷希米爾的弟弟，有血有肉地住在城裡。」

坦尼爾感到毛骨悚然。又一個神？還是克雷希米爾的弟弟？

「據我所知，」理卡繼續說道。「你父親相信米哈理就是亞頓轉世。既然亞頓都回來了，克雷希米爾為什麼不能回來？所以，沒錯——我相信你殺了克雷希米爾。但神是不是真的殺得死，這點我不清楚。」

他皺起眉頭看向自己的酒杯。「至於報紙和一般人，他們抱持懷疑的態度。謠言滿天飛，大家都在選邊站。如今一切都回到信仰問題，只有你和幾個守山人宣稱克雷希米爾再現了，而且眼睛還中了一槍。」

坦尼爾覺得力量正在離體而去。在他經歷那一切後，居然還被人當成騙子？這是對他的最後一個打擊。他指了指門口。「他們怎麼解釋南矛山的事？整座山都塌了。」他聽到自己氣得越說越大聲。

「你用吼的也改變不了任何人的想法。」理卡說。「相信我，我是工會會長，我試過。」

「那我能怎麼做？」

「說服他們，讓他們知道你是什麼樣的人，等他們信任你後，再告訴他們真相。」

「那樣似乎……不誠實。」

理卡攤開雙手。「那取決於你自己的道德判斷。但在我看來，我認為會那樣看待事情的人是傻子。」

坦尼爾握緊拳頭。他們怎麼能不相信他？他們怎麼會不知道山頂發生了什麼事？湯瑪士沒告訴報社嗎？是不是就連湯瑪士也不相信他？坦尼爾不知道湯瑪士現在人在哪裡，根據他醒來時看守他的士兵所言，湯瑪士當時在巴德威爾。那他現在還在那裡嗎？

「你知道包在哪裡嗎？」坦尼爾問。

「包？」

「榮寵法師包貝德。他還活著嗎？」

理卡攤手。「我幫不了你。」

「你用處不大，譚伯勒，是吧？」坦尼爾想要打東西出氣。他跳了起來，在屋裡來回走動。沒有朋友，沒有家人，他現在能怎麼做？「那女人是誰？」他問。

「雀莉絲？她是銀行工會領袖。」

「我以為你才是工會領袖。」

「高貴勞工戰士工會底下有很多子工會。我代表所有工會發言，但每個行業都有自己的工會領袖。」

「你說我比她重要。」

理卡點頭。「沒錯。」

「怎麼說？」

「你對艾卓政治圈瞭解多少？」理卡用問題回答問題。

「從前權力掌握在國王手上，至於現在？」坦尼爾聳肩。「沒概念。」

「現在沒人知道權力掌握在誰手上。」理卡說。「人民認為是湯瑪士掌權，湯瑪士認為是議會掌權，議會卻已經分崩離析。溫史雷夫女士經歷旅長叛變的醜聞後就隱居了，大主教被捕，普蘭・雷克特在東部研究南矛山的殘骸，找尋克雷希米爾的蹤跡。」

「那艾卓是誰在管？」

理卡輕笑。「就剩下我、大業主和總管大臣昂卓斯了。不是什麼好組合，不過艾卓暫時沒有問題，湯瑪士和他的手下在維護和平，但這只能維持一段時間，我們得繼續原本的計畫。打從一開始，議會就決定在除掉曼豪奇後立刻成立民主政體——由人民投票選舉出來的統治系統。國家會劃分成幾個行政區，每區都有各自投票選出的總督，總督會在艾卓開會，投票決定國家政策。」

「聽起來像是沒有國王主導的政府。」

「沒錯。」理卡說。「當然還是要有個類似國王的角色。」

坦尼爾瞇起雙眼。「我不認為湯瑪士會接受這種做法。」

「我們當然不會稱之為國王。他不會掌握多少實權，只是名義上的領袖——我們會稱之為人民第一行政官，是國民賴以領導和諮詢的人，儘管政策都是總督決定的。」

「我記得保王分子提過類似的理念，但湯瑪士拒絕了。」

「湯瑪士同意此事。」理卡說。「相信我，國內沒有人會想招惹他，特別是在公開場合。關鍵在於就和總督一樣，新的人民第一行政官每隔三年就會換人。我們都規劃好了，只要實際執行就行。」

坦尼爾輕易猜出接下來的走向。「而你打算參選。」

「當然。」

「為什麼？」

理卡深吸一口雪茄，從鼻孔噴煙。那些煙讓坦尼爾聯想到瑪拉菸管，他能感受到那極樂之煙對他的誘惑。

「人民第一行政官雖然沒多少實權，但全九國的人都會關注他，他的名字將會永遠載入史冊。」理卡嘆了口氣。「我沒有孩子。有——」他停下來數了數。「六任妻子都離開我，每次都是我活該。我只剩下我的名字，我要今後所有艾卓學生受教育都學到我的名字。」

坦尼爾喝乾最後一口麥酒，杯底的啤酒花味道有點苦。他想起法特拉斯塔，想起在原野中獵殺凱斯榮寵法師。「這和我有什麼關係？我只是個軍人，殺了個沒人相信會重回人間的神。」

「你？」理卡仰頭大笑。坦尼爾不知道哪裡好笑。

「我很抱歉，」理卡一邊擦眼睛一邊說。「你是雙槍坦尼爾！你是兩座大陸的英雄，九國史上榮寵法師擊殺數最多的軍人。據報導指出，你孤身一人在五十萬大軍之前守住肩冠堡壘。」

「不是我一個人的功勞。」坦尼爾喃喃說道，回想山上那些死在他面前的男男女女。

「但百姓就是這麼想的，他們崇拜你，他們愛戴你超越湯瑪士。而打從數十年前單憑一己之力扭轉葛拉戰局後，湯瑪士就一直是艾卓的寵兒。」

「那你想要我怎樣？贊助你？」

「見鬼，才不是。」理卡說著，將空酒杯交給酒保。「我要你當我的第二行政官，你會成為全世界最有名的人之一。」

7

在艾鐸佩斯特東北的撒馬利區，有一部分未毀於湯瑪士處決曼豪奇後默許的暴動裡。那裡是商業區，到處都是為貴族服務的商品和店家。據說暴動期間，那些商店的老闆架設起自己的路障，對抗所有暴民。

如今，暴動已經過去五個月，從前專供富人消費的大型商場轉變成中產階級的市集。價格壓低了，但品質還是一樣好，很多人會特別穿越半座城跑來排隊等候鞋匠、裁縫師、麵包師和珠寶匠服務。

今天早上，阿達瑪趕在人潮出現前跑來，找到買下維塔斯倉庫的裁縫店。阿達瑪坐在裁縫店對面的小咖啡廳裡，點了早餐，留意他在等的人。沒多久他就等到了。

阿達瑪站起身走到馬路對面，若無其事地來到索史密斯身邊問道：「有人跟蹤你嗎？」

索史密斯也不簡單，看來只有一點吃驚。「見鬼了，」索史密斯說。「我沒認出你。」

「那就對了。」阿達瑪把頭髮染成灰色，臉上用乾粉末畫出乾裂皺紋，瞬間老了二十歲，而且還裝瘸。他把重心靠在新的銀頭手杖上，他的外套和褲子都是市面上能買到最頂級的料子——他得找人幫忙才能弄到這種服飾，但他必須假扮有錢紳士。

索史密斯搖頭。「沒被跟蹤。」他說。「我很低調。」

「很好。」阿達瑪說。「身體如何？」

「像在地獄。可惡的醫療技能師。」

話是這麼說，但索史密斯看起來還是好多了。五週前他身中兩槍，還被刀刺傷，僥倖活了下來。要不是理卡慷慨相助，他還得休養很久。

「到對面那家咖啡廳去，」阿達瑪說。「點份早餐，找個面對那間店的位子。」他指了指裁縫店。「我要進去問幾個問題。」

他很想要索史密斯和他一起進去，以免裁縫店只是維塔斯的幌子，其實派了手下駐守，但索史密斯實在太好認了，那種體型的拳擊手根本無法偽裝，沒必要還是別帶他去比較好。

阿達瑪穿過馬路進入裁縫店，迅速打量店內，發現這個裁縫師專做高級外套。牆邊擺了幾個假人，從吸菸夾克、晚禮服到公爵參加舞會時穿的那種外套都有。店裡瀰漫著一股濃烈的薄荷油味，老闆以此掩蓋囤積布料的氣味。

「我能為您效勞嗎？」

裁縫師從後面的房間走出來。他是個膚色黝黑的戴利芙人，個子矮小，但手指纖細穩健。他戴著一副細框眼鏡，大翻領背心上插了各式各樣的縫衣針和大頭針。

「黑艾？」阿達瑪說，裝出艾鐸佩斯特南方郊區的口音。

「我就是。」裁縫師說著，淺淺鞠躬。「專門提供外套和西裝。容我為您量身訂製？」

「我不是來訂做衣服的。」阿達瑪說。他用鼻子往下看，刻意裝作打量假人的樣子。「至少今天不是。」

黑艾雙手負於背後。「有其他事嗎？」

阿達瑪從胸前口袋裡掏出一張紙攤開。「我的雇主想買一塊地產。」他說。「根據紀錄，你是地主。」

黑艾困惑的表情不像是裝出來的。「我沒有地產。」

「你兩年前沒在工廠區的唐納維街購買一間倉庫？」

「不，我……」黑艾突然住口，手指輕點下巴。「我買了，沒錯，有個顧客請我出面購買，然後轉移到他名下。他不想張揚此事，他說不想讓報社發現他的雇主購買倉庫。」

阿達瑪心跳加劇。光是購買地產就會上報的組織可不多，其中之一就是布魯丹尼亞—葛拉貿易公司。而該公司的首腦就是克雷蒙提，維塔斯的雇主。

「可以告訴我他的名字嗎？」阿達瑪說。他從口袋裡拿出一支鋼筆，將它懸在紙上方。

黑艾抱歉地看了他一眼。「很抱歉，但我的顧客要我保密。」

「我的雇主很想購買那座倉庫。」阿達瑪說。「我相信一定可以想辦法安排……」他從口袋裡拿出支票簿。

「不、不。」黑艾說。「很抱歉，不是錢的問題。我是守信用的人。」

阿達瑪長嘆一聲，神色苦惱。「我確定你是。」他收起支票簿和筆，拿起他的帽子和手杖，還故意停了一下，刻意左顧右盼，再次用欣賞的目光環顧那些假人。他的目光停留在其中一個假人身上，差點嗆到。

那是上次碰面時，維塔斯身上穿的外套。

「看來你眼光不錯。」黑艾說，朝那個假人走去。「這件外套風格獨具，做工細膩，穿在你身上非常合適。」

阿達瑪覺得心跳越來越快。維塔斯肯定就是買了那座倉庫和這件外套的顧客。如果黑艾發現他知道這一點，一定會起疑。

「不，我覺得和我不搭。」

「沒那回事。」黑艾說。「這件外套有修身的效果，能把目光吸引到你臉上。我可以幫你做一整套西裝搭配。」

阿達瑪假裝思考了好一會兒。那件外套顯然是量身訂製的，看得出來腰部有些微褪色，那裡的裂口補過，表示很可能就是維塔斯穿過的那件。「這件尺寸看起來很合適，你可以現在就幫我量身修改嗎？」

「很遺憾，不行，這件外套已經有主人了，他過幾天會來拿。我可以幫你做件新的……」他停頓了一下，想了想。「只要一週就好。讓我幫你量尺寸吧。」

阿達瑪拍了拍口袋。「我似乎把自己的支票簿留在家裡了，身上只有雇主的。我今天沒辦法付錢。」

「你顯然是名紳士，先生。」黑艾說。「你可以直接把地址給我。」

阿達瑪沒有地址可以給他，不能讓此事傳到維塔斯耳裡。如今風險已經夠高了，黑艾肯定會對維塔斯提起有人要買倉庫的事。阿達瑪拿出懷錶。「我一小時內有個約會，」他說。「不能遲到，下週再過來量身。」

黑艾臉色一沉。一個好的銷售員絕不會在沒得到購買承諾前讓顧客離開店門。「好的，如果您覺得那樣最好的話。」

「沒錯。」阿達瑪說。「我會回來，別擔心。」

阿達瑪快步過馬路，索史密斯在咖啡廳等他。

「有看到維塔斯或他的眼線嗎？」

索史密斯搖頭。

「走吧。」阿達瑪說。

「早餐還沒來。」

阿達瑪確認裁縫師沒在窗後偷看他後，在索史密斯身旁坐下。「裁縫師沒有直接涉案。」阿達瑪表示。「他幫客戶買賣地產，而我認為那個客戶就是維塔斯。我在店裡看見維塔斯上次穿的那件外套，縫製手藝都一樣。」

「你確定？」

「我過目不忘，記得嗎？」阿達瑪拍了拍自己腦側。「我認得出來，那件外套的縫線都一模一樣。不幸的是，裁縫不肯交出維塔斯的姓名或地址。」

「走到死路了。」

「不，外套放在那裡修補，維塔斯或者更可能是他的手下過幾天會來拿外套。我要監視裁縫店，看看是誰拿走那件外套，然後跟蹤他們，找出維塔斯的住所。」

「你要我待在哪裡？」索史密斯的早餐送來了，四顆水煮蛋佐諾維乳酪。他笑嘻嘻地看著早餐在他面前放下，開始大快朵頤。

「哪都不要去。」阿達瑪說。「我怕你會被人認出來。我可以喬裝打扮，但是你不行。」

索史密斯哼了一聲。他嘴裡邊咬著蛋邊說話：「我不能讓你一個人跟蹤他。」

阿達瑪知道風險，如果維塔斯或其手下厲害到能發現他，他就死定了。但索史密斯在這種任務裡只是個累贅，太容易被認出來了。而且就算沒被發現，他的體型也不太適合跟蹤別人。

「我自己去。」阿達瑪說。

湯瑪士趴在艾卓山脈下方山丘的長草裡，透過望遠鏡觀察準備進攻巴德威爾的凱斯軍。晨露浸濕他的戰鬥服。今天雲層很低，巴德威爾外的平原上飄著一層薄霧，空氣十分潮濕。他知道雙方的槍械都會受到影響，但他看向巴德威爾時注意到陽光穿越雲層灑落在城裡，驅散了霧氣。

顯然米哈理已經開始間接影響戰局。

他們需要他的鼎力相助。湯瑪士把望遠鏡轉向凱斯軍，對方龐大的陣仗令他呼吸困難。一排排鑲有綠邊的褐色制服彷彿延伸到地平線外，多年經驗讓他匆匆掃一眼就能計算出人數。

至少有十二萬大軍，而那還只是他們的步兵。

他們會派新兵先行，充當砲灰，測試巴德威爾的防禦能力。五千人，或一萬人會衝過原野，踩扁濕草，承受葡萄彈的攻擊。接著會是經驗較豐富的士兵出陣，為主力部隊打好根基，強迫前方的新兵繼續前進，有時甚至是用刺刀強迫。得到魔法強化的勇衛法師會伴隨第二波攻勢出擊。

在湯瑪士看來，這是很愚蠢的戰術，但凱斯指揮官向來偏好人海戰術——不在乎犧牲多少人命——而不是運用計謀。

而且人海戰術說不定就夠了。擊退凱斯軍的關鍵在於擊潰第二波攻勢的士氣，他們得殺死勇衛法師，逼老兵衝向掩體躲避。要擊潰這種數量的攻勢可不容易。

但並非不可能。

這就是第七旅和第九旅發揮作用的時候了。一旦凱斯主力部隊展開攻擊，湯瑪士就會命令手下翻越山丘，攻擊凱斯軍側翼。

不管敵軍有多強大，一旦陷入驚慌就會潰敗奔逃。

凱斯軍於黎明前將火砲移到陣前砲擊巴德威爾的防禦工事，以此回應西蘭斯卡的火砲攻擊。

湯瑪士看著凱斯步兵在火砲後方數百碼外集結，腹部突如其來一陣絞痛。

「對方人數眾多，長官。」歐蘭在他身後說道。

「名符其實的大軍。」湯瑪士同意。歐蘭的語氣有透露出不安嗎？真是如此，湯瑪士也不怪他。看到那麼多士兵，任誰都會緊張。

「我們能夠擊潰他們嗎？」

「最好能。騎兵會幫忙。」

「但我們只有兩百名騎兵。」歐蘭說。

「只要營造出一支騎兵旅的假象就夠了。我們得先製造恐慌再屠殺敵軍，而不是反過來。」

他們趁夜領了兩百名騎兵穿越洞窟。要在一夜之間將洞窟拓寬到能讓一萬人和一個排的戰馬通過，這對湯瑪士的工兵是一大考驗。

當晚最大的勝利是六門野戰砲。這些野戰砲體積小，能發射六磅重的砲彈，配備直徑五呎的車輪讓它們可以輕易移動，剛好足以製造有大軍在攻擊凱斯軍側翼的假象。

湯瑪士開始想像此戰過後的情況。他們或許能擊潰凱斯軍，但不可能追殺他們多久。死傷會高達數萬人，不過那對凱斯軍而言就是個數字罷了，他們還有數十萬大軍。此戰重點在於擊潰他們的軍心，凱斯軍在心理層面沒辦法再承受肩冠之役那種挫敗了。

湯瑪士的間諜回報，伊派爾的手下已經開始抱怨了，只要激發足夠的火花，部隊或許會倒戈推翻伊派爾。不過這種期望似乎有點不切實際。

「長官，」歐蘭說。「敵軍開始前進了。」

湯瑪士讓自己的思緒游離到戰後局面。他已經擬定好計畫，如果打贏了，他就有時間執行那些計畫，但現在還不行。

「命令部隊準備。」

芙蘿拉爬上山丘，在歐蘭離開時來到湯瑪士身旁。

「妳的人就位了嗎？」湯瑪士問。

「你是指安卓亞的人，長官？」

湯瑪士聽出她語帶苦澀。此戰他讓安卓亞指揮火藥法師團，讓她心有不平。湯瑪士壓下心中怒火。她什麼時候才能學會，不管戰技有多高超，她就是沒有足夠的經驗指揮部隊？

「是我的火藥法師，」湯瑪士語氣嚴厲。「他們就定位了嗎？」

「就定位了，長官。」

「你們定位出所有凱斯榮寵法師的位置了？」

「他們都待在後方。」芙蘿拉說。「他們以為我們在巴德威爾牆上等待，所以他們都待在大軍後方，在我們的射程範圍內。只要你下令進攻，我們就能解決榮寵法師。」

「非常好。各就各位。」

芙蘿拉二話不說爬下山丘。湯瑪士回頭看她離開。

「都準備好了，長官。」歐蘭跑回來，撲倒在湯瑪士旁邊。「該是加快動作然後靜觀其變的時候了。」他在看見湯瑪士的表情後說。

「還想揍她嗎，長官？」

湯瑪士不滿地看向歐蘭。他的手下什麼時候開始可以這樣對他講話了？「沒。」

「你似乎在生氣，長官。」

「她還太年輕了。我其實是覺得傷心，要是一切照原訂計畫進行，她現在可能已經是我的兒媳了。」他嘆口氣，再度舉起望遠鏡。「那樣的話，坦尼爾或許根本不會跑去那座天殺的山上，也不會躺在貴族議院底下昏迷不醒。」

歐蘭的聲音很輕。「長官，那他或許不會對克雷希米爾開槍，拯救所有人。」

湯瑪士手指敲打著望遠鏡。當然，歐蘭沒說錯，改變歷史上的一個事件，就會改變之後的所有一切。自己此刻關心的是該如何讓坦尼爾醒過來，還有在他醒來前保護好他。

歐蘭彷彿看穿了他的心思，說道：「他不會有事的，長官。我派了最頂尖的來福槍戰隊成員在照顧他。」

湯瑪士想要轉過頭去感謝歐蘭的安慰，但此刻不是擔憂或多愁善感的時候。「陣線開始推進，」湯瑪士下令。「確保弟兄們不要輕舉妄動。時機成熟前，不要讓凱斯軍發現我們。」

「他們不會輕舉妄動。」歐蘭很有信心。

「你親自去確保此事。」

歐蘭前去巡視，留下湯瑪士獨自在山丘上享受寶貴的寧靜時刻。隨著戰事推進，要不了多久，無止盡的信差就會跑來要求進一步指示。

湯瑪士閉上雙眼，想像著戰場在烏鴉眼中會是什麼樣子。

凱斯步兵排成半圓形面對巴德威爾的城牆。他們在前進時會隨著地形而收緊隊形，填補艾卓砲火造成的傷亡。一隊一千多人的凱斯騎兵在大北道上，等著在步兵攻下城牆並打開城門的那一刻衝入城內，剩下的騎兵駐紮在兩哩外的戰場後方，大部分人甚至都沒有上馬。他們認為今天不會輪到自己上陣。

凱斯後備軍等在主隊後方，人數多得驚人，但湯瑪士的望遠鏡和間諜都抱持不同的看法：他們只是在虛張聲勢而已。五個人裡只有一人拿火槍，而且制服不但不合身，顏色也不對。湯瑪士搖了搖頭。凱斯軍的人比槍多，後備軍只要看到他的部隊來襲就會落荒而逃。

凱斯軍的鼓聲在山間迴盪，湯瑪士感覺到凱斯步兵前進時引發的地面震動。他將望遠鏡轉向巴德威爾城牆。

重砲已經開始向凱斯的野戰砲開火。隨著步兵逼近，他們更加努力地轟擊。湯瑪士能看見城牆上的第二旅士兵，身穿整齊的艾卓藍制服，軍紀嚴明。

凱斯步兵的陣線抵達殺戮戰場，砲火開始在他們的隊伍中打出大洞。那些洞很快就被填滿了，褐綠色的制服持續前進，每推進十幾步就留下數百具屍體，火藥味隨風飄到湯瑪士身邊。他深吸口氣，享受苦澀的硫磺味。

湯瑪士站起身來，對指揮旗兵比了個手勢。在他們制高點下方的戰場上，他看見凱斯後備軍緊跟著步兵上前。他皺起眉頭。如果想要攻下巴德威爾，肯定得靠步兵的力量，為什麼要讓後備軍上陣？

他感到一陣毛骨悚然。凱斯軍以為今天就能攻下巴德威爾，他們打算讓步兵攻下城牆，然後讓後備軍入城姦淫擄掠、燒殺搜刮。湯瑪士在葛拉看過他們那麼幹。如果他們攻破城牆，情況就會慘不忍睹。

凱斯指揮官妄想一日之內攻下城牆，也未免太樂觀了點。

他不能任由此事發生。

「下令準備攻擊。」湯瑪士說。他旁邊的旗手揮旗下令。湯瑪士看見旗手臉上迫不及待的表情。第七旅和第九旅都準備好了，他們會熱血沸騰地殺入凱斯陣內。湯瑪士覺得自己的血也變得滾燙。「等……等等……」

湯瑪士眨了眨眼。那是什麼？

他將望遠鏡湊到眼前，當視線聚焦在巴德威爾正前方的戰場時，他發現數十名畸形壯漢衝向城牆。他們身穿黑外套，頭戴圓頂帽——勇衛法師。

但這些勇衛法師……湯瑪士吞嚥口水，他沒見過能跑這麼快的人，就連魔法製造的殺手也一樣。他們以與純種賽馬媲美的速度衝過城牆前最後數百碼的距離。

湯瑪士透過望遠鏡看見城牆指揮官大吼大叫。火槍擊發，卻沒有一個勇衛法師倒地。他們衝到城牆底下，奮力跳起，宛如昆蟲般攀附在垂直的牆面，迅速往上移動。頃刻間，他們已經闖入砲手之中，揮舞著長劍和手槍。

等等，手槍？勇衛法師不會佩戴手槍。榮寵法師厭惡火藥，而這些魔法怪物都是他們製造出來的。

小型爆破撼動了城牆頂，屍體從防禦工事上一個接著一個墜落，火砲不再擊發。

湯瑪士後退一步。出了什麼事？這些勇衛法師怎麼能如此輕易地爬上城牆？他收起望遠鏡。少了火砲阻止凱斯步兵，他們就能輕易攻破城牆。沒有砲火威脅，他們就沒必要和湯瑪士的突襲部隊正面衝突。

「長官，」騎兵說。「我該下令攻擊嗎？」

「不。」湯瑪士說。他努力忍住不用吼的。

他繼續坐視步兵抵達牆底，豎起攻城梯，當褐綠相間制服步兵爬上城牆時，湯瑪士已經看不見任何一個還站著的艾卓士兵。勇衛法師把他們都殺光了。

「長官。」歐蘭出現在湯瑪士身邊，把自己的望遠鏡拿到眼前。「怎麼……怎麼回事？」湯瑪士能聽見歐蘭語氣中和自己一樣的難以置信。

「勇衛法師。」湯瑪士有些哽住。他很想吐口水，但他的嘴裡太乾了。

第七旅和第九旅的軍官都過來了，一起觀察下方的戰況。

凱斯步兵擁入城牆，沒過多久，城門就被打開，任衝鋒騎兵長驅直入。

「我們得進攻，長官。」一個湯瑪士不記得名字的少校說。

湯瑪士聽見贊同的聲浪，於是轉身面對他的軍官。

「進攻是自殺。」他聲音沙啞地說道。「巴德威爾失守了。」

「我們可以挽回局勢。」另一人說。

湯瑪士咬牙。他同意──看在神的份上，他同意。「或許能。」他說。「或許我們有辦法擊潰凱斯軍的後衛。我們可以摧毀後備軍，放火燒掉凱斯營地，但之後我們就會被孤立在空曠的平原上，輕易被敵人包圍，斷絕一切後援。」

現場一片死寂。

這些軍官都很勇敢，但他們不是傻子，他們知道他是對的。

「那我們該怎麼做？」

湯瑪士還來不及回應，便聽見巴德威爾傳來轟然巨響，西柱底部揚起黑煙和塵土。他吼著要斥候去查看通道，但心裡已經明白出了什麼事。

有人在地下墓穴引爆炸藥，斷絕湯瑪士回巴德威爾的路。

「又有人背叛我。」他低聲道，然後提高音量。「我們要沿著山走。」他努力回想通往艾卓最近的一條守山人山道。要率領一萬人通過那些山道肯定是場噩夢。「傳令下去，我們朝阿維玄山道前進。」

第九旅的瑟索將軍握住湯瑪士的手臂。

「阿維玄?」他問。「就算是急行軍，走那條山道也要耗費一個月以上的時間。」

「或許要兩個月。」湯瑪士說。「還會有追兵。」他觀察巴德威爾，城裡傳來黑煙。「但我們別無選擇。」

他腹部一陣絞痛。很多弟兄的家人都在城裡，是部隊的隨軍人員。凱斯會放火燒城，他們在葛拉就用過那種恐懼策略。他的手下會為了他拋棄城池的決定而恨他，但想要活命就只有這一條路。他發誓要帶他們返回艾卓——讓他們有機會報仇。

8

阿達瑪在裁縫店隔壁幾家店舖外等候。他坐在門廊上，手拿報紙。他今天的裝扮比較年輕，一頭黑髮整齊地披在腦袋一側，是咖啡廳老闆界最新流行的髮型。他身穿燙平的棕色褲子，襯衫袖口捲到手肘，膝蓋上放了件同色外套。早上出門前，他抹了點道摩斯鯨魚霜，讓皮膚充滿年輕的光澤，假的小黑鬍子和有色眼鏡遮住了他的容貌。

阿達瑪透過報紙上緣觀察店家和咖啡廳之間的人潮。他監視黑艾的店兩天了，現在是第三天下午近三點，還沒發現維塔斯。

他的位置可以把黑艾的店盡收眼底，不但能看清楚出入口，還能透過窗戶留意店裡的一切。男顧客來來去去，女顧客很少。約兩點半時，三個表情嚴肅的壯漢進入裁縫店。阿達瑪本來很肯定他們就是維塔斯的手下，不過幾分鐘後他們離開裁縫店時，維塔斯的外套還是穿在假人身上。

阿達瑪心不在焉地閱讀報紙上的報導。巴德威爾的對峙局勢還在持續中，不過由於新聞已經是三、四天前發布的，如今情況可能有變。

一則報導指出由於收入銳減，溫史雷夫女士解散了亞頓之翼傭兵團八個旅中的兩個。這肯定會對戰局產生不利影響。其餘有四個旅駐守在巴德威爾以北的陣地，另外兩個旅看守南矛山悶燒的殘骸，以免凱斯軍企圖通過慘遭岩漿肆虐的荒原。

正當阿達瑪開始閱讀戰爭對艾卓經濟影響的文章，對街店門的動靜吸引了他的目光。他及時抬頭，看見一片衣角消失在門內，接著，一個女人出現在櫥窗後與黑艾交談。

她是有赤褐色鬈髮的年輕女子，約十八、九歲，年紀不大，但不會有人誤會她是小女孩。她神態自信、抬頭挺胸，身上的紅色晚禮服看起來像是量身訂做的。

黑艾轉向維塔斯的外套比了個手勢，用手在外套前上下揮動，然後往下方角落一指，是阿達瑪之前看見修補過的裂口位置。女人點頭，黑艾拿下外套，小心翼翼地用薄紙包起來。

女人沒一會兒就走出店門，手臂夾著一個棕色盒子。她左顧右盼，阿達瑪克制躲到報紙後面的衝動，提醒自己自然點。他沒見過這女人，她肯定也不認得他。

她沿著街道往西走。阿達瑪站起來，摺好報紙用手夾住，拿起他的手杖。

他遠遠跟蹤她。跟蹤的關鍵在於距離要遠到不會引人注目，又近到不至於在目標突然轉向時跟丟。知道她是否懷疑自己被跟蹤也很有幫助，阿達瑪認為她沒有懷疑，不過小心點總是沒錯。

阿達瑪以為她過一、兩條街就會搭乘馬車。那套晚禮服讓她看起來像是貴族仕女，而她的高跟鞋也不適合長途跋涉。但她還是待在街上，轉向西北，慢慢前進。她在一家攤販前逗留，買了塊水果餡餅，然後繼續走。

她在絡茲區轉入一條僻靜街道。這裡是城內的富人區，主要以市中心的銀行區而聞名。這條街行人很少，而這點令阿達瑪擔心。要不了多久，他就會開始引人注目，而他絕不希望如此。

他又與對方拉開了四十呎距離才轉入那條街，剛好看見那個女人消失在一棟三層樓高的大房子裡。

那棟房子門面寬敞，直臨大街，牆壁都是白磚牆，百葉窗是藍色的。房子很大，是那種為日益壯大的中產階級多戶家庭建造的房屋。如果調查的目標不是維塔斯，阿達瑪就會若無其事地路過那棟房子。

但在目標是維塔斯的情況下，他不禁懷疑自己是否弄錯了什麼。有可能那件外套不是維塔斯的，又或者他從櫥窗外根本看錯外套，當然也不排除那女人發現他在跟蹤，於是為了擺脫他而跑來這裡。

阿達瑪低聲咒罵。

太多變數了。

他放慢腳步，走過街道，故作閒適，彷彿在欣賞附近的建築。他接近那棟房子，記下門牌號碼，然後目光掃過所有窗口。如果這裡是維塔斯的總部，他肯定會派人監視街道。

沒有。

阿達瑪不想太失望，但是沒有證據顯示這棟房子歸維塔斯所有。他得去調查地產紀錄。

正當阿達瑪走過最後一扇窗時，他看見了一張面孔。一個六歲小男孩在窗口看著街上的行人。他對阿達瑪揮手。

阿達瑪也揮手回應。

不，這裡不可能是維塔斯的住所。他要個小男孩有什麼用？除非維塔斯有兒子。但感覺不太可能，這男孩長得一點也不像維塔斯。難道是養子？不，維塔斯是克雷蒙提的間諜，他不會收養孩子。或許也是人質？那確實有可能。

阿達瑪繼續沿著街道走。他會乘下一班馬車離開，之後再回來監視這棟房子。目前為止，這裡就是他唯一的線索。

他爬上一輛馬車坐好，結果發現有人跟著他上車，是個街頭清潔工，一天辛勤工作讓那人的臉和衣服都髒兮兮的。

「不好意思。」阿達瑪一開口，就發現清潔工手裡有把手槍。

他背脊發涼。

「這是什麼意思？」

「你的錢包。」對方低聲吼道。

阿達瑪鬆了口氣。打劫，就是這麼簡單，不是走過房子時被維塔斯的手下認出來。阿達瑪慢吞吞地從背心裡拿出錢包交給劫匪。這對劫匪沒什麼幫助，錢包裡只有五十克倫納，沒有支票或任何證件。

對方一手翻著錢包，槍口始終朝向阿達瑪。要不了多久，他就會離開馬車，消失在午後的人潮裡。

但話說回來，這裡是絡茲區，誰有膽子光天化日之下在絡茲住宅區搶劫？阿達瑪張了張嘴。

然後他想起了窗口那個男孩是什麼人——

艾達明斯公爵的兒子。

曼豪奇被處死後，保王分子和湯瑪士在城中心打了一仗，目的就是要把男孩推上王座。阿達瑪將近一年前幫艾達明斯家辦案時見過那個男孩。

劫匪抬頭看著阿達瑪。「不夠好。」他說。

「什麼？」

劫匪反握槍管，阿達瑪最後看見的東西就是朝他臉上揮落的槍柄。

坦尼爾醒來時，飛兒坐在他的吊床旁。

他們又回到金恩的瑪拉菸館。空氣中煙霧瀰漫，但並不是瑪拉菸，聞起來是櫻桃菸草的味道。他用眼角餘光看向飛兒，她嘴角叼著短柄菸斗。

一個女人會抽菸斗，這可是坦尼爾不常遇上的情況。他認識的女人大部分都偏好法特拉斯塔香菸。

工會次長是個美女，但對坦尼爾而言太過嚴肅。她的臉很小，頭髮往後梳，這讓他聯想到以前自己的女家教。他瞇著眼睛看了她一段時間，不知道對方在想什麼。她正看著房間對面，似乎沒發現坦尼爾醒了。坦尼爾在吊床上翻身，看飛兒在看什麼。

卡波——她當然在，她坐在樓梯旁，正用手指捏蠟刻娃娃。她的袋子放在大腿上，三不五時抬頭看向工會次長。她在做娃娃，一個飛兒娃娃。

坦尼爾不知道是她真的覺得工會次長的威脅大到要捏娃娃，還是她打算只要遇上人就先做個娃娃再說。如果是第二種情況，她的袋子很快就會塞滿。

他對過去四天的印象一片模糊。坦尼爾努力回想，但唯一想起的就是瑪拉菸和金恩瑪拉菸館的天花板。而在那之前……

理卡．譚伯勒要坦尼爾和他一起競選第一行政官。

那意味著得碰政治。

坦尼爾討厭政治。法特拉斯塔獨立戰爭即將獲勝時，他親眼見到那些商業精英爭權奪利、惡意中傷、陰謀算計的醜態。理卡宣稱不會有那種事發生，說這次選舉公平公開，政府會是人民選出來的。

理卡就和大部分政客一樣，不值得信任。

但那似乎不足以解釋四天的瑪拉菸狂歡會。坦尼爾為什麼要回到這個鬼地方，還有——

喔對了，理卡提到要通知戰地元帥坦尼爾已經清醒一事。不管坦尼爾怎麼說，理卡似乎都無法理解湯瑪士會立刻把坦尼爾調往前線。

那是好事，坦尼爾努力說服自己。他有用處，他可以返回前線，幫忙守護自己的國家。透過殺人。

坦尼爾似乎只有這個專長了。見鬼了，他連神都殺過，雖然沒人相信他。

他在吊床上翻身，伸手去拿瑪拉菸管，還有金恩留給他的那一大團黏球。

瑪拉菸球不見了。

「醒了？」飛兒問，目光自卡波身上移開。

坦尼爾努力坐起來，一邊檢查自己的外套口袋——外套還在，這是好事——然後檢查褲子和吊床四周。

「你在找什麼？」飛兒問。從表情看來，她很清楚坦尼爾在找什麼。

「我的瑪拉菸呢？」

「根據金恩的說法是你抽光了，昨天晚上抽的。」飛兒往嘴裡丟了個東西，開始咀嚼。「吃腰果嗎？」她問，拿起一個用舊報紙摺成的紙袋，推向坦尼爾。

坦尼爾搖搖頭。他檢查瑪拉菸管，裡頭空了。他再看了看地板。「一定是那個葛拉小偷拿走了，我的瑪拉菸球應該可以抽好幾週。」

「我知道你抽的量有多大。」飛兒說。「我認為金恩沒有要你，他知道錢從哪裡來。」

坦尼爾皺眉。錢從哪裡來?他抬頭看飛兒。啊，對了，是理卡。

「你知道的，」飛兒說。「理卡的瑪拉菸館品質比這裡好多了。床墊是絲質的，女人也比金恩的女兒標緻。」

坦尼爾覺得腹部一陣絞痛，躺回吊床。金恩的女兒，坦尼爾對此毫無印象。「我有……?」

飛兒聳肩，看向卡波。卡波輕輕搖了搖頭。

坦尼爾鬆了口氣。他現在最沒必要做的，就是和葛拉瑪拉菸館老闆的女兒上床。

「妳想幹嘛?」他問飛兒。

飛兒將菸斗在鞋子上弄熄後收回口袋，然後又往嘴裡丟了幾顆腰果。「今天收到你父親的消息。」

坦尼爾坐直。「怎樣?」

「有些值得注意的事。凱斯準備隔天進攻，所謂的隔天是三天前，他打算帶領最頂尖的手下展開反擊。」

「凱斯部隊有多少人?」

「湯瑪士沒說，但謠傳有一百萬。」

他最強的手下就是第七旅和第九旅。對抗一百萬敵軍?那比肩冠之役的規模還大一倍。就算被加油添醋了十倍人數，湯瑪士還是要以一抵十。真是個莽撞的混蛋。

而湯瑪士還是可能打贏的事實，讓這種感覺變得更糟。

「喔，」飛兒彷彿突然想到般補充道。「他有問起你。」

坦尼爾哼了一聲。「『我那個廢物兒子在哪裡？他應該待在前線』之類的？」

「他問你情況有沒有好轉，問醫生如果他在的話會不會有幫助。」

「這下我肯定妳在鬼扯了。」坦尼爾說。「湯瑪士不會為任何人離開戰場。」就連為我也不會，特別是我。

「他一直很擔心你。我們有送信告訴他你好一點了，但天知道開戰前能不能送到他手上。」飛兒伸手到紙袋裡拿腰果，嘴角露出一絲笑容。

「但你們沒說我醒了？」

「沒有，理卡認為你或許想要一些時間恢復元氣。」

所以坦尼爾要求對方別告訴他父親還是有點用的。

「可能他比較擔心湯瑪士一知道我醒了，會立刻叫我趕去前線。」

「那也是考量之一。」飛兒承認。

「當然。」坦尼爾躺回吊床，嘆了口氣。他覺得很疲倦，也覺得自己很沒用。他算什麼？不過就是別人的工具。「湯瑪士那個老混蛋——」

他的話被樓上大門撞開的聲音打斷。通往菸館的樓梯晃動，一個年輕人衝了下來。飛兒立刻起身。

「幹什麼？」她問。

信差用力轉頭環顧菸館。他跑得太快，導致胸口劇烈起伏。「理卡要妳立刻趕往人民殿。」

飛兒將空腰果袋揑縐扔在地上。「什麼事？」

信差看著坦尼爾，然後轉向卡波，最後看回飛兒。他似乎快要崩潰了。

「巴德威爾傳來消息，該城淪陷，陷入火海。戰地元帥湯瑪士死了。」

⚔

妮拉坐在窗簾只拉開一點的窗旁，看著底下的人們戴著高帽和大衣走過，拐杖敲擊著鵝卵石，女人們微微抬起帽子，享受陽光灑落臉頰的感覺。夏日的高溫籠罩艾卓，但似乎沒有人注意到，天氣好到沒人在意。

她希望自己也在外面享受好天氣。她的房間通風不良，維塔斯的手下又釘死了屋內所有窗戶，使得室內空氣又濕又悶，令人窒息。她常常覺得自己快昏倒了。維塔斯昨天派她出去跑腿，自由的陽光灑落臉龐的感覺如此美妙，她差點就要走出城，丟下維塔斯、雅各，還有過去幾個月來所有可怕的時刻。

臥房門開啟的聲音讓她心臟跳到喉嚨，但她強迫自己不要表現在臉上。來人並非維塔斯，他會從走廊進來，而不是從孩童室的門進來。雅各在那間房裡和一群小木馬玩，不停抱怨天氣熱。

「妮拉，」有個聲音說道。「妳得著裝。」

妮拉看向床上那套禮服，維塔斯的手下一小時前拿來的。那是件腰線很高的白色無袖長禮服，紅色花紋為摺縫、胸口還有袖口增添些許色彩變化。這套禮服看起來極為舒適，遠比昨天外出跑腿時穿的那套晚禮服涼爽多了。

她的床頭桌上有條銀項鍊，鍊墜是顆火槍彈丸大小的珍珠，盒子裡放了雙新的黑色及膝長筒靴，她一眼就看出來會很合腳。衣櫃裡還有三套衣服，一套比一套昂貴。

那是維塔斯閣下的禮物。她從未擁有過如此華貴的服飾，而這套禮服已經算樸素了，沒有俗艷的裝飾，但是剪裁完美。她透過摺縫看見D．H．的縮寫——戴勒哈女士，艾鐸佩斯特最頂尖的裁縫師。這套禮服價值超過任何洗衣工一年的薪水。

「妮拉，」那聲音堅持。「換衣服。」

昂貴的衣服和珠寶令妮拉噁心。接受維塔斯閣下的禮物就和接受惡魔的禮物沒兩樣，她知道自己肯定要付出代價。

「我不換。」妮拉說。

地板傳來腳步聲。菲跪在妮拉面前，拉過她的手。

她們一起被關在屋裡六天了，妮拉還是一點也不瞭解這個女人，只知道菲的兒子被關在地下室，她還有其他孩子被關在別處，同樣是維塔斯閣下的囚犯。妮拉還知道，一有機會，菲就會殺了維塔斯。

至少她會嘗試。妮拉開始懷疑維塔斯是否能被殺死。他看起來不像凡人，很少吃飯，不用睡覺，不管喝多少酒都不會醉。

菲拉了拉妮拉的手。「起來，」她說。「換衣服。」

「妳不是我媽。」妮拉幾乎是用吼的。

「她在的話也會叫妳換衣服。」

妮拉傾身上前。「她死了。我沒見過她，妳也沒有。或許她會叫我打碎窗戶，割腕自殺，不要理會維塔斯的命令。」

菲站了起來。溫柔求懇的表情消失，換上一副較為嚴厲的表情。「或許她會，」她說。「但若真如此，她就是個笨蛋。」菲開始在房裡踱步。

妮拉猜測菲是中產階級商人的主婦，不解她對維塔斯閣下有什麼價值。菲沒提過這個，只會偶爾提起她的孩子。事實上，這個女人太冷靜了，除了被帶來的那天晚上險些失控，她簡直和睡鼠一樣溫馴。妮拉想像如果自己有孩子，她在救他們脫險之前肯定不會休息。菲要不是耐性過人，並且遠比妮拉想像中更加堅強，不然就是別種人。或許這是維塔斯計謀的一環？還是間諜？

那說不通，妮拉沒有監視的價值。如果維塔斯對她有所求，他會採用刑求來達到目的。

無論如何，妮拉不信任菲。在維塔斯的巢穴裡誰都不能信。

「如果妳不去換衣服，」菲分析道。「維塔斯會把氣出在妳或是那個孩子身上，你們也可能會一起遭殃。」

「我不是他的妓女。」妮拉說。

「他也沒要求妳做什麼低賤的事。」她沒說出口的「還沒」兩字在空中飄浮了一陣子。「只是要妳和他一起出門辦事。妳可以再次離開這棟可惡的屋子了。妳不在的時候，我會幫妳照顧雅各的。來，」菲說。「我幫妳換。」

妮拉讓菲拉自己起身，脫下身上的衣服。

「有件新內衣。」菲說著，從床上拿起一個小盒子。

妮拉搶走盒子，丟在地上。「我看過了，謝謝。」她大叫。「只有妓女才穿那種內衣。」她深吸口氣，發現自己的手在發抖。

菲放垂下手臂，走到孩童室門口，看看裡面的雅各，然後關上門。她轉向妮拉，雙手扠腰。

「妳去過地下室那個房間嗎？」菲問。

妮拉挑釁地看了她一眼。這個老女人憑什麼命令她？

「去過嗎？」菲問。

妮拉用力點頭，努力不去回想那個房裡的長桌、血漬，還有板凳上的尖刀。

「他也帶我去看過。」菲說。「我剛來那天去的。我不想淪落到那裡，我想妳也不想，所以讓他心情好一點。」

「我是……」

「我不在乎妳是誰，」菲說。「也不在乎妳為什麼會在這裡，但妳似乎很關心雅各。維塔斯可不是會不忍心折磨小孩的人。」

「他不會的。」

菲上前一步。妮拉毫不退讓，但對方的目光令她害怕。

菲說：「他在我眼前割斷我兒子的手指，就在我其他孩子面前。我們全都大叫，而他的手下拉住我們。然後他把手指送去給我丈夫，確保我丈夫會配合他的計畫。」菲對地板吐口水。

「那妳現在在幹嘛？」妮拉問。

「在等。」

「等什麼？」妮拉嘲弄。

「等機會。」這話幾乎細不可聞。菲擦掉眼角的淚水，深吸口氣。「有時候該暴怒，有時候該等待。維塔斯遲早會付出代價的。」

「要是我把妳的話告訴他呢？妳怎麼知道可以信任我？」

菲腦袋側向一邊。「那就去說吧，妳以為他不知道我一有機會就會從他屁股裡拉出他的腸子嗎？」菲厭惡地搖頭。「我丈夫是個調查員。他很聰明，也有原則，向來認為貴族是一群近親相姦的笨蛋。我曾問過他怎麼能忍受男爵的嘲弄或公爵夫人的愚蠢，直到他辦完高報酬的案子。」

妮拉保持沉默，面對菲的側臉聽她說話。

「他說，」菲繼續說。「在逆境之前忍氣吞聲，讓他餵飽並保護家人很多年，而順從本能反抗的話，他們只會讓他進監獄，或是面對更糟的處境。此時此刻，等待是我唯一能做的事，所以我等。妳也應該這麼做。快換上那套可惡的禮服。」

妮拉觀察著這個女人，尋找任何不誠懇的跡象。對方眼中有火，是怒火，只會出現在人母眼中的火。

「給我點隱私。」妮拉說。

敲門聲傳來時，她已經換好衣服了。不是孩童室那側的門，而是走廊門。妮拉嚥下恐懼，聽見房門開啟，很慶幸自己已經換好衣服。

「有進展了。」維塔斯閣下說。「轉過來。」

她轉身面對他，強迫自己對上他的眼睛。

他好整以暇地上下打量她，輕輕搖晃右手的紅酒杯。「妳可以了。」他說。

「可以怎樣？」她問。

就算聽出她語氣中的怒意，他也沒放在心上。「我一直想和一位名叫溫史雷夫女士的女人共進午餐，而我終於安排好了。妳將以我姪女的身分和我一起參加餐會。妳是個害羞的女孩，除了『是的，女士』或『不，女士』外什麼都不會說。我打算追求她，如果我和女性親戚關係良好，她會比較容易接受我。妳最多只要配合幾週就行。」

「她是什麼人——」

「那不關妳的事。好好扮演妳的角色，我就會讓妳保有些許自由。扮演不好我就會懲罰妳，懂了嗎？」

「懂了。」妮拉說。

「很好。雅各在哪？」

妮拉希望能說謊騙他，但雅各除了在孩童室還能在哪裡？「雅各，」她喊道。「麻煩你出來一下。」

孩童室的門打開，雅各蹦蹦跳跳進來，抬頭笑著看維塔斯。「哈囉！」

維塔斯看著他笑，那個表情讓妮拉聯想到曾在藥房裡見過的一顆骷髏頭。「哈囉，孩子，」維塔斯問。「喜歡你的新衣服嗎？」

雅各轉了一圈，張開雙手，展示身上的藍外套、同色及膝褲和長筒襪。「很棒的衣服，」雅各說。「謝謝你。」

「我的榮幸，孩子。」維塔斯說。「我帶了點東西給你。」他退入走廊，把一個比裝妮拉靴子的盒子稍大一點的盒子帶進來。他把盒子放在地上，掀開盒蓋，露出一組木兵木馬，裡面總共有二十個。

雅各歡呼一聲，動手把它們全部拿出來，擺放在地上。

「拿到你房間去。」妮拉說。

雅各停止動作，對妮拉皺起眉頭。他把玩具放回去，然後將盒子拖向孩童室。

「喜歡嗎？」維塔斯問。

「當然！謝謝你，維塔斯叔叔！」

「不客氣，孩子。」

雅各一離開，維塔斯立刻斂起笑容。他喝了一口酒。「半小時內準備出門。」他吩咐。他離開房間，妮拉聽見外面傳來門上鎖的聲音。

雅各剛剛說了「維塔斯叔叔」。

妮拉好奇菲打算怎麼殺維塔斯，說不定自己會比她先逮到機會。

9

坦尼爾快步穿街走巷，被失落感蒙蔽了雙眼。

湯瑪士死了？不可能，那老混蛋頑固到死不了。時值正午時分，街上人潮洶湧，他得用肩膀擠開路人前進，還要閃避馬車和推車。坦尼爾聽見飛兒在對被他撞的人道歉。

坦尼爾停步片刻，確認卡波還跟著他們。她就在他身旁，像他的影子一樣忠心耿耿。飛兒從人群中走了出來，至於在瑪拉菸館找到他們的信差則不見蹤影。

「波，」他說。「妳知道他是不是真的死了？」

卡波似乎有點驚訝。

他抓住她肩膀，把她拉近。「妳有沒有做他的娃娃？妳和他有任何連結嗎？」

她皺著的眉頭舒展開來，搖了搖頭。

沒有。

「見鬼。」坦尼爾轉過身去。

「你父親的事我很遺憾。」飛兒說著，走到他身邊。

「我要見到屍體才會相信那個老混蛋死了。」坦尼爾說。他突然感到一陣噁心，腦中浮現湯瑪士冰冷僵硬地躺在棺材裡的畫面。他推開想像畫面，卻發現他正扶著卡波尋求支持。

她抬頭用綠玻璃般的眼睛看他，那雙眼睛裡透露許多情緒：憤怒、困惑、同情、堅決。她在他偏開頭去時神色變得堅毅。

「我們他媽的在哪裡？」他問。「我完全不認得路。」

「因為你一頭鑽進人群裡。」飛兒說。「人民殿是那個方向。」她往東指，而他們剛剛都在往北走。

坦尼爾點了點頭。「帶路。」他說，手還搭在卡波肩膀上。她沒有推開他。「波，」他開口喊她。「我……」然後又住口。他心裡很亂，但是迎面而來的男人看起來很眼熟。坦尼爾很肯定對方曾在金恩的瑪拉菸館出沒。他很高，肩膀很寬，腿有點瘸，看起來有點怪怪的。

對方抬頭，直視坦尼爾雙眼。坦尼爾唯一的感受就是不對勁。

那人朝坦尼爾跨出兩步，用肩膀撞開卡波，然後一拳擊中坦尼爾的胸口。坦尼爾整個人被揍飛，飛過群眾頭頂，然後摔回地上，肩膀重重撞在堅硬的石板地。

坦尼爾呼吸急促。他的肋骨斷了嗎？

一小群人圍著坦尼爾。他聽見有人在問他有沒有事，有名紳士用手杖推了推坦尼爾的手臂，一個女人在尖叫。

只有一種怪物擁有這種怪力。

勇衛法師。

坦尼爾一把搶走紳士的拐杖，無視對方的抗議，撐著自己站起來，正好看到一名年輕女子被推倒在地。勇衛法師推開她，用雙手抓住坦尼爾的喉嚨。

鋼錐從勇衛法師的喉嚨爆出，停在坦尼爾眼前數吋處。勇衛法師把他丟在地上，猛然轉身，露出後頸脊椎上方的鋼錐，喉嚨汩汩作響，改對飛兒展開攻擊。後者以坦尼爾意想不到的速度閃向一旁。

坦尼爾翻身而起，對準勇衛法師後腦揮杖而下。硬木手杖在撞擊下粉碎。

勇衛法師眉頭都沒皺一下。他轉向坦尼爾，又回頭面對飛兒，彷彿在決定該攻擊誰。他們眼睜睜地看著他從口袋裡拿出一條手帕，一手伸向後方拔出頸椎上的鋼錐。勇衛法師後頸的洞裡冒出噁心的黑血，坦尼爾聽見有人大吐特吐的聲音。

勇衛法師把手帕壓在傷口上止血，整個恐怖的過程只花了五到六秒，隨後他便一躍而起，撲向飛兒。

坦尼爾準備好了。他往前一跳，握住斷杖當匕首，抬手正要將之插入勇衛法師的背部。

有東西從旁邊擊中了他。他牙齒晃動，眼前一黑。

一秒後，坦尼爾仰頭盯著另一個勇衛法師畸形的大臉。對方用膝蓋壓住他胸口，雙掌緊扣住他的喉嚨。坦尼爾奮力掙扎，但是力氣不夠。他需要火藥。

坦尼爾縮起膝蓋抵在兩人之間，推開了勇衛法師。他用還能移動的手將斷杖插入那個勇衛法師手臂。勇衛法師大笑著，膝蓋頂回坦尼爾胸口。

坦尼爾在對方體重一沉、膝蓋撞上自己胸腔時發出呻吟。卡波撲到勇衛法師背上，拿長針一次次插入勇衛法師的脊椎。勇衛法師像公牛一樣瘋狂抖動，企圖甩開可惡的騎師。坦尼爾似乎聽到自己胸口發出斷裂聲。

勇衛法師站起身，但沒辦法甩開背上的卡波。坦尼爾氣喘吁吁，鬆了口氣，感覺空氣回到自己肺裡，得以脫身逃跑。他需要火藥。

他翻身趴在地上，掙扎著跪起，勇衛法師一腳踢來，又把他踢回地上。坦尼爾奮力起身，他身後的卡波也正努力待在勇衛法師背上，後者則揮出過長的手臂企圖把她扯下來。

路人開始大叫警察。人潮越聚越多，但都保持距離。

卡波不可能打贏的。但話說回來，坦尼爾也打不贏。他釋放感知，感應到附近肯定有火藥，一定有人身上有帶。

他跌跌撞撞走向一個頭戴圓帽、肩膀掛著來福槍的年輕人。那是把赫魯斯奇槍，看起來是剛買來的——從來沒擊發過。坦尼爾抓住年輕人的上衣。「你的火藥筒！給我！」

年輕人想要後退。坦尼爾伸手到他的工具袋裡，握住某樣像是牛角火藥筒的光滑圓柱體。他得意地把它抽出來，轉頭看到卡波很勉強地掛在勇衛法師背上，快撐不住了。

「波，下來！」

卡波放手，摔向一旁。坦尼爾將火藥筒當手榴彈拋出，同時釋放感知點燃火藥，並將爆炸威力對準了勇衛法師。

然而，什麼都沒發生。

勇衛法師一手抓住火藥筒，凝視坦尼爾雙眼，翻轉火藥筒讓尖端對準自己，一口咬下去。火藥從他嘴角撒了一些出來，他伸舌舔著火藥，在齒間磨碎。

坦尼爾往後退，撞上了被他搶走火藥的年輕人。

「火藥條。」他說。「我要火藥條！」坦尼爾額頭冒出冷汗。

這個勇衛法師，這個怪物……

年輕人轉身就跑。坦尼爾聽見尖叫聲，看見更多人開始逃命。他再度後退，腳卻踢到東西。年輕人丟下了他的來福槍和工具袋。

坦尼爾迅速在袋子中翻找，目光始終保持在勇衛法師身上。裡面有一把火藥條，他用手指夾碎一條，在手背上倒了一排黑火藥。勇衛法師還在吃火藥筒裡的火藥，把那些火藥全吃掉了。

這不合理，但勇衛法師彷彿是坦尼爾自己的扭曲寫照。這個勇衛法師是火藥法師。

坦尼爾吸食著火藥。

一時之間，坦尼爾以為自己要昏倒了。眼角的景象開始變黑，接著突然清晰到眼睛發痛。他伸展雙掌，摸了摸胸口，不痛了。他咬緊牙關，雙手舉起來福槍。

勇衛法師突然朝他衝來。坦尼爾閃向一旁，雙手握緊槍管，高舉槍托橫掃而出，正中勇衛法師的臉。

山胡桃木槍托當場粉碎，勇衛法師摔倒在地，發出令人滿意的撞擊聲。他摔趴在地，用膝蓋撐著，然後撞向坦尼爾胸口。

坦尼爾後退，奮力保持平衡。和勇衛法師近身肉搏他絕對不是對手，至少在那勇衛法師處於火藥狀態下不行。坦尼爾單腳撐在身後，阻止往後的力道，雙臂抱住勇衛法師腰間。他讓勇衛法師失去平衡，接著放手。

勇衛法師滾開一段距離後，慢慢爬起。

怪物血肉模糊的臉上插滿木屑，鼻孔和嘴巴都在流血，其中一隻眼腫到睜不開。他對坦尼爾露出牙齒，有一半牙齒不在嘴裡。

「你是什麼怪物？」坦尼爾問。

勇衛法師腦袋一歪，揚起綁成馬尾披散在肩上的棕髮，露出一塊烙印——一把男人手指長的來福槍印在他皮膚上。

那是凱斯榮寵法師在處決火藥法師前燒灼的烙印。

勇衛法師把頭髮甩回原位。他打量坦尼爾片刻，然後轉向側邊。卡波在那裡，手持長針，壓低身體。她對勇衛法師低吼。

「波，後退……」

勇衛法師撲向卡波。他動作飛快，轉眼間拉近距離。

坦尼爾已進入火藥狀態，動作也比之前快了。他衝向勇衛法師，發現對方在最後關頭轉身。

坦尼爾的拳頭掠過勇衛法師的臉，而勇衛法師的手指再度扣住他的喉嚨。

這次勇衛法師不打算只勒住他的脖子。他硬擰坦尼爾頸部，打算像小孩折火柴般將之折斷。

坦尼爾手掌插入對方胸口。勇衛法師哼都沒哼一聲，坦尼爾反覆插入，動作飛快，他感覺勇衛法師的手指在失去力氣。卡波撲向勇衛法師，被他反手拍開，打回地上。

坦尼爾眼角的景象轉紅。他的心眼看見卡波躺在街上，脖子扭成不自然的角度，兩眼無神凝望天空。

勇衛法師突然軟癱。坦尼爾握掌成拳，高高舉起……

接著，他驚訝地停止動作。他手上染滿勇衛法師的黑血，手指間夾著一根怪物的粗肋骨，上面還黏了幾塊肉。他低下頭，勇衛法師倒在地上瞪視著他，鮮血浸濕大外套。

坦尼爾心裡再度浮現卡波屍體了無生氣的畫面，他將勇衛法師的肋骨插入對方眼中。

他站在原地片刻，調節急促的呼吸。有東西碰了碰他，他渾身緊繃差點尖叫。碰他的是卡波，她沒死。她伸出小手去牽他，完全不在乎沾上勇衛法師的血。

「我沒見過火藥法師幹這種事。」飛兒穿越空曠的街道來到他們身邊，氣喘吁吁地說。她的祕書套裝染滿勇衛法師的黑血，還有一些她自己的血，一邊臉頰又紅又腫，但她似乎毫無所覺。

「另外一個勇衛法師呢？」坦尼爾問。

「逃了。」飛兒說。

「妳不是普通的工會次長。」坦尼爾說，回想飛兒毫無畏懼地插入勇衛法師喉嚨的那根長鋼錐。「勇衛法師不會逃的。」

「他看到你怎麼對付他朋友後就逃了。」飛兒說。「我一直讓他忙到那個時候。」她輕哼一聲。「你不是普通火藥法師。」

坦尼爾低頭看向自己的雙手。他用拳頭捶穿勇衛法師的血肉，扯出對方的肋骨，這種事沒人辦得到，即使是坦尼爾自己在最強的火藥狀態下也辦不到。但話說回來，或許殺過神的人就辦得到。他在南矛山上經歷了某種改變。

「我認為沒這回事。」他環顧事發現場，最近距離的圍觀群眾都待在一百步外指指點點。他聽見艾卓警察吹口哨的聲音逐漸逼近。

「這是陷阱。」坦尼爾說。「凱斯的陷阱。他們怎麼入城的？我以為湯瑪士已經找出叛徒查爾曼和他的凱斯同黨。」

「沒錯。」飛兒說。她似乎很不安。

坦尼爾拿出一根火藥條，閉上雙眼，回到火藥狀態。那感覺十分美妙，他的感官又活絡了起來，能聞得到空氣中所有氣味，聽見街上一切聲響。

剛才的打鬥依然令他心頭狂跳。

「我要走了。」說完，他牽起卡波的手。

「理卡那邊……」飛兒開口。

「去死吧。」坦尼爾說。「我要去南方。如果湯瑪士真的死了，而凱斯又用火藥法師製造勇衛法師，部隊就需要我。」

湯瑪士和歐蘭並肩騎在第七旅最前面。部隊往他們身後延伸，沿大北道左彎右拐，順著艾卓山脈起起伏伏。他的手下已經疲憊不堪，但返回艾卓的旅程才剛剛展開。

他們朝西北前進，四天前就脫離了米哈理讓他們避開凱斯耳目的魔霧範圍。艾卓山脈陡峭的雪峰聳立於東方天際，湯瑪士的部隊卻身處悶熱的夏季高溫中。南方和西方，琥珀平原一望無際——那是九國的產糧區，凱斯財富的來源。

湯瑪士本想和部隊一起徒步行軍，但他的腳還在痛，而且他必須能迅速在隊伍前後移動。他命令大部分軍官把馬改用於巡邏，和兩百騎兵一起投入偵查任務。

「糧食快吃完了。」歐蘭在湯瑪士旁邊的馬背上說。

歐蘭不是第一次提起糧食的問題了，肯定也不會是最後一次。

「我知道。」湯瑪士回應。他的手下都有攜帶標準一週分的行軍口糧，但他們沒有隨軍人員和補給車隊，他毫不懷疑在部隊急行了整整四天之後，有些人已經不顧命令吃光口糧了。「下令口糧減半。」湯瑪士說。

「已經減半了，長官。」歐蘭緊張地咬著一支菸屁股。

「再減半。」

湯瑪士往西看去，那景象令人火大。視線範圍內有數百萬畝農田，看起來彷彿丟塊石頭就能到達，可惜實際上遠在天邊。最近的作物距離約八哩，沒路可以下去。想要翻山越嶺抵達平原，收成上萬人的糧食再返回路上，起碼得浪費掉整整兩天的時間。

湯瑪士不能冒險被凱斯軍追上，就算為了食物也不能。

「組織更多糧食搜索隊，」湯瑪士說。「一隊二十人。告訴他們不能離開大北道超過一哩。」

「我們得放慢速度。」歐蘭說。他吐出菸屁股，伸手到口袋裡去拿新的菸，結果瞪著口袋片刻，手又塞回外套裡，嘴裡唸唸有詞。

「什麼事？」湯瑪士問。

「我說我的菸遲早會抽光。」

湯瑪士一點也不在乎菸的問題。「弟兄們都累壞了。」他在馬鞍上轉身，看著後方的隊伍。

歐蘭敬了個禮，回到隊伍中。

「我不能逼他們用這種速度再走一天。他們能疾行這麼久，全是因為米哈理的食物還有餘威。」

湯瑪士真希望那個神有和他們一起參加失敗的包抄任務。他打量第七旅和第九旅弟兄的表情，多數人都有回應他的目光。這些人很堅強，是他最頂尖的手下。他們能連續四天每天趕二十五哩的路，而凱斯步兵的平均速度則是一天十二哩。

他看到有人騎馬前來。對方身材壯碩，即使在戰馬上都顯得很高大。是加瑞爾。

湯瑪士在自己大舅子騎到身邊時對他點帽致意。

加瑞爾用袖子擦拭額頭上的汗，拿水壺喝了幾口水。因為高原上太熱，他沒穿那件髒兮兮的守山人皮草，只穿守山人司令的舊背心，還有舊騎兵制服的深藍長褲。

他嘟噥一聲打了個招呼。加瑞爾是不敬禮的，他要是敬禮，湯瑪士反而會覺得驚訝。

「什麼事？」湯瑪士問。

「看到凱斯軍了。」加瑞爾說。他也不會加「長官」。

湯瑪士覺得心臟跳到喉嚨裡。他知道凱斯軍在追他們，只有笨蛋才會以為沒這回事，但過去四天都沒見到凱斯軍的蹤跡。

「然後呢？」湯瑪士拿起自己的水壺。

「至少有兩個旅的凱斯騎兵。」加瑞爾說。

湯瑪士把水噴得滿身都是。「你說『旅』？」

「旅。」

湯瑪士一口氣吐得斷斷續續。「距離多遠？」

「約五十五哩。」

「你有接近到可以精確估算的距離嗎？」

「沒有。」

「他們的推進速度如何？」

「不確定。凱斯騎兵在平地上一天可以趕四十哩路，那種規模的部隊，又在山丘地形，一天二十五哩吧，或許三十哩。」

這表示如果湯瑪士讓部隊休息去採集糧食，凱斯軍就會在七天內趕上他們——如果湯瑪士夠幸運的話。

「六天內，」加瑞爾說。「你會抵達胡恩朵拉森林，那裡的地勢陡峭，騎兵無法包圍我們。他們可以尾隨，但不能採取其他行動，至少在我們抵達克雷希米爾手指之前辦不到。」

湯瑪士閉上雙眼，試圖回想凱斯北部的地形。這裡是加瑞爾從前的地盤，當年他是潘斯布魯的賈可拉，凱斯最有名的花花公子。

「克雷希米爾手指。」湯瑪士說。他知道那個地方，但這個名字聽起來如此耳熟似乎不只是因為它是地圖上的一個地名……

「坎門奈。」加瑞爾低聲提醒。

儘管天氣炎熱，湯瑪士還是感到一股寒意爬上背脊。他腦中閃過一段記憶：他再度站在一座淺墳前，那是在寒夜裡徒手挖掘而成的墳墓，旁邊是洶湧的激流。那是個膽大妄為的計畫，但結局以失敗收場，也是湯瑪士漫長生涯中最慘痛的逃亡之旅。

加瑞爾拉了拉汗濕背心的前襟。「我們會經過那裡，我要花點時間去探望他。」

「我不認為我能找到他。」湯瑪士說，但他知道自己在說謊。那座墳的位置已深深烙印在他的記憶中。

「我找得到。」加瑞爾說。

「如果我沒記錯，那離道路很遠。」

「你也要去。」

湯瑪士再度回頭看了部隊一眼。他們繼續行軍，揚起的塵土被一陣輕風帶向天空。

「我要率領部隊，賈可拉。」他說。「我不會為任何事停下。」

加瑞爾哼了一聲。「現在我叫加瑞爾。對，沒錯，你得跟我去。」他繼續說，不給湯瑪士反對的機會。「你可以在克雷希米爾手指徹底擺脫凱斯追兵，我們只要能比他們早一步趕到第一座橋就行了。」

「克雷希米爾手指」是艾卓山脈一連串深而湍急的河流，由融雪激流沖刷而成。沒人可以涉水渡過這些河，就算騎馬也不能。一百年前建造大北道時，也一併在河面上搭建了許多橋梁。

「就算我們能搶先他們趕到第一座橋，」湯瑪士說，慶幸能夠擺脫那座孤墳的話題。「騎兵還是能夠往西邊繞道，在我們下山進入平原時埋伏。」

「你會想出辦法的。」

湯瑪士咬緊牙關。他率領一萬一千名步兵和兩百騎兵，卻只領先人數差不多的凱斯騎兵四天的路程。重裝騎兵和胸甲騎兵在和步兵正面衝突時占有極大的優勢。

「我們需要食物。」湯瑪士說。

加瑞爾看向西方琥珀平原上誘人的麥田。「如果放慢速度搜尋糧食，騎兵就會在胡恩朵拉森林前趕上我們。抵達森林後，裡面有些農莊，搜索隊可以打到鹿和兔子，但不夠所有人吃。」

「城裡呢？」

湯瑪士記得胡恩朵拉森林南部有個聚落。湯瑪士不知道是森林因那座城得名，抑或反之。

「稱之為『城』有點太誇張了。有城牆沒錯，但居民了不起就幾百人。我們或許可以購買或偷取一、兩天的糧食。」加瑞爾頓了頓。「我希望你不是打算掠奪鄉野，這裡的人日子本來就很難過了，伊派爾對待農奴的手段比曼豪奇凶殘。」

「部隊要有糧食，賈可……加瑞爾。」

湯瑪士看向高山，幾乎錯過雪白山峰。他得掌握部隊的狀況，他們需要食物和安全感。如果在缺乏食物的情況下抵達胡恩朵拉森林，他的手下就會開始挨餓並逃亡。但如果花太久時間搜索糧食，騎兵會在抵達森林前追上他們，攻擊整支隊伍。

歐蘭完成任務後返回，跟上湯瑪士和加瑞爾。

「歐蘭，」湯瑪士說。「命令部隊停止前進。」他停下來環顧原野，道路左側是雜草叢生的斜坡，通往半哩外的山溝。「到這裡就行。」

「長官，這裡可以幹什麼？」

湯瑪士鼓起勇氣。「我該對弟兄們說話了。叫部隊列隊集合。」

他們花了足足一小時等後面的人跟上。損失的時間很寶貴，但到目前為止，湯瑪士都讓手下的軍官去招呼士兵或傳達命令，而如果他想繼續指揮這支部隊，在接下來幾週內維持軍紀和忠誠，那他就得親自對部隊說話。

他站在路旁，俯視斜坡下的景象。田地都被踩扁了，綠地被艾卓兵的藍軍服取代，士兵宛如草葉般筆直列隊站好。

湯瑪士知道，這些人當中有許多再也無法活著回家。

「立正！」歐蘭吼道。

一萬一千人迅速立正，挺胸與整齊步伐的聲音清晰可聞。

世界陷入一片寂靜，微風自山上吹來，輕輕推動湯瑪士的背。士兵軍紀嚴明，沒人伸手去扶正帽子。

「第七旅和第九旅的弟兄們，」他開口喊道，聲音遠遠傳了出去。「你們知道現在的情況，你們知道巴德威爾淪陷，凱斯軍入侵艾卓，只有艾卓軍在阻擋他們。」

「我為巴德威爾心痛，我知道你們也和我一樣。不少人質疑，為什麼不留下來奮戰。」湯瑪士停頓了一下。「我們人數和戰力都不足。巴德威爾城牆失守，導致我們原先的戰術失效，不可能打贏那場戰役。你們都知道，我不打沒有勝算的仗。」

部隊裡傳來認同的聲浪。放棄巴德威爾的怒氣已在後來的六天中逐漸消退，士兵都能理解這麼做的原因，他們沒必要沉溺在過去。

「巴德威爾或許淪陷了，但艾卓沒有。我向各位保證，我對你們發誓，我們會為巴德威爾報仇。我們會重返艾卓，加入我們的弟兄，保衛我們的國家！」

弟兄群起歡呼。老實說，歡呼並不太熱烈，但至少有點反應。他舉手要大家安靜。

「首先，」他等歡呼聲安靜下來後說道。「有段危險的旅程正等著我們。我不會騙各位，我們食物不多了，沒有後勤或補給，沒有援軍，我們的彈藥會越來越少，夜晚會越來越冷。我們孤零零身處異鄉。此時此刻，敵軍正在放狗追蹤我們。」

「凱斯騎兵緊追在後，我的朋友們。胸甲騎兵和重裝騎兵，至少和我們人數差不多，可能更多。我打賭領軍的是畢昂．傑．伊派爾，國王最寵信的兒子。畢昂是名勇將，無法輕易擊退。」

湯瑪士看見士兵們眼中浮現恐懼，他讓恐懼醞釀片刻，看著驚慌開始發酵，之後才伸手指向部隊。

「你們是第七旅和第九旅，是艾卓的精英，表示你們就是有史以來最強的步兵。我很榮幸也很樂意在戰場上指揮各位。若有必要，我會和各位一起戰死沙場。但我要說，我們不會死在這裡，不會死在凱斯境內。」

「讓凱斯軍來吧。」湯瑪士吼道。「讓他們派最強的將領來追殺我們，讓他們占盡優勢，讓他們全力進攻，因為追殺我們的這些獵犬，很快就會發現我們是獅子！」

湯瑪士聲嘶力竭地喊完後，將拳頭高舉過頭。

他的手下凝視著他，沒人吭聲。他聽見耳中傳來心跳聲，接著部隊後方有人大叫：「好！」有人跟著吶喊，也有人跟著吼叫，接著叫好聲轉為歡呼和詠唱，一萬一千人將來福槍舉在頭上對他放聲呼喊，釦環和劍擊聲響徹雲霄，足以蓋過火砲聲。

這些就是他的手下，他的弟兄，他的子女。他們會為了他凝視地獄的深淵。他後退離開道路，不讓他們看見自己的淚水。

「說得好，長官。」歐蘭說，伸手遮住火柴，在風中點燃嘴裡叼著的菸。

湯瑪士清了清喉嚨。「把你臉上的笑容抹掉，士兵。」

「立刻照辦，長官。」

「等部隊安靜下來後，就讓隊伍開始移動。我們要在天黑之前拉開距離。」

歐蘭下去執行任務。湯瑪士又花了點時間收斂心神，凝望東南方。是出於他的想像，還是他真的看見遠方山丘上的動靜？不，凱斯軍沒那麼近，目前還沒。

10

阿達瑪被人綁在椅子上，在黑暗裡度過一夜。他不知道什麼時候終於忍不住，尿在自己的褲子上。空氣中瀰漫著尿騷味、霉味和粉塵味。他身處一棟人來人往建築物的地窖裡，能夠聽見人們走動時上方地板嘎吱作響。

他第一次在漆黑中醒來時曾放聲吼叫，有人下來要他閉嘴，他認出了那是劫匪沙啞的聲音，罵他是條天殺的狗。

劫匪自顧自笑著離開了。

數小時後，天亮了，阿達瑪能透過天花板縫灑落的光線判斷出來。他聽見自己的肚子咕嚕咕嚕直響，喉嚨乾枯，舌頭腫脹，脖子、腳和背因為被綁在椅子上超過十四小時而痠痛不堪。

他用來撫平皺紋掩飾年齡的鯨魚霜開始發燙，那玩意兒本應該在十二小時內擦掉。

他感到昏昏欲睡，於是搖了搖頭晃醒自己。在這種情況下睡著是會死人的，他得時刻保持清醒並提高警覺。另外就是，他頭部受創，需要更多光線才能判斷眼睛還能不能正常聚焦。

他很難推斷出自己身在何處。上方的人聲聽起來很模糊，也沒什麼獨特氣味——除了他自己的尿騷味和地下室的潮濕氣味之外。

阿達瑪聽見開門聲，眼角隨即看見一絲光線。他轉過頭——這個動作引發他的痛楚——看見一盞提燈搖搖晃晃走下樓梯。有兩個人在交談，但那個劫匪不在其中。

「……他除了罵托克是天殺的狗外什麼都沒說。」一個男人說，鼻音很重，語調很尖。「錢包裡沒什麼東西，只有五十克倫納鈔票，還有副假鬍子。沒有支票和證件，說不定是條子。」

另一個聲音回應他，但聲音太小，阿達瑪聽不清楚。

「嗯，沒錯。」第一個人說。「大部分條子都會攜帶證件，就算來抓人也一樣。他可能是那種臥底警察，戰地元帥一直利用他們揪出凱斯間諜。」

另一個聲音再度小聲回應。

第一個人又開口時，語氣有點緊張。「我們不知道，」他說。「托克說帶他回來，我們就照做。他跟蹤那個女人回那棟房子。」

說話的人拿著提燈來到阿達瑪面前，用提燈照亮他的臉。阿達瑪面對搖曳的燭光忍不住偏過頭，在光線照射下眨了眨眼，試圖看清那兩個傢伙的長相。可能是維塔斯。維塔斯一眼就能認出阿達瑪，然後他就死定了，或面對更淒慘的命運。

「我叫丁尼。」第一個人說。「抬起頭來看著總管。」丁尼抓住阿達瑪的下巴轉向提燈。阿達瑪把喉嚨裡的痰吐到丁尼的眼睛裡，對方一拳打在他臉上，椅子當場翻倒。

阿達瑪仰躺在地上，雙手壓在下方，眼冒金星。他忍不住發出痛苦的呻吟，不知道自己的手腕有沒有被壓斷。

「把他拉起來。」輕聲細語的傢伙說。

丁尼把燈掛在天花板上，扶正阿達瑪的椅子。阿達瑪考慮用頭去撞對方，但他覺得自己的頭最近受的傷已經夠多了。

你們抓我幹嘛？阿達瑪想吼出這句話，但口乾舌燥下喉嚨只發出沙啞的聲音。

「那得看情況。」輕聲細語的人繼續說。「你為什麼要跟蹤那個紅衣女人？」

「我沒跟蹤任何人。」阿達瑪說，努力裝出西北口音。「我只是在逛街。」

為什麼……所以對方不是維塔斯，或者維塔斯還沒認出他。

「不帶證件？還戴假鬍子？拿燈照他的臉。」

丁尼再度抓起阿達瑪的下巴，把提燈推到他臉旁邊。

輕聲細語的人輕笑出聲。「啊，你這個該死的笨蛋。」

「笨什麼？散步很笨嗎？」阿達瑪說。

「我不是在對你說話。」

提燈遠離了阿達瑪的臉，讓他看清楚丁尼的長相。丁尼瞪大雙眼，臉色發白。「我是不小心的，總管，我發誓。」

「出去。」另一人說。「等等，告訴主人，我們抓到阿達瑪調查員。」

丁尼把提燈掛回天花板上，離開房間。阿達瑪沒辦法克制宛如蜘蛛爬上背脊般的冰冷恐懼。

他在黯淡的光線下瞇眼，試圖看清楚聲音的來源。

「阿達瑪。」那輕聲細語的聲音突然出現在他耳邊。

阿達瑪嚇了一跳。他沒聽見對方移動，而這間潮濕的地窖裡也沒其他人。「你說誰？」保持姿勢，裝傻，別讓他們擊潰你。

他耳邊傳來一聲輕嘆，一把刀突然抵住他喉嚨。他清楚記得不到兩個月前被剃刀輕輕劃過喉嚨的感覺。他本能地縮頭，忍不住驚呼。刀子沒再逼近，綁在他手腕上的繩子突然被扯了下，然後他就自由了。

他搓揉手腕，恢復一些知覺，凝視正前方。他不敢假設自己已經獲釋，他隨時都可能被刀戳入喉嚨或胸口。身後的人肯定準備好應付任何突發狀況，就算阿達瑪打得過對方，他還是身處某人總部的地窖裡。

阿達瑪依然對於自己所在的位置一無所知。他面前的傢伙認得他，即使在這種燈光下還是認得出來。他腦中閃過上百個名字，試圖把面孔和那嗓音湊在一起，但是沒有結果。

他感覺到，而不是聽到，對方回到了他面前。他隱約看見對方身穿無袖上衣的魁梧輪廓，光頭在燭光下閃閃發亮。這肯定不是維塔斯。

阿達瑪眨了眨眼，擺脫模糊的視線，深吸一口氣。淡淡的甜鈴香讓他喉嚨一緊。他想起黑街理髮幫暗殺他的那晚，他家也有這個味道。

「閹人。」他覺得自己的身體軟癱，嘆了口氣，扯動依然把他腳踝綁在椅腳上的繩索，片刻後又緊繃起來，因為他意識到大業主的闍人還是有可能幫維塔斯辦事。

闍人轉向阿達瑪。「好了，」他說。「終於不裝傻了。現在回答我的問題，你為什麼跟蹤那個紅衣女人？」

阿達瑪吸了口氣。雙手鬆綁後，自己的尿騷味就比較沒有那麼難以忍受了。

「工作。」他說。

「什麼工作？」

「我向戰地元帥回報，也只能跟他回報，你應該知道這一點。」

闍人手指輕敲下巴側邊，瞇起雙眼，不動聲色地打量阿達瑪。

「我們是一國的，對不對？」阿達瑪有點絕望地問。

「不用多久，我的主人就會決定要如何處置你。如果他放你一條生路，我建議你不要對其他人提起這件事。」

「如果？」

闍人聳肩。「我要知道我們的目的是否有交集。外面有些關於你的謠言，阿達瑪。在我們找到你的地方發現你，這可能代表兩種不同的意義。」

阿達瑪等著闍人解釋究竟是哪兩種意義，對方卻沒繼續說。

「那我和你們立場相同還是對立？」阿達瑪大膽猜測。

「這種事很少能用『立場相同或對立』來單純區分。」

「我只是靠直覺辦案。」阿達瑪說。「我在找人。」

「找維塔斯閣下？」

阿達瑪看著闇人一段時間，對方面無表情，沒有暗示，什麼都沒透露，和拋光的大理石一樣看不透。大業主是否如同阿達瑪所擔心的，有與維塔斯合作，還提供支援和人手？

「對。」

「為什麼？」

阿達瑪看向自己的手，昏暗光線下能依稀看出剛剛被綑綁的痕跡。他的手指還能動，他為此心存感激。他知道在嘗試走動之前都不會真的感到痠痛。他抬頭看向闇人。

闇人的神情依然讓人看不透，這種情況下說實話可能會害死自己。他有上百種謊言可說，也自認很會說謊，但現在要是說錯謊可能就性命難保，就算說得很好也一樣，只要闇人懷疑是謊言，他就慘了。

還是說實話吧。

「他綁走了我的家人。」阿達瑪說。「還勒索我，現在我妻子和大兒子還在他手裡。我想救回他們，然後再來慢慢殺了他。」

「身為一個有家室的人，你卻有很多殘暴的計畫。」闇人說。

阿達瑪傾身向前。「家人，」他說。「請記得這個詞。危害一個人的家人，就會讓他鋌而走險，手段殘暴。」

「有意思。」闇人似乎不為所動。

門開了，陽光灑落在地窖另一側，一陣腳步聲從樓梯咚咚傳來。

「總管，主人說帶他上去。」丁尼說。

闇人皺眉。「現在？」

「對，主人要見他。」

阿達瑪撫平髒兮兮的外套。他本來以為被人綁在地窖的椅子上，不知道對手是誰就已經夠緊張了，但此刻他覺得更緊張。

「我要去見大業主？」

「看來是如此。」闇人伸手拉起阿達瑪。「別擔心，」他說。「九國只有三個人知道他的長相，你不會是其中之一。」

阿達瑪並未因此感到安心。他低頭看著自己的褲子，冷濕的尿漬使他的褲子緊貼在腿上。

「我要怎麼……」

「啊。」闇人指示丁尼過去。「現在阿達瑪是我們的客人了，找兩個女孩幫他梳洗，二十分鐘後帶他去見主人。」

丁尼不安地換了個站姿。「他似乎很堅持，要現在。」

「你看到主人的新地毯了嗎？」

丁尼不太確定地點頭。

「你想要那塊地毯聞起來像這間地窖的味道嗎？」

「不，總管。」

「帶他去梳洗，然後，再去見主人。」

阿達瑪的當務之急是弄清楚自己身在何處。他研究了室內的裝潢和建築風格，但這兩項資訊都對他毫無用處。拋光木地板在他腳下嘎吱作響，牆壁是木板塗泥灰，燭台是銅製的。室內空間很寬敞，但不失實用性。

阿達瑪被帶往一間有熱水的浴室，兩個女僕毫不客氣地剝光他的衣服，速度快到他來不及抗議這樣有多不得體。閹人交代要找兩個女孩幫他洗澡時，阿達瑪還以為會找妓女，然而這兩位都是健壯的洗衣工。

女僕迅速洗刷他的背和頭髮，用冰水沖掉肥皂泡沫，然後拿了一條新褲子給他。阿達瑪走出洗澡間後，兩個女人又幫他梳頭髮、整理儀容。

丁尼等在門邊。如今光線充足，阿達瑪能看出他是個體弱多病的中等身材男子，身穿一件交叉剪裁的雙排釦方尾大衣，配一條漿過的領帶。那件大衣、乳白色的褲子和及膝長靴都普通到不能再普通，這使阿達瑪懷疑，即使自己已經記住他的長相了，可能都無法在街上一眼認出人來。

這是阿達瑪的天賦，他從不會忘記一個人的長相，也不會忘記大業主的樣貌。只要看一眼就夠了。

丁尼把阿達瑪的錢包還給他。

阿達瑪翻開錢包，那張五十克倫納鈔票仍在裡面，還有阿達瑪的假鬍子。

阿達瑪從女人手裡接過一件外套，把錢包塞進口袋裡。他目光始終保持在丁尼身上，對方神色輕蔑地回應他的目光，上下打量阿達瑪。

「這樣可以了。」丁尼說。「至少你身上沒有尿騷味。」他露出鄙夷的笑容。「不過，你臉上有個印子。」

那是丁尼剛剛打他的地方。還真迷人。

「看來你也擦掉了臉上的口水。」

丁尼嘴角下垂，一把抓起阿達瑪的外套，低聲說道：「只要主人一句話，我就會讓你開膛剖肚。我會花三天時間慢慢折磨你。我知道你是誰，條子。我不喜歡警察。」

如此近的距離下，阿達瑪能聞到丁尼嘴裡之前沒有的酒氣。丁尼怕闇人怕到跑去喝酒了嗎？有意思。更有趣的是丁尼的站姿，重心有點朝左，可能是因為他的左腳比右腳短，也可能是右腳受傷了。

阿達瑪用力把外套從丁尼手中抽回。

「你先請。」丁尼說。

「還是你先吧。」阿達瑪朝前揮手。

丁尼嘲弄似地鞠了個躬，步入走廊。阿達瑪觀察他的腳，瘸了一條腿，他右腳肯定受傷了。

阿達瑪突然毫無徵兆地一腳踹過去，靴子狠狠踢中丁尼的右腳。丁尼往側邊摔倒，阿達瑪用掌心摀住他發出的驚叫，用手托著他大部分的體重，把人放倒在地，一手緊緊扣住對方喉嚨。

「除非確定你掌握了機會，否則不要隨便威脅人。」阿達瑪輕聲說道。「聽好，我整個夏天都在和九國最有權勢的人周旋，你以為我在乎你這種瘸腿雜碎？你以為我有時間對付你？」

「我要去跟你的主人談一談。如果情況不對，他會殺了我，這點我絕不懷疑。但我保證，如果他們把我和你放在同一個房間裡，不管把我綁得多緊，我都有辦法掙脫，然後殺了你。」

阿達瑪放開丁尼的脖子和嘴巴。

人對於權力在自己之上的人會有不同的反應，有些人會生氣，有些人會默默承受，有些人會怕到相信你說的一切，不管聽起來多荒謬。

從丁尼的眼神來看，阿達瑪認為他是最後一種。

阿達瑪來到大廳。被綁在椅子上一整晚導致他渾身都在痛，他努力不讓自己看起來像殘廢。他與十幾名男女擦肩而過，那些人的穿著毫無特色，就和丁尼一樣，大概是信差之類的人物。

阿達瑪這輩子可能到過半打黑社會老大的巢穴，那些巢穴要不是奢華的宮殿，就是敗類橫行的邪惡賊窩。然而，大業主的總部卻樸實無華到令他震驚。在他看來，這裡和有權有勢的守財奴辦公室差不多。

大廳裡有打手，全都是壯漢，各個神色不善地盯著所有人，腰間掛著手槍。正面窗戶和大門兩側都有這些人守著。阿達瑪看到一個他認得的女人，是艾鐸佩斯特東區一間妓院的老鴇，曾告訴阿達瑪該上哪兒去找殺人犯。她穿著最好的服飾，坐在前門旁的長凳上，看起來像個等著見校長的女學生。

有人抓住了阿達瑪手臂。他很驚訝自己竟然沒有嚇得跳起來，轉身仰頭看向一個大塊頭打手的臉。

在對方開口前，阿達瑪就說：「我在找閹人，他叫人帶我去洗澡，但帶我的人不見了。我現在要去見大業主。」

打手張了張嘴，隨即閉上。他皺起眉頭，顯然沒料到會遇上這種情況。

「阿達瑪。」有個聲音傳來。

閹人穿越大廳，朝打手點了點頭。在白晝的光線下，阿達瑪看到他身穿訂製的棕色長尾西裝，繫了條綠領帶。大塊頭打手退開，阿達瑪跟著閹人步入一條側廊。

「丁尼呢？」閹人問。

「他絆倒了，摔下樓梯。我說我自己來找你。」

「啊。」閹人似乎不打算拆穿阿達瑪的說詞。「好吧，進去，主人現在要見你。」

他們停在側廊一扇門外。這扇門毫無特色，也沒有任何裝飾。阿達瑪目光掃過走廊。

「這裡？」

「對。」

「這樣啊。」

「你以為會是什麼情況？」閹人問。「或許更莊嚴？」

阿達瑪打量著裝飾簡單的走廊，看到一個女人手裡拿著一綑文件，身穿樸素的長裙，看起來平凡到讓他頭痛。

「不，我想不是。」

閹人敲了敲門。

「進來。」裡面的人簡短下令。

阿達瑪走了進去，關上房門。

房內光線充足，超乎阿達瑪的預期。這間辦公室空間很大，上好的木頭鑲板、高拱窗，還有一座華麗磚頭框飾的火爐。火爐旁有兩張舊椅子，離門不遠。房間另一側有張大書桌，部分被屏風遮住。阿達瑪注意到除了地上的高級地毯之外，房內沒有任何裝飾。

書桌旁坐著一名神情嚴肅的女人，下巴線條分明，眼角有明顯的皺紋。她的儀態完美無瑕，裙子平整地搭在腿上，上頭還放著織到一半的圍巾。

「阿達瑪調查員？」女人問。

阿達瑪點頭，一臉好奇地看著屏風。他聽見屏風後方傳來寫字的聲音。

「我是安柏。」女人說，發音有點類似「安巴」。「首先你要知道，如果你看見主人的臉，就算只是不小心，你都得死。」

阿達瑪發現自己突然不太好奇屏風後面的景象了。

「坐下。」女人說，指向火爐旁的一張椅子。

阿達瑪坐下。

安柏繼續說：「我代表主人發言。我是他的傳聲筒，你可以把我當成他來對話。我對你說話時，也會把我自己當成他。現在，我想先為你在地窖委屈一個晚上道歉，那是很不幸的遭遇。」

寫字的聲音停了。阿達瑪注意到安柏不再看他，而是看向屏風後面，或許在讀主人的手語？

「確實很不好受，我說真的。」

「來談談正事。」大業主透過安柏說道。「有個名叫維塔斯閣下的傢伙給我的組織帶來不少麻煩。」

「我沒聽過這個名字。」阿達瑪說謊，不知道自己為什麼要這麼做。他已經把維塔斯和他家人的事告訴闇人了。

「說實話吧。他行事非常低調，但是湯瑪士的部隊高層有不少人都聽過這個名字，還有你的名字。我認為我的人發現你在跟蹤維塔斯閣下的間諜絕對不是巧合。」

「天下什麼怪事都有。」阿達瑪應道。

「就像雙槍坦尼爾，」大業主說。「知名的戰爭英雄，在南矛山頂對神的眉心開槍？或戰地元帥湯瑪士，全艾卓最理性的男人，宣稱一個主廚是艾卓的神？」

阿達瑪手指敲了敲褲管，看向安柏，又轉頭瞥了屏風一眼。用這種方式與人交談感覺非常尷尬，但似乎又沒有別的辦法。「你不相信那種鬼話，對吧？」

「我沒說我信。」大業主透過翻譯說。「我傾向相信鐵證，但如果我完全基於鐵證行動，就不會爬到今天的地位。我有半數生意都是來自耳語和謠言，也就是情報。」

「情報就是力量。」阿達瑪同意。「你顯然混得不錯。」

「不光是力量，情報更是財富，但我可以免費提供這則情報給你：戰地元帥湯瑪士死了。」

阿達瑪雙掌交握，不讓人看出他的手指突然發抖。這是真的嗎？戰地元帥真的死了？這樣的話，阿達瑪等於突然失去後援。就對付維塔斯那麼危險的人物而言，他此刻的後援就已經夠少了，就算如此，十六名士兵和空白支票簿也不容小覷。阿達瑪不確定自己是否有辦法獨自對付維塔斯。

「你怎麼知道的？」阿達瑪先等自己冷靜下來後才開口問，聲音微微顫抖。

「我今天早上收到第二旅西蘭斯卡將軍送來的公文。」屏風後伸出一隻手，交給安柏一封信。她將信轉交給阿達瑪。「我確定其他議會成員，溫史雷夫女士、普蘭・雷克特、總管大臣昂卓斯，還有理卡・譚伯勒，都收到了同一封信。」

阿達瑪解開信上的絲帶，攤開信紙。信是用艾卓文寫成的，但內容毫無意義。

「密碼？」阿達瑪問。

「沒錯。內容是說——」阿達瑪打斷她。「克雷希米爾重臨大地，戰地元帥湯瑪士和兩個旅的兵力在敵後孤立無援，認定死亡。」

大業主一聲不吭。安柏凝視屏風後方一段時間。她眼睛微微睜大，說出大業主的回應：「真是……令人佩服。」

阿達瑪把信交還給安柏。「完美的記憶可以輕易解開密碼。我小時候曾花兩個夏天的時間記憶四百種不同密碼，常見和不常見的都有。這種密碼非常少見，但我過目不忘。克雷希米爾，我以為雙槍坦尼爾賞了他眼睛一顆子彈？」

「諸神之說，都是謠言。我建立艾卓黑社會帝國，靠的是合理的猜測，而我對此事的猜測，就是除非西蘭斯卡將軍真正相信此事，不然他絕不會如此宣稱。」

阿達瑪往後靠。他凝望屏風，不知道為什麼突然覺得威脅感減弱了。屏風後面有什麼？是什麼樣的人？阿達瑪看到的那隻手屬於老人的手，而且顯然是個男人，指甲修剪整齊。大業主不可能一直待在屏風後，他在其他地方必然會有個假身分，能讓他在公開場合露面的身分。

「艾鐸佩斯特只有幾個人知道此事，」阿達瑪說。「為什麼告訴我？」

大業主似乎有點遲疑。「因為此事會讓你失業。湯瑪士是你的雇主。」

「而你打算雇用我？」阿達瑪覺得毛骨悚然。他這輩子從未想過大業主會雇用自己。

「理卡．譚伯勒會請你幫忙競選第一行政官。他會開出優渥的酬勞，但我能付更多錢給你。除此之外，你還能扮演什麼角色？回警隊？我認為接下來的幾年你都不會想穿制服在街上巡邏。」

「你要雇用我做什麼？」

「那又回到第一個問題。你為什麼要找維塔斯閣下？」

阿達瑪腦袋歪向一邊。大業主不知道菲的事，這表示闇人還沒告訴他，同時也表示大業主並不為維塔斯辦事，不然就是維塔斯沒告訴他關於自己的事。

「他抓了我妻子。我要找出維塔斯，救出我妻子，殺了他。」

阿達瑪聽見屏風後傳來輕笑聲，忍不住皺起眉頭。

「完美。」大業主透過安柏說。「太完美了。」

「你又為什麼在乎維塔斯？」

「我說過了，他給我的組織帶來麻煩。」

「什麼麻煩？」

「除非把事情鬧大，不然無法處理的麻煩。他至少有六十名打手，其中還有一個榮寵法師。」

阿達瑪心跳加劇。榮寵法師？見鬼了，他要怎麼對付那種怪物？「更具體地說明問題，或許會有所幫助。」

「不關你的事。」

阿達瑪再度撫平上衣。「或許是爭地盤？維塔斯在搶奪你的收入來源？在黑社會興風作浪？還是偷走了你的人？」那樣的話就能解釋為什麼狐狸羅加會來看守阿達瑪的子女。但如果羅加在沒有知會大業主的情況下投靠了維塔斯，那就意味著羅加認為維塔斯比大業主更強大。

真是個可怕的想法。

「那些都與你無關。」大業主表示。安柏的翻譯帶了點冷酷感。「會面結束，你可以走了。」

阿達瑪眨了眨眼，有點措手不及。「你不想雇用我了？」

「現在不想了。」

「你也不打算殺我？」

「不想。出去。」

阿達瑪站起身，再度環視房內，刻意不多看屏風一眼。這裡的東西都是好貨，但並非手工訂製。鑲板是壓印的，燭台是二手貨，就連書桌看起來都是大木匠工作室一天出產十幾張的那種。這裡的一切都無從追蹤。

除了地毯，屬於葛拉風格，不是專家都看得出來纖維織得相當縝密。

阿達瑪從外套裡拿出一條手帕。他大聲擤了擤鼻子，鬆手讓手帕掉落，然後彎腰撿起，確保自己沒有看向大業主的書桌。

當他站起來時，安柏臉上還是一副他該走了的表情。她瞥了門口一眼，他點了點頭。出門後，閹人站在門口。

「待在這。」他說著，然後進入大業主辦公室。

阿達瑪趁一個人獨處的機會，檢視手指之間的纖維，只有少少幾根，全都乾乾綴綴的，與他口袋的線頭沒什麼兩樣。不過他認識一個或許有辦法辨識來源的女人。

閹人走出辦公室，喀的一聲關上房門，看起來神色不安。「你可以走了。」他說。「當然，我們不能讓你從正門出去。衣服你留著吧。」

阿達瑪張口欲言，卻被人從後方抓住。一塊布掩住他的口鼻，他最後一個印象就是聞到乙醚的味道。

11

馬背上昏昏沉沉的坦尼爾被遠方的砲火聲驚醒。

他心裡充滿陰暗的想法，就和瑪拉菸館中的煙霧一樣濃。他彷彿又看見勇衛法師吃黑火藥的畫面，還能感受到怪物扭曲四肢得到火藥加持的怪力。凱斯怎麼能用火藥法師製造出那種怪物？據他對勇衛法師和榮寵法師的瞭解，那應該是不可能的。

但話說回來，從勇衛法師胸口拔出肋骨插入怪物眼中，同樣是不可能的事。

突如其來的墜落感讓他驚慌失措地緊抓馬鞍一角，把馬也嚇了一跳。世界彷彿在旋轉，他斷斷續續深吸幾口氣。即使發現自己不是真的在墜落，心臟依然狂跳。他五天沒抽瑪拉菸了，他的手在抖、嘴很乾、頭痛欲裂，烈日高溫也無助於改善這些狀況。

一隻冰涼的手掌突然撫過他的臉頰。卡波坐在他身後，旅途大部分時間雙手都摟著他的腰，因為她完全不會騎馬。這麼熱還讓她貼在身上，照理說應該會很不舒服，但那彷彿是唯一令他欣慰的事。

當然他不會對她承認這一點。

他們午後時分行經瑟可夫谷，兩側都是高聳的山壁。他們在擁有數萬人口的芬戴爾過夜，由於預備部隊和巴德威爾難民擁入的緣故，該城人口暴增了四倍。

坦尼爾在芬戴爾睡得很少，也睡得很不安穩，幾乎是噩夢連連。他聽說瑪拉菸成癮後唯一能睡好的辦法，就是吸食更多瑪拉菸。

卡波的手離開他臉頰，他心裡浮現一股強烈的失落感。他該拿這個女孩怎麼辦？她似乎認為他是她的。他想他可以和她上床，但這種想法讓他……很掙扎。她是個野人，是他的僕人，是夥伴，而不是其他身分，生活在艾卓禮儀社會的人肯定會認為這種關係很不恰當。

但他什麼時候在乎過社會觀感好不好了？他提醒自己這一點。至於野人？坦尼爾見識過卡波的魔法，她曾幾度拯救他的性命，絕不只是個野人。

坦尼爾試圖理清遮蔽心眼的迷霧，但是成效不彰。如此魂不守舍是很危險的事情。他們明天傍晚就會抵達前線，然後他會弄清楚部隊裡還有沒有火藥法師，並打聽父親的消息。當然，他得向……向誰回報？坦尼爾向來只向湯瑪士回報。

湯瑪士真的死了嗎？坦尼爾有點驚訝這個想法竟讓自己微微哽咽。坦尼爾愛湯瑪士，甚至仰慕他，但並不喜歡他。他們向來都不親密，畢竟那個老混蛋曾命令他殺害自己最好的朋友。坦尼爾到現在還不知道包在哪裡。他可能死在山上，或數週前遭湯瑪士處決。

坦尼爾希望他們兩個都還活著，他還有話要對他們說。

至於卡波……就是尊重，坦尼爾就是這種感覺。還有一股絕望感，因為湯瑪士是艾卓打贏這場戰爭最大的希望。

他們在瑟可夫谷位於芬戴爾和巴德威爾間的眾多小鎮之一停下來休息。這種小鎮人口通常約兩千人，在戰爭期間人口激增。補給車隊會經過此地，步兵後備軍會身穿制服走在街上，享受遠離前線的時光。坦尼爾看著幾十輛推車通過，運送前線的傷兵和屍體。他離開艾鐸佩斯特後已經見到幾百輛這種推車。戰況顯然不太樂觀。

「上尉，如果你繼續忽視我，就準備面對鞭刑。」

卡波坐在他旁邊的河畔草地上吃午餐，用手肘頂了頂坦尼爾。坦尼爾抬頭，驚訝地發現有人在對他說話。

一名上校坐在馬背上，五官皺在一起，面色不善。他用馬鞭指著坦尼爾。「上尉，你是哪一旅的？」他給坦尼爾一點時間回應，然後繼續說：「別再對我裝傻，這問題是有多難？」

「我不屬於任何旅。」坦尼爾說。

「不屬於……你是白痴嗎？你是不是艾卓部隊的上尉？小心點回答，小子，不然我就以冒充軍官的罪名送你去軍法審判！」

坦尼爾摸摸領子上的星形上尉徽章，是金的，因為他把銀鈕釦都拿去買瑪拉菸了，匆忙間只能找到這種替代品。他的火藥桶徽章放在口袋裡。這天殺的傢伙是哪來的？坦尼爾從來沒對戰地元帥以外的長官回報過。他心想，嚴格來說自己應該隸屬某個旅，或許是第七旅？

坦尼爾聳肩。

上校面紅耳赤。「少校！」

一名三十來歲的女人騎到上校旁邊。「長官？」她把長長的金髮編成一條辮子，左臉頰有顆美人痣。她對上校敬禮，低頭看向坦尼爾。

「逮捕這個人。」上校說。

「長官，罪名是什麼？」

「不敬長官。這傢伙沒向我敬禮，不回答我問題，在我面前都不起立。」

少校翻身下馬，指示兩個服裝整齊的士兵過去。

坦尼爾眼看他們三人接近。他咬了一口羊肉乳酪，緩緩咀嚼。

「起立，上尉。」少校說。看到坦尼爾毫無反應，她朝其中一名士兵點頭。士兵彎腰去抓坦尼爾的手臂。

坦尼爾舉起放在大腿上的手槍，扣下擊鎚，指著士兵。「這是個壞主意，士兵。」少校和上校的表情差點讓坦尼爾笑出聲，但他懷疑這時候笑出來會對自己的處境有任何幫助。

「呃，長官，」其中一名士兵說。「你是雙槍坦尼爾嗎？」

「對，」坦尼爾說。「我是。」

「我之前是第七旅的。很榮幸見到你，長官，但我們似乎得逮捕你。」

坦尼爾轉向少校。「今天不會。」

少校後退，和上校竊竊私語。片刻後，上校點了點頭，少校和士兵都離開現場。

坦尼爾繼續吃午餐，結果發現上校還待在不到十呎外的馬背上。對方騎馬靠近了一些。坦尼爾抬頭，他沒心情搞這個。

上校露出依然不太認同的表情。「上尉，我很抱歉，我沒認出你。我們之前見過，但已經是好幾年前了。你父親是個偉人。」

坦尼爾吞下一口食物。這話要怎麼接？「對，他是。」

「上尉，我該警告你，戰地元帥對待士兵都很寬大，特別是他的法師。他死了之後，部隊高層的態度改變了，我懷疑參謀總部是否會把你視為特例，就算你軍功卓越。再拿槍指著長官，你會被——」

「槍斃？」坦尼爾問，難以壓抑嘴角的笑容。

上校皺眉。「吊死。」

「謝謝你的警告，長官。」

上校點頭。「我很高興看到你又站起來了，上尉，前線需要你。」他暫停片刻，彷彿在等坦尼爾起身敬禮。在坦尼爾看來，他可以等上一整天。將近一分鐘後，他調轉馬頭，策馬離開。

坦尼爾不禁懷疑，上校為什麼沒和部隊一起待在前線。

「波。」他說。「我覺得妳和我去或許不是好主意。」

她翻了個白眼。

「我說真的，波，那裡是戰區。我知道妳以前打過仗。」見鬼了，她兩個月前才和他一起面對過凱斯大軍。他親眼見她在南矛山屠殺半個凱斯法師團。「但自從妳帶我回來後……我就覺得怪怪的。我不知道我會做什麼，我怕會害死妳。」

坦尼爾再度想起他自昏迷中醒來時，看見她手上的血。他還看見死掉的士兵，以及一個似乎應該要認得的人躺在地上昏迷不醒。卡波嘗試用手勢解釋，坦尼爾大概猜出她是用別人的命換他的命。他不知道是用誰的命，但這個想法令他作嘔。

卡波從他手裡拿過那塊乳酪，塞到自己嘴裡。坦尼爾大概就只能得到這個回應了。

「喔，好吧。」他說。「我總得試試。有妳在我身邊很好。」

卡波噘嘴，露出淘氣的笑容。

「我的身邊，卡波。我不是——」

她手指抵住他嘴唇，越笑越開心。

「他們不會樂見妳和我一起。」坦尼爾說。「部隊裡有女兵，嚴令禁止親密關係。當然，那種事情隨時都在發生，但軍官得注重形象。他們或許會逼妳睡在別的帳篷。」

卡波攤開雙手，一臉疑惑。

「什麼？親密關係？妳知道，男人和女人……在一起，很親密的樣子。」

她指了指他們兩人，然後手掌平砍。但我們又沒有。她臉上的笑容彷彿在嘲笑這個動作，好像小孩否認剛剛被人抓到在做壞事。

那模樣讓坦尼爾心跳加速，臉都紅了。「好了，女孩，我們要走了。等我尿個尿。」

他回到馬旁時，卡波已經坐在馬鞍上了，不過是坐在前半部，彷彿期待他會坐她後面。

「往後退。」他說。

她不理他。他從她身後爬上馬鞍，拉過韁繩，雙手繞過她的腰，她則挺身貼上他胸口。坦尼爾嘆了口氣扯動韁繩。

隨著逐漸接近前線，路上的人越來越多，最後十哩路，路旁的帳篷多到擠滿整座山谷。士兵、工匠、妓女、廚師、洗衣工和商人，簡直是人山人海。從士兵們的臂章來看，幾乎艾卓軍每一個旅的士兵都來了，包括溫史雷夫女士的傭兵部隊亞頓之翼。如今她肯定已經知道湯瑪士去世的消息，坦尼爾懷疑她會不會調走她的傭兵。

道路似乎淹沒在人海裡，坦尼爾知道只要再來一場風暴，道路就會變成爛泥。艾頓河貫穿整座山谷，如今淪為塞滿數十萬人排泄物的污水，岸邊泊滿了平底船，那是艾鐸佩斯特的補給船，用來運送食物、武器和新兵。

來到正式的部隊營區後，帳篷終於比較整齊了。他從未想過自己會想再度見到整齊的隊伍和紀律，但在擠過最後幾哩路後，他很高興能遠離後備軍和隨軍人員。

入谷後的大部分時間，火砲聲都如同遠方雷鳴般連續不斷。如今他能分辨每一下砲響。砲兵似乎整天都在開砲，這沒什麼好驚訝的，他見過凱斯大軍是何等規模。令他驚訝之處在於，接近前線後，他開始聽見魔爆聲。

前線有榮寵法師在作戰——雙方陣營都有。

凱斯法師團大部分都死在南矛山之役，或在克雷辛克佳被卡波幹掉了。而艾卓軍又是從哪裡找來榮寵法師？

坦尼爾經過一番詢問，很快找到軍官餐廳的位置。餐廳裡大部分都是第三旅的軍官。他把他的火藥桶徽章丟在吧檯上。

「我要一間房。」他說。

酒保懷疑地看著他。「這裡沒有房間，長官，全都住滿了。」

「把人趕出去。」坦尼爾說。「我不要睡餐廳裡的帳篷。」見鬼了，如果有人膽敢把他踢出房間，他會剝掉對方一層皮。這種規模的部隊裡，坦尼爾絕不打算讓卡波住在任何沒鎖的地方。

「很抱歉，長官，我不能那麼做。」

坦尼爾低頭看著自己的火藥桶徽章。「你看見這玩意兒了，對吧？」

酒保把火藥桶徽章推回坦尼爾面前。「聽著，長官，部隊裡已經沒有火藥法師，他們全都死光了，所以別想對我來這套。」

坦尼爾在高腳椅上往後靠。所有火藥法師？全都沒了？「你說『死光』是什麼意思？他們怎麼可能死光？」

「他們和戰地元帥湯瑪士一起受困敵後。」

「巴德威爾這邊一個火藥法師都沒有？」

「不僅是巴德威爾這邊，他們都死光了。」

「你見到屍體了嗎？」坦尼爾問。「有嗎？你知道誰見過嗎？最近有凱斯的消息嗎？我想沒有。現在給我拿杯酒來，找人去幫我弄個房間。」

酒保雙手放在髒圍裙上，沒有動作。

「聽著，」坦尼爾說。「既然我是巴德威爾以北最後一個還活著的火藥法師，那我就是天殺的重要人物。外面有榮寵法師要殺，我要喝酒睡覺才能去辦事。」

「福雷德利，這個人在騷擾你嗎？」

一個女人來到吧檯邊，饒富興味地看著坦尼爾。坦尼爾認得她是臉上有美人痣的少校，就是今天稍早企圖逮捕他的那位。她在跟蹤他？

「女士，」福雷德利說。「他說他是火藥法師。」

「沒錯，這位是雙槍坦尼爾。」

酒保趕緊鞠了個躬。「抱歉，長官，你要喝什麼？」

「琴酒。」坦尼爾清了清喉嚨。「不用道歉。」

「那野人呢？」

卡波在吧檯上敲手指，一副很無聊的樣子。

「她叫卡波，她喝水。」

卡波捶他肩膀。

「紅酒。」坦尼爾更正。「不要太烈的。」

少校彷彿在戰場上打量敵軍般謹慎地上下打量坦尼爾。「你讓僕人那樣對你？」她問。

「抱歉，」坦尼爾說，努力掩飾心裡的不悅。「我不記得妳的名字？」

「我是朵拉維少校，隸屬第三旅，是凱特將軍的副官。」

「少校，我的『僕人』是骨眼，是力量比半數凱斯法師團加起來還要強大的法師。」

朵拉維似乎很懷疑。「她是你妻子嗎？」

「不是。」

「未婚妻？」

坦尼爾看了卡波一眼。他給這位少校這種印象嗎？「不是。」

「她有軍階嗎？」

「沒有。」

「那她不能待在軍官餐廳，她可以在外面等你。」

「少校，她是我的客人。」

「由於人太多的緣故，凱特將軍下令只有配偶才能和軍官一起待在餐廳裡。太多人帶妓女回來睡覺了。」

坦尼爾手指很想往手槍移動，但他想起稍早上校提供的建議。不，在這裡不能這麼幹。他轉向卡波。「波，妳願意嫁給我嗎？」

卡波嚴肅地點頭。

該死的，坦尼爾希望她知道他在做什麼。他轉向朵拉維。「她是我的未婚妻。」他又對酒保說。「給我個房間。」

朵拉維哼了一聲。「你很有趣，雙槍，你可以住我房間。福雷德利，給他鑰匙。」

「我未婚妻呢？」

「她可以睡衣櫥。」朵拉維朝卡波輕蔑微笑，神色不善。

坦尼爾拿起吧檯上的琴酒一飲而盡，差點當場倒下。多久沒喝烈酒了？他眨了幾下眼，希望沒人看出他眼中有淚。「我另外找地方住，謝謝妳。」

「祝好運。」朵拉維哼聲說道。「前線方圓五哩內都沒有空房間，如今湯瑪士不在了，你區區一個小上尉趕不了任何人走，只能把士兵趕出帳篷。」

坦尼爾享受朵拉維惱怒的語氣。「我想就這麼辦吧。走了，卡波。」

阿達瑪被人一巴掌甩醒。他猛然起身，下意識抓向不在手邊的手杖，迷迷糊糊地環顧四周。

他和另一個人身處馬車車廂——就是拿槍柄打昏他，然後帶他去找大業主的那個小賊。馬車沒在動。他聽見外面傳來傍晚行人的喧囂聲。

「你叫托克，是吧？」

對方點頭。他右手拿了把手槍，擊鎚在後，指著阿達瑪。「出去。」

「我在哪裡？」

「選舉廣場以北四分之一哩。」托克說。「出去。」

阿達瑪爬出馬車，抬手遮蔽夕陽。他一離開踏板，馬車立刻開動，消失在街道上。阿達瑪揉了揉眼睛，讓腦子開始運轉。他覺得噁心想吐，他們給他聞了什麼？啊，對了，乙醚。他接下來還會繼續昏昏沉沉幾個小時。

他在附近咖啡廳待到將近傍晚，靠蘇打水安撫他的胃。

大業主為什麼先說要雇用他，之後又把他丟在街上？這種行為太奇怪了。大業主以神祕和效率著稱，以信守承諾和摧毀敵人聞名，舉止怪異並非他的特色。

肯定是因為阿達瑪說了什麼。

阿達瑪怪罪乙醚讓他超過一小時才發現如此明顯的事實。

大業主原先打算付錢雇用他去對付維塔斯，但他何必付錢給別人去做對方本來就要做的事？阿達瑪搖頭，愚蠢，他和大業主都很愚蠢。如果湯瑪士真的死了，阿達瑪就會失去湯瑪士派給他指揮的士兵，他不可能孤身除掉維塔斯。

阿達瑪知道維塔斯躲在哪裡，就在紅衣女人去的那棟房子裡。他看見艾達明斯家小男孩的那棟房子。

既然知道了，他就得正面進攻，就和之前拯救家人時一樣。破門而入，出其不意。維塔斯那類人士都有護衛。大業主是怎麼說的？至少有六十人和一名榮寵法師。

阿達瑪需要人力，他需要幫助，大業主的幫助。

大業主肯定有派人跟蹤他。他不想讓大業主知道他的安全屋和他之後要辦的事情，於是他站起身，攔了輛出租馬車。

他換了三次馬車才敢確定擺脫了所有跟蹤者。

抵達紡織工坊時，天色已經黑了。儘管時間已晚，織布機仍在運作。阿達瑪靠一張嘴混了進去，爬上搖搖晃晃的熟鐵梯，來到俯瞰工坊工作區的房間。房間裡有個女人湊在一台銅製顯微鏡前，她年約四十，用染髮掩飾已轉灰的髮根。辦公室的牆上掛滿各式纖維樣本，從便宜的帆布到一碼上百克倫納的頂級絲綢都有。

他敲了敲門。

女人眼睛沒離開顯微鏡，揮揮手讓他進房。

「哈囉，瑪吉。」阿達瑪說。

女人終於抬頭。「阿達瑪，」她語帶訝異。「真難得。」

「很高興見到妳。」阿達瑪脫帽。

「我也是。」

阿達瑪握了握她的手。瑪吉是菲交往最久的朋友之一，阿達瑪考慮把當前處境告訴她，但隨即打消念頭。「我需要幫助。」他說。

「看來不是社交拜訪？」

「不是。」

瑪吉轉回去看顯微鏡。「你通常不是會派菲來做這類事情嗎？對了，她好嗎？她整個夏天都沒來找我。」

阿達瑪有點尷尬地表示：「不太好。最近發生太多事情，革命什麼的，她適應得不太好。」

「我很遺憾。」瑪吉突然往地上吐口水，臉色一沉。「可惡的湯瑪士，去他的政變！」

「瑪吉？」阿達瑪無法掩飾震驚的語氣。瑪吉向來有話直說，但他絕不認為她是保王分子。她能出任全艾卓最大紡織工坊的總工頭完全是靠自身實力，沒有仰賴任何關係。

「他會把我們全部害死。」瑪吉說，對阿達瑪搖手指。「你等著看，我希望你不會去信什麼他想打造美好世界的鬼話。一切都是爭權奪利，就這樣。」

阿達瑪抬起雙手。「我不碰政治。」

「我們遲早都得選邊站，阿達瑪。」她撩開凌亂的髮絲塞到耳後，清了清喉嚨。阿達瑪看得出來她對自己突然失態感到尷尬。「你想要什麼幫助？」

阿達瑪小心地從口袋裡拿出纖維，希望自己交出的是大業主地毯的纖維，而非他借來的夾克上的。「我要找出這塊地毯。」他說。

她謹慎地接過纖維。「這不是口袋裡的線頭，對吧？菲有好幾次都拿線頭給我。」

「我希望不是。」

瑪吉把纖維放到顯微鏡下，花點時間調整轉盤。「范度維羊毛。」她說。

「高級品？」

「頂級，地毯的主人非常非常有錢。」

「有可能追蹤到來源嗎？」

瑪吉從顯微鏡前退開。「我想可以，只有幾家地毯商有賣范度維羊毛。我來打聽一下，你過兩週再來，或許我能提供答案。」

「要這麼久？」阿達瑪問。

「你很急？」

「如果可以的話要快，情況很危急。」

瑪吉嘆氣。「要付代價的。」

「我身上沒多少錢。」

「我不要錢。」瑪吉說。「你叫菲在樹葉變色前帶我去棕櫚咖啡吃晚餐，我們就扯平了。」

阿達瑪吞嚥口水，強顏歡笑。「沒問題。」

瑪吉又轉回去看她的顯微鏡。「一週內回來，我會查出地毯的來源。」

12

坦尼爾逐漸接近前線。他發現之前看見的榮寵法師法術來自亞頓之翼傭兵團。

亞頓之翼鎮守前線西翼，夾在高山和艾卓軍中間。他們有四個旅在前線，身穿紅、金、白相間的制服。

雙方陣營的榮寵法師法術都很弱。火焰噴灑在堅硬空氣盾上，閃電從天而降攻擊部隊，但是威力卻很普通。就連赫赫有名的亞頓之翼傭兵團也付不出皇家法師團那種等級的薪資條件，而凱斯軍似乎派出了最弱最年輕的法師。經過克雷辛克佳大屠殺後，他們還剩下什麼樣的法師？

坦尼爾把工具甩到肩上，皺眉看著艾頓河西岸。他此刻身處的小丘是很好的狙擊點——高度夠，又離戰線數百碼遠。但就他看來，凱斯軍每天都在驅退艾卓軍。

前線位於巴德威爾北方約五哩外。那座城在燃燒，火焰在最貧窮的區域上方清晰可見。坦尼爾不知道凱斯如何處置城裡的人，肯定有很多人在城池陷落時往北逃命，但不可能全部逃走，如今他們都淪為奴隸，或死屍。

凱斯對待征服的人民手段向來殘酷。

卡波在山丘上坐下，打開放在大腿上的袋子。她拿出一根蠟條，開始慢慢捏形狀。坦尼爾不知道她在捏誰。

「妳不用蠟可以施法嗎？」坦尼爾在她身旁盤腿坐下。「我是說，不用娃娃，不用對方身上的東西的話。」

她昂起下巴，低頭看他片刻，然後繼續捏娃娃。

「妳那些蠟又是哪裡來的？我從未見妳買過東西。妳有錢嗎？」

卡波從上衣裡掏出一綑鈔票，在坦尼爾鼻子下晃了晃，然後收起來。

「那是哪來的？」

她彈了一下他的鼻子，力道很大。

「噢！嘿，回答我，女孩。」

她抬起手指，又要再彈。

「好啦、好啦！克雷希米爾呀，我只是問問。」坦尼爾把來福槍放到腿上，手指順著槍柄撫摸。這把槍是全新的，沒有刻痕，槍管乾乾淨淨。把槍交給他的士兵說，這把槍有試用擊發過。絕對不要拿沒親手擊發過的來福槍上戰場，告訴他這句話的人是湯瑪士。湯瑪士很可能死了，和第七旅和第九旅的人一起被埋在萬人塚裡。

那艾卓軍會如何？自己又會如何？不知道湯瑪士有沒有留下任何類似遺囑的事物。坦尼爾從未想過這些，打從孩提時代起，他就認定湯瑪士會永遠活著。

底下的戰鬥基本上就是兩軍砲擊。有些砲彈擊中鬆軟的土地，在艾卓部隊間彈跳，另一些則擊中肉眼看不見的魔力，當場粉碎，毫無殺傷力地落地。

這些交火看起來就像例行公事，雙方都沒有折損多少兵馬，沒有任何火砲被擊中。

「妳有紅紋彈嗎？」坦尼爾問。

卡波搖頭。

「妳能幫我做嗎？」

她皺眉看他，然後指了指手裡的蠟，彷彿在說：你看不見我在忙嗎？

「我需要我的火藥。」坦尼爾說。

卡波停止捏蠟，盯著他看了一會兒，綠眼難以解讀。她突然點頭，從背上取下火藥筒。

坦尼爾在把火藥倒於紙上捲火藥條時感到雙掌微微發抖。指間的黑火藥觸感真好，幾乎有點太好了，感覺……充滿力量。他舔了舔嘴唇，在手背上倒出一排火藥，舉到面前。

然後，他停下動作。卡波在看他。

他吸了一大口火藥，整個腦袋彷彿都燒了起來。坦尼爾突然整個人往後，渾身劇震，抖個不停。他聽見低語——聽起來可悲又小聲的低語。是他發出的聲音嗎？坦尼爾雙手抱頭，等了應該有好幾分鐘，身體才終於停止顫抖。

當他抬頭時，全世界都在發光。

坦尼爾眨了眨眼。他沒有開啟第三眼，沒有在看艾爾斯，但一切似乎仍在發光——不，他發現不是發光，是所有線條都比從前更加清晰了。整個世界透過正常人無法理解的方式呈現得更為清楚。他在非火藥狀態的每一刻，都彷彿待在水面底下，而此刻他浮出水面了。

他在艾鐸佩斯特吸入火藥對付勇衛法師時，就是這種情況嗎？難道那時候他自己沒有發現？他怎麼會覺得瑪拉菸可以取代火藥？怎麼可能有藥物能和火藥媲美？

坦尼爾發現笑意浮上自己臉龐，但不願費心隱藏。「喔，該死的！感覺真好。」他捲好十幾條火藥條，放回工具包，把火藥筒掛在肩膀上，接著趴到地上，開始掃視敵營陣線。

艾頓河東岸有榮寵法師，大部分都穿著鮮艷制服，身邊有旗手和保鏢，還有很多勇衛法師。湯瑪士不在的話，凱斯軍根本不畏懼火藥法師，但他們接下來幾天就會重溫那種恐懼的滋味。

主要目標。

還有軍官，基本看來就是所有騎在馬上的人。他們的騎兵呢？凱斯軍沒派騎兵進入巴德威爾以北，這很奇怪……喔，隨便吧，有軍官能打就好了。

次要目標。

還有砲兵。

第三目標。

坦尼爾還沒聽見馬蹄聲，就感覺到地面在震動。左邊數十碼外聚集了二十幾名艾卓騎兵、艾卓軍官，以及兩位將軍。坦尼爾認得其中幾個人。

凱特將軍是四十多歲長相英氣的女子——如果不去看她右耳該在的位置那團皺巴巴皮膚的話。

她的寬臉看來有點眼熟，坦尼爾似乎近期有見過她，但他很肯定兩人已經多年未見。她是第三旅的將軍。

凱特不是這群人中唯一在戰場上失去身體部位的人，第二旅的西蘭斯卡將軍胖得有點病態，而且左肩以下的手臂已遭截肢。

兩人都沒發現坦尼爾。他們似乎有點激動，指指點點，所有人都透過望遠鏡在看戰場。西蘭斯卡大叫砲兵後退。

後退？那等於是交出領土。為什麼？

坦尼爾看出來了，凱斯陣線有動靜，火砲後方擁出許多連的人發動進攻，看來凱斯打算今天逼退他們。

坦尼爾瞇起雙眼。那些連隊裡有些身材高大的人——都是巨人，而且畸形。

坦尼爾看不出來這些是普通勇衛法師，還是用火藥法師改造的新型勇衛法師。在艾鐸佩斯特攻擊他的那種。

無論如何，此戰對艾卓軍不利。

坦尼爾發現艾卓火砲每隔幾百呎就分散排列，前線的砲兵撤退時，後排砲兵還能繼續開火。這是計畫好的，或許過去十天當中都是這麼做的。如果他們心知前線絕對守不住，這麼做確實合情合理。

坦尼爾不喜歡這種情況。

他丟下卡波，走下山丘去找那群軍官，朝西蘭斯卡將軍走去。

「長官，這是怎麼回事？」

將軍不屑地瞥了坦尼爾一眼，又多看一眼，接著瞪著他好一會。「我們在撤退，孩子。」

「太愚蠢了，長官。我們有高地優勢，我們守得住。」

凱特將軍騎馬到坦尼爾身後，上下打量他。他不知道她記不記得自己，他肯定和四年前的樣子大不相同。

「上尉，你在質疑上司的命令？」凱特將軍問。

「這種戰術很蠢，女士。肯定會輸。」

「上尉，你不立刻道歉，就準備降級。」

另一位將軍，一名動作拘謹的金髮男子，補上一句：「我想那就是他還是上尉的原因。」

西蘭斯卡將軍抬起僅存的手臂。「冷靜，凱特，妳不認得這孩子了嗎？他是雙槍坦尼爾，法特拉斯塔獨立戰爭的英雄。很高興你還活著。」

「將軍。」坦尼爾點頭。小時候湯瑪士和他說過西蘭斯卡將軍的為人——忠誠且熱情，是戰場上最好的友軍。他如今又老又肥，但坦尼爾認為他還是從前的西蘭斯卡。

「我不在乎他是誰，」凱特說。「艾卓軍的人不能不敬長官。」

「湯瑪士——」西蘭斯卡開口。

「湯瑪士死了。」凱特說。「艾卓軍不是他的部隊了。如果你——」

信差打斷了這場爭執。

「長官，敵軍開始推進。」

凱特沿著路堤騎向前線，大聲下令。

西蘭斯卡的戰馬雀躍不已，彷彿十分興奮。「撤離火砲！」他低頭看著坦尼爾。「是我就不會下去。」他說。「他們有新型的勇衛法師，體型較小又聰明，動作也更快，我們從未見過那種東西。黑勇衛法師──我們這樣叫那些人。」

「他們把火藥法師變成勇衛法師。」坦尼爾說。「還派了兩個去艾鐸佩斯特殺我。」

「幸好他們失敗了。火藥法師轉化的勇衛法師，怎麼會有這種事？」西蘭斯卡打量他。「好吧，上尉，下去守住陣線，讓我的火砲撤退。」

坦尼爾回到卡波所在的山丘時，她還在捏娃娃。

「凱斯軍正在進攻。」坦尼爾說。「我要開打了。」他幹嘛告訴她這些？難道她會阻止他，還是和他一起去？

她沒有回應。他抓起工具袋朝前線走去，覺得或許卡波待在上面比較安全。但他自己呢？肩冠堡壘之後，他就一再懷疑到底是誰在保護誰。

凱斯兵開始推進，在穩健的鼓聲中行軍。艾卓營地響起喇叭聲，更多士兵擁向前線。

坦尼爾停下腳步，掃視逼近而來的凱斯軍。榮寵法師沒有前進，但……他們就在那裡。

身著黑圓帽與黑外套的勇衛法師衝出凱斯步兵陣線，像是跑在狗群前方的領頭犬，簡直像飛過空曠的戰場。他們有些攜帶短劍，有些拿長矛，像動物般吼叫，詭異的聲音穿透砲聲、鼓聲、喇叭聲而來，令坦尼爾不寒而慄。

坦尼爾單膝跪倒，用來福槍管瞄準。吸一口氣，兩口氣，開槍。

他用意志力推進子彈，燃燒一些火藥讓子彈持續飛行，專注在其中一個黑勇衛法師身上。子彈只花了兩到三秒的時間拉近距離，然後……

沒打中。

坦尼爾簡直不敢相信。他離戰線非常遠，整個人保持穩定，周圍沒有任何干擾，怎麼可能會打不中？

他重新裝填來福槍。勇衛法師速度飛快，一旦他們抵達艾卓戰線，就會引發難以估計的混亂。坦尼爾再度瞄準，扣下扳機。

子彈貫穿一名勇衛法師的眼睛，將他擊倒在地。其他勇衛法師毫不在意，甚至有一個還從同伴尚在抽搐的手中搶走短劍，幾乎沒有放慢速度。

坦尼爾不可能阻止更多勇衛法師。他還能……如何？在勇衛法師抵達艾卓防禦工事前再開個兩槍？

坦尼爾從工具袋裡拿出刺刀，解開纏布，將釦環緊緊卡入槍口。他站穩腳步準備衝鋒，拿口袋裡的舊釘子在槍柄上刻道刻痕。他突然想到卡波，猶豫自己該不該丟下她一個人。

接著，他加入衝向前線的艾卓步兵，連推帶擠。他們前進的速度不夠快。

有人大聲下令守住前線。坦尼爾沒辦法即時趕到前排抵擋第一波攻勢，他幾乎足不點地往前衝，速度快過其他人三倍，喉嚨發出吼叫。

「瞄準！開火！」附近有個軍官下令。

艾卓陣線冒出一陣硝煙，許多勇衛法師當場跌跤，有些摔倒在地，但是數量極少。

艾卓的前線工事有一塊地勢較高。坦尼爾看見有幾名軍官站在高處，勇衛法師肯定會往那裡衝，他們會攻擊最難攻的點，把平地交給普通步兵處理。

這個想法才剛進入腦海，他就看見幾名勇衛法師轉身向那裡衝去。其中一個壯漢速度比其他勇衛法師更快，他的外套上有幾個黑點，身體在被火槍擊中時扭曲抽動，但子彈打不倒他。勇衛法師舉起劍衝向工事側面，翻身而過。

坦尼爾騰空撞向對方，肺裡的空氣都被撞出體外，兩人雙雙飛掠工事滾落斜坡。坦尼爾感到一雙鋼鐵般的手抓住自己胸口，把他從勇衛法師身上甩開。他重重落地又翻滾起身，發現勇衛法師拿劍朝他迎面刺來。

坦尼爾以刺刀架開劍，然後刺擊。刺刀貫穿勇衛法師身體，槍柄沒入，但效果似乎和火槍彈丸差不多。

勇衛法師猛然後退，扯出坦尼爾的刺刀，離開他的攻擊範圍。

坦尼爾在另一名勇衛法師從側面來襲時轉過身，一個矮身閃避，趁勢一刀送出，刺刀尖插入怪物下巴下方的柔軟處。他放開來福槍，撲向一邊，閃開第一個勇衛法師的劍，之後拔出自己的短劍，等待對方繼續攻擊。

勇衛法師停下腳步，把一整條火藥條丟進嘴裡，用黑牙咀嚼火藥，再吐出捲紙。

坦尼爾一直不擅長使用短劍。他動作快、戰技強，但如果這怪物受過任何一點用劍訓練，便可以輕而易舉地擊敗他。

坦尼爾擋下一擊，把勇衛法師的劍推開。對方揮出一拳，這在坦尼爾意料之中。他接下勇衛法師的拳頭攻擊，額頭往勇衛法師鼻子撞去。他感覺到骨頭反向戳入怪物的腦袋裡，這樣理應能擊倒這傢伙，但坦尼爾還是能感受到勇衛法師的肌肉在抽動。坦尼爾後退一步，一劍劃破了勇衛法師喉嚨。勇衛法師喉頭發出咯咯聲，摔倒在地，還在垂死掙扎，不過不會再惹出更多麻煩了。

坦尼爾感覺對方黏糊糊的黑血濺了自己一臉。

「喂！」上方的防禦工事裡有人大叫。「他們來了！」

坦尼爾驚訝地發現剩下的凱斯大軍幾乎殺到了面前。他撿起來福槍，爬上防禦工事，一邊踢著土一邊罵髒話。看勇衛法師攀爬好像很容易，但輪到他自己爬時卻非常吃力。好幾隻手伸出來把坦尼爾拉入相對安全的防禦工事裡，然後拍了拍他的背。

「回到陣線！」有人喊道。

坦尼爾搖了搖頭，靠著欄杆休息片刻。他把來福槍抱在胸前，克制自己發抖的手，心裡懷疑翻越工事是不是個錯誤決定。

然後，他被人甩了一巴掌。他本來以為是卡波，不過睜開眼睛一看卻是朵拉維少校。她看起來很火大。

「上尉，你想死是不是？」她抓住他的衣領，把他當成淘氣的學生般搖晃。「怎麼樣，想死嗎？沒有命令，任何人都不能出去！任何人！」

「去你的命令！」

坦尼爾推開她。如果自制力稍微差一點，他可能已經用刺刀一刀插入她的胸口。她瞪著他，眼中湧現冰冷的怒意。「我要吊死你，上尉。」

「試試看。」

「裝填彈藥。」一名軍官下令。坦尼爾花了點時間弄清楚方向。從高處的工事往下看，他能縱觀整個戰線。勇衛法師都在防禦工事後方作戰，除掉了大批的士兵，但他殺死兩個勇衛法師似乎扭轉了周圍的戰局。士兵矮身裝填來福槍，準備對付凱斯大軍。

坦尼爾背對朵拉維，塞了顆子彈到來福槍裡。他從眼角餘光看見她怒氣沖沖地離開，一邊大聲下令。

「小心點，上尉。」附近有個士兵低聲提醒。「被那傢伙看上，不是和你上床就是宰了你，搞不好都來。」

「她可以下地獄去，我才不理她。」

「她是凱特將軍的妹妹。」另一名士兵說。「她可以為所欲為，但她是個好軍官，別聽其他人亂說。」

凱特的妹妹。難怪他覺得最近見過凱特。她們兩個長得很像，雖然朵拉維比較瘦。「好軍官會讓我做好我的工作。」坦尼爾說。他往來福槍裡丟了第二顆子彈，然後塞布固定。

士兵盯著他看。「上尉，你還好嗎？你塞了兩顆子彈，還沒添加火藥。」

「問問你自己，」坦尼爾說著，語氣中帶著他並不具備的自信。「什麼樣的人會跳出防禦工事，孤身對抗兩個勇衛法師，然後在沒有火藥的情況下裝填來福槍？」他舔了舔手指上的火藥，維持火藥狀態，端起來福槍抵住肩窩，以槍管瞄準。凱斯前線距離兩百碼左右，超出火槍射程範圍，而艾卓來福槍兵隨時準備開火。

坦尼爾鎖定了陣線後方的兩個軍官，扣下扳機。他同時操控兩顆子彈，推動它們朝向各別的目標攻擊。

一名軍官胸口中彈，摀住傷口，癱倒在馬鞍上，貼身侍衛亂成一團。但另外一顆子彈沒有擊中目標。坦尼爾皺眉。他怎麼會失誤？是瑪拉菸對他造成影響嗎？

「天殺的克雷希米爾呀，」他旁邊的士兵說。「你是雙槍坦尼爾。嘿——」他拍拍旁邊人的肩膀。「他是雙槍坦尼爾！」

「是啊，」另外那名士兵回道。「我還是將軍呢！」

「他剛剛在防禦工事前面，獨力對抗四個勇衛法師。」

「才怪。」

「我親眼看到的。」

「你當然有看到。」

坦尼爾專注力集中在凱斯陣線，敵軍戰鼓的鼓音似乎在他腦中迴盪。他短暫開啟第三眼，看著籠罩在粉彩光芒中的大地，魔法的痕跡遍布整個戰場。

「雙槍，你準備和我們一起戰死嗎？」

第二名士兵的問題打亂了坦尼爾的思緒。對方不是在威脅他，只是單純提問。

「不，我沒特別想戰死。」

「我們每天都在撤退，有時候一天退兩次，每次那些可惡的凱斯軍都像這樣推進，每次我們都折損三百人以上。」

坦尼爾難以置信。「每次？」

對方嚴肅地點頭。

「撤退……」坦尼爾側過腦袋。現下火砲推走了，退到下一排壕溝和防禦工事的位置。「天殺的蠢蛋！我們得守住陣線，不能讓他們這樣步步進逼，否則只是在折損兵力。」

「我不知道折損兵力什麼的，但我們的人少得很快。我們守不住。嘗試過要守，但辦不到。沒有任何東西能夠阻止黑勇衛法師。不管我們殺了多少，敵人總是源源不絕。」

「你很冷靜。」坦尼爾說。

「我覺得很平靜，心知肚明自己肯定會死。你另一邊的那個小伙子——」

坦尼爾轉頭去看。他身邊的士兵看來還沒到要刮鬍子的年紀，手抖到火槍都在左右搖晃。

「——那小伙子的想法就和我不同。」

「他只是緊張而已，」坦尼爾說。「大家都會緊張。」他看向凱斯軍，距離一百五十碼。他重新裝填來福槍，抵住肩窩，開槍。

「你不會。」第一名士兵說。「我聽說你殺的第一個人就是榮寵法師。」

「是沒錯，但我是向戰地元帥本人學的槍法。」他停了一下。「他們教你對標靶射擊，」他對旁邊的年輕人說。「但當目標是會反擊的人時，感覺就不一樣了。我當時坐在兩哩外，有突襲優勢。但小伙子，你要深吸口氣，然後扣下扳機，穩穩射直線，因為你或許沒機會開下一槍。」

坦尼爾叫他「小伙子」，但那男孩只比他小不到五歲。

坦尼爾邊說話邊裝填來福槍，再次瞄準，擊發。又一名軍官倒地。

男孩看著坦尼爾，手沒有停止發抖。

「我想你的激勵演說沒起到多少效果。」第一名士兵說。

「陣線安靜！」朵拉維少校吼道，把劍舉在頭上，另一手握手槍。「瞄準！」

凱斯軍即將進入火槍射程範圍，有好幾千人，一排接著一排。坦尼爾總算知道為什麼守不住了，他想起南矛山之役，想起十幾次城牆差點失守的情況。當時他們鎮守僅一百步寬、有魔法加持的堡壘。而在這裡，他們和凱斯軍之間除了防禦工事外一無所有，要守住簡直難如登天。

「開火！」

凱斯進攻部隊最前線和第二線大部分人都在槍林彈雨下倒地。艾卓步兵開始裝填彈藥。

在第二輪開火之前，凱斯軍停止推進。新的前線士兵半跪在地，準備開火。

坦尼爾躲到安全的防禦工事後面。他把年輕士兵一起拉下來，靜靜等候對方開火，然後聽到火槍彈丸在土地上反彈的聲響。年輕士兵掙扎起身，坦尼爾拉住他。

「陣線射擊。」坦尼爾說。「他們會開火，然後在衝鋒前再開一輪。你等……」

第二輪集中射擊開火了。坦尼爾數到三，然後放開男孩，自己也起身準備開火。

凱斯軍在吼叫聲中衝鋒，平舉刺刀。

「任意開火！」軍官下令。

坦尼爾深呼吸，吸進一口硝煙，讓自己頭昏眼花，血脈賁張。他的手不再因為瑪拉菸戒斷症狀而發抖，身體找到更好的替代品。他在手背上倒了點火藥，吸入體內。

凱斯軍抵達防禦工事下方開始爬陡坡。坦尼爾起身，移到足以對他們開火的高度，隨即發現一百碼外有個榮寵法師，正扭動手指操弄魔法。坦尼爾調整槍口方向，扣下扳機。

女人噴血倒地，摀住喉嚨。

凱斯步兵宛如洪水般擁上防禦工事。坦尼爾用刺刀插入一個男人腹部，掄起槍柄打爛另一人的臉。他跳上牆連揮帶刺，不讓敵軍翻身進入防禦工事。

他隱約聽見撤退的命令。

「守住！」他大叫，把一個榴彈兵打入工事裡。「我們守得住！」

剛剛在他身邊的年輕士兵胸口中刀，摔倒在地。坦尼爾跳下牆跑去幫他，把那個凱斯士兵當成牛肉插死。

男孩的傷很可能致命，刺刀直接插入肋骨中間，八成刺穿了肺臟。如果真是如此，他就會被自己的血嗆死。

但坦尼爾不能丟下他不管，艾卓部隊在撤退。

「守住！守住，你們這些天殺的混蛋！」

防禦工事裡幾乎只剩下坦尼爾一個人。男孩躺在他腳邊，剛剛第一名和他講話的士兵躺在工事後方，兩眼無神地瞪著天空。而朵拉維少校跑了。

他釋放感知，找出凱斯步兵身上的火藥，動念之間點燃那些火藥，運用意念將火藥包覆，引導爆炸的威力遠離他和防禦工事。爆炸聲在耳中迴盪，震得他跪倒在地。方圓十餘碼內所有火藥都爆炸了。

硝煙瀰漫空中，防禦工事四周都是焦黑的屍體，傷兵放聲呻吟和求饒，更遠處的士兵停止戰鬥，瞪向坦尼爾。他朝他們踏出一步，打算去幫忙守住下一個防禦工事，接著他發現附近沒有任何身穿藍外套的步兵了。

眼前是一片褐色制服海，凱斯軍已經攻破防禦陣線了。

男孩還活著，正在咳血。坦尼爾把來福槍甩到肩上，從年輕士兵腋下一把抓起，拉著他往艾卓營地撤退。

路程很遠，他半拖半抱地把男孩拉到下一排防禦工事裡。大部分凱斯兵都沒來理他，少數幾發子彈擊中附近地面，但凱斯軍忙著固守新陣地。他們會填平防禦工事，然後回到自己的營地，將火砲推進百步，為明天的攻擊做準備。

坦尼爾精疲力竭，腦中還在火藥狀態下嗡嗡作響。「給他治療。」抵達艾卓軍陣地後，他對著一名跑過來的醫官說。軍醫停下腳步，瞪大雙眼。

「他死了，長官。」

「媽的給我治療！讓他舒服點！」

「不，長官，他不是瀕死，他已經死了。」

坦尼爾跪倒在年輕士兵身旁，伸手觸摸對方的脖頸。沒有脈搏。他用同樣兩根手指闔上年輕士兵的雙眼。

「可惡。」他說。

醫官跪在他身旁。

「我沒事！」他推開她的手。

「你的手臂，長官。」

坦尼爾低頭。他的制服被割破，左手臂上有道血淋淋的傷痕。他完全沒感覺。

「醫官。」一個聲音傳來。「去照顧值得照顧的人。」朵拉維少校走向他們，棕髮凌亂，臉頰上都是火藥痕跡。她的外套沒了，白上衣沾滿汗漬和血跡。

坦尼爾站起身來。「朵拉維少校，」他說。「妳沒想過要和妳的弟兄死守陣地，是嗎？」她反手把他的頭打得歪向一旁。他摸了摸自己臉頰，那一掌重到牙齒都在搖。「再敢打我，我就打斷妳的手。」

「我是最後一個離開前線的人。」朵拉維少校吼道。

「不，」坦尼爾說。「我才是。我們本來可以守住陣地，但是我們失去領土，還折損了天知道幾百名士兵。」

「我聽令行事，是你違反命令。我不會再警告你了，上尉，我要吊死你。」少校轉身走開，大聲呼喚憲兵。

坦尼爾揉了揉下巴，看見卡波在一段距離外看他。她朝戰場走去，凱斯士兵在填平防禦工事，雙方的平民都開始搬運屍體和傷兵。

「該死的妳要去哪裡？」坦尼爾吼道。

卡波指向戰場，舉起一個娃娃。可惡的女孩，那招不可能像在克雷辛克佳那麼好用，這裡的敵人太多了，娃娃不夠。

坦尼爾看向朵拉維少校，她在和兩個肩上有艾卓憲兵徽章的士兵說話。他們是軍警。朵拉維指了指坦尼爾。

他認為鬧失蹤的時候到了。

13

湯瑪士爬出營帳，扣好制服鈕釦，調整金肩章，心裡想著今天是否會下雨。東方艾卓山脈的天空剛露出晨曦，而世界的其他地方還在沉睡。

湯瑪士看著微光，不知道山脈另一側的情況如何。巴德威爾淪陷，凱斯軍肯定在沿著瑟可夫谷推進，希望自己的將軍能守住。他皺了皺眉，巴德威爾沒了，戰況會向凱斯一面倒。他的手下需要他，他的國家需要他，他的兒子需要他。他得翻越這些天殺的高山。

他聽見營地的動靜，是中士踢士兵下床時的口哨聲。營火煮食的味道肯定也對叫部隊起床有點幫助。

歐蘭坐在湯瑪士的營帳旁，軍帽蓋住眼睛，雙腳蹺在一塊木頭上，手插口袋裡。這個姿勢是在裝模作樣，歐蘭的技能讓他不必睡覺。

「一個晚上都沒事？」湯瑪士問，蹲在悶燒的火堆旁搓手。在這種山丘上，夏日高溫並不會影響清晨寒意。他用樹枝戳了戳木炭，然後把樹枝丟進去，沒過多久就只剩灰燼了。在這片高原上沒多少東西可燒。

小事。

「發生了一點小騷動，長官，還有一些怨言。」歐蘭輕哼一聲，彷彿那些抱怨只不過是惱人的

湯瑪士知道他的士兵在挨餓，而他為此深感痛苦。

「我已經制止了，長官。」歐蘭說。

「很好。」

湯瑪士聽見泥土上傳來輕輕的腳步聲。歐蘭轉身，從外套裡微微露出的手上握著一把槍。

一具屍體重重落在湯瑪士身邊，嚇了他一跳。

「是麋鹿，長官。」芙蘿拉說著，在他身邊蹲下。

湯瑪士鬆了口氣。是肉。

「還有嗎？」他問，聲音帶了點期待。

「安卓亞也打到一頭，他在分發給火藥法師。這頭是給軍官的。」

湯瑪士輕咬嘴唇。「歐蘭，把肉分下去給弟兄們，每人一小塊，讓他們自己煮食。我們兩個小時後出發。」

歐蘭站起來伸展四肢，把手槍插回腰帶，一邊喊人一邊走開。

「我們明天早上就會抵達胡恩朵拉，長官。」芙蘿拉說。她的肩膀上沾了麋鹿的血。她肯定曾進入火藥狀態，不然這種體型的女人怎可能扛得動麋鹿。

「多遠？」

「約十六哩，我打獵時往那個方向去過。」

「然後呢？」

「有座小鎮，和加瑞爾說的一樣。」

「有城牆嗎？」

「年久失修，約八呎高。不過我不擔心，鎮上看起來沒人，長官。」

沒人？湯瑪士希望有人居住，好讓他搶點火藥或糧食。

「那個方向還有別的東西嗎？」

「坡度更陡，山道似乎沿著山脊盤旋而上，還能看見很多座橋。等進入森林，重裝騎兵就很難包圍我們了。」

「符合我的期望。」

「壞消息是，山道很窄，我們最多只能讓三到四人並肩而行。」

那表示湯瑪士的隊伍會拉長到四哩左右，這對在躲避重裝騎兵追殺的部隊而言不是好事。湯瑪士低聲咒罵。

他凝望天空片刻，認為今天不會下雨。

「我之前說謊了。」湯瑪士說。

芙蘿拉皺眉看著火堆餘燼。「長官？」

「在巴德威爾，妳問我有沒有坦尼爾的消息，我說謊了。」

芙蘿拉張口欲言，但湯瑪士在她開口說話前繼續說。

「我們穿越洞窟前幾天，我收到艾鐸佩斯特的消息，坦尼爾的野人醒了。」

「坦尼爾呢？」

「沒動靜。但既然一個醒來了，我想另一個也會醒。而且我不認為那個小野人會比我兒子強壯。他會……」湯瑪士聽到自己聲音有點哽咽。「他會撐下來的。」

他用眼角打量芙蘿拉，似乎看見她臉上有淚。

「長官，你的腳好點了嗎？」她問。

湯瑪士低頭看著腳。米哈理治好了他的腳，他能走路，能騎馬——見鬼，喜歡的話還能跳舞。但是小腿深處還是會痛，隱隱抽痛，就在他們移除那顆可惡金星的位置。儘管經過神的治療，他的腳還是感覺彆扭。

「沒事。」他說。「和新的一樣。」

「你走路還是有點瘸。」芙蘿拉說。

「是嗎？大概成習慣了。」

芙蘿拉挺直身子。「我聽說治好的傷會有調適不良的情況。多多運動和按摩會有幫助，如果你想要……」

「我可不希望部隊謠傳妳幫我按摩的事。」湯瑪士說。他笑了笑，聽見芙蘿拉也在笑時鬆了一口氣。

「我本來要說叫歐蘭幫你，長官。」

「我敢說我不會有事的。」湯瑪士又看了芙蘿拉一會兒。她抬頭看他，然後視線又移回火堆。她還是難以直視他的雙眼。

他發現自己很懷念從前兩人相處的感覺。如果事情沒搞成現在這樣，她或許已經是他兒子的妻子了。在她去上大學之前，她是唯一一個敢直呼他名字的士兵。她會勾著他的手，甚至公然擁抱他。

那是她和捷爾曼那個騙子睡覺，坦尼爾解除婚約之前的事。

湯瑪士站起身。「我要妳和安卓亞繼續打獵。我們需要所有能夠到手的食物。」

「長官，我們遲早會把火藥都耗盡。」她說。

「去找第七旅後勤官要。」

「我是說整個部隊。」

湯瑪士用手指敲著腰帶。這支行軍部隊缺乏補給、車隊和隨軍人員，還即將耗盡所有資源，很快就會。他們唯一的優勢就是輕裝便行，但獵食和隨飢餓而來的疲憊也奪走了這項優勢。

「我會確保火藥法師都能拿到必要的補給。」他的火藥法師還是能夠以一抵十。

芙蘿拉點頭。「我去找後勤官。」她起身離開，進入營地。

湯瑪士看著她離開，突然覺得自己很蒼老，人生充滿悔恨。

營地在接下來幾分鐘內越來越吵，所有士兵都起床了。湯瑪士聽見幾聲歡呼，猜想是歐蘭在發麋鹿肉。在要分給這麼多人的情況下，肉真的不多，但一人總是能分到一口。

湯瑪士拆掉並收好帳篷。他剛繫好睡袋，歐蘭就帶著一包血淋淋的帆布回來。

「那個我來就行了，長官。」歐蘭說。

湯瑪士看著滲血的帆布，嘴裡開始分泌唾液。「你去做更重要的事吧。我以前也是士兵，我和大家一樣可以收拾營帳，歐蘭。」

「如果你堅持，遵命，長官。」歐蘭跪在炭火旁，拿出一根烤肉叉，然後打開血帆布，露出一塊麋鹿肉。

湯瑪士起身望向南方。凱斯騎兵在那個方向的某處拔營出發，八成是希望在艾卓部隊抵達相對安全的森林前追上他們。

湯瑪士聽見——而不是看見——一匹馬衝過營地。片刻後，加瑞爾自依然昏暗的天色中騎著微微顫抖的戰馬現身。

湯瑪士握住馬勒，他的大舅子翻身下馬。那匹馬口吐白沫，雙眼圓睜。加瑞爾騎得很快。

「一萬六千人。」加瑞爾報告。「一萬零五百名重裝騎兵，五千五百名胸甲騎兵，整整三個騎兵旅。」

克雷希米爾啊！他們要怎麼應付那麼多騎兵？「距離多遠？」

「現在出發的話，我們可以趕在他們之前抵達森林。我還沒跟北向的斥候談。」

「芙蘿拉剛從北邊來，我們離胡恩朵拉大約十六哩。」

加瑞爾接過歐蘭拿來的水壺喝了口水，然後把剩下的水倒在頭上。他的身體在冒煙。「我們沒時間搜刮那座城。」

「她說城裡沒人。我會派人去看看，但我們可能會直接路過。」

「嗯，沒人？」加瑞爾搔搔大鬍子下巴。「我們可以在那防守。」

湯瑪士緊張地向南方看了一眼。他看不見凱斯騎兵，但他覺得自己可以感應到他們。「或許可以。」

歐蘭站起來，端著一個白鑞盤，上面擺了塊熱氣騰騰的麋鹿肉。

「外面焦裡面生，但是很好吃。」歐蘭笑道。

湯瑪士聽見自己肚子在叫。那個盤子裡起碼有兩磅肉。

「和加瑞爾分了。」湯瑪士說。「我不餓。」

歐蘭揚起一邊眉毛。「我在這裡都能聽見你的肚子在叫，長官。你得保持體力。」

「真的，我不餓。」

加瑞爾徒手抓肉。「隨便你。」他把肉撕成兩半，將一半放回盤子裡，剩下一半塞進嘴裡，邊嚼邊叫住一個剛剛回營的斥候。

「長官，」歐蘭在加瑞爾大步離開時說。「你得吃東西。」

「去把大家叫起來。」湯瑪士說。一陣風差點吹掉他的帽子，他內心突然湧現一股急迫感。

「叫前排部隊二十分鐘內出發。」他凝視著南方，直到歐蘭離開。

一萬六千名凱斯騎兵，足以把他的兩個步兵旅踩扁。他們會在又餓又累的情況下死在異鄉，而凱斯人還在放火燒燬他們的家園。

他不能任由這種事情發生。

他不會任由這種事情發生。

湯瑪士走向最近的營帳。「部隊，」他大叫。「準備出發！」

歐里奇中士和他的來福槍戰隊待在艾德河東南方的廢棄軍營裡，離高斯唐燈塔不遠。廢棄無人的軍營很大，只有野狗出沒。正門被鐵鏈鎖住了，但其中一個側門沒上鎖。

阿達瑪從那扇門進入軍營，穿越兩座空盪盪的閱兵場來到餐廳，隊長及其隊員正在看著阿達瑪的四個孩子表演話劇。

阿達瑪默默站在門口，難掩臉上的笑意，看著艾絲翠一邊摸自己的鬈髮，一邊努力回想公主的台詞，而從結合睡袍和被單的打扮來看，囚禁公主的邪惡榮寵法師是雙胞胎之一扮演的。

「爹地！」艾絲翠一看到他就大叫。

他被所有孩子團團圍住，又親又抱。他確保自己有親到每個孩子，每個名字也都有喊到——除了雙胞胎。他向來分不出哪個是哪個，而他不打算承認這一點。

阿達瑪在地板上和孩子們糾纏了半天才終於脫身。他讓他們回去繼續表演，然後自己去找坐在角落桌旁的歐里奇中士。

「來杯咖啡？」中士問，心不在焉地咀嚼嘴裡的菸草。

「茶，如果有的話。」

歐里奇叫來一名手下。「茶！」他皺眉看著阿達瑪。「你看起來很糟，被人打了是不是？」

「對。」阿達瑪發現自己在看孩子。他們都很美，真的很美。想到壞事發生在他們身上就讓他氣血翻湧，於是他強迫自己別開目光。「我安然脫身了，而且找到維塔斯的總部。」

「我本來以為你辦不到。」歐里奇拿起咖啡杯致敬。「我以為你在歐芬戴爾那樣動他手下之後，那個混蛋就會跑路了。」

阿達瑪輕哼。「他不怕我。」阿達瑪說。「我認為他什麼都不怕。你見過用蒸氣運作的機器嗎？有紡織機、鎚頭、印刷機……」這不禁讓阿達瑪想起開印刷廠失敗的事，他只得努力推開那個想法。

「見過，」歐里奇說。「現在連船裡都有了。」

「沒錯。他就像是蒸氣引擎，一直在運轉，沒有感情和思想，但只要有必須執行的任務，他就會去執行。」

歐里奇啜飲咖啡。「可惡，差點讓人為他難過。」

「不，」阿達瑪說。「等我找到他，還是要把他的心臟挖出來。」

「我希望你有機會。我們要去抓他嗎？」

「你能調動多少人？」阿達瑪問，雖然他很清楚答案。

「十五個，」歐里奇說。「兩個要保護孩子……」

「五個。」

「五個要保護孩子，那就剩下十二個，加上你和我。」

「不夠。」

「他的手下多到能對付戰地元帥最頂尖的小隊？」

「他至少有六十個打手，還有一個榮寵法師。」

歐里奇吹口哨。「啊，我想我們沒辦法應付榮寵法師。」

「天啊，謝謝。」阿達瑪在面前多了杯茶時說道。他加了兩匙糖，攪拌到茶涼。「你有看今天的晨報嗎？」

「沒，你要看？喂！哪位幫調查員拿報紙來！」

阿達瑪暗自縮了縮。他不是要吸引歐里奇去看報紙，而是希望他沒看，然而……喔，好吧。

「你記得有個名叫包貝德的榮寵法師嗎？」阿達瑪改變話題。

「記得。」歐里奇說，向來愉悅的表情突然警覺起來。

「我想他會幫我們。包貝德是皇家法師團裡最強最聰明的榮寵法師之一，他幾乎憑一己之力防守肩冠堡壘，對付凱斯法師團。我知道湯瑪士留他一命，把他關在城裡。如果我們——」

「不行。」歐里奇說。

「什麼不行？」

「榮寵法師包貝德身受制約，得殺死戰地元帥。」

「我知道，制約的事就是我告訴湯瑪士的。」

「那你為什麼還來問我？釋放他會危害湯瑪士，我不幹。」

阿達瑪雙手抱頭。他覺得自己最近常常做這個動作。「我們只有靠他才能對付維塔斯的榮寵法師。」

「你可以去找雙槍坦尼爾。」歐里奇說。「殺榮寵法師是他的嗜好，聽說他人在城裡。」

「今天早上的報紙說他趕往前線了。」阿達瑪話一出口就發現自己犯錯了。

「所以你看過報紙了？」歐里奇用腳踢出桌下的痰盂，湊過去吐痰。「裡面有你要我看的報導嗎？」

「長官！」門口一個歐里奇的手下喊。那是個年輕人，可能不比阿達瑪的兒子喬瑟大。「長官，你該看看這個。」他衝到歐里奇面前，朝他腿上丟了份報紙。

歐里奇拿起報紙。頭條寫著：**巴德威爾淪陷，戰地元帥湯瑪士死亡**。

他沉默地閱讀完報導。年輕士兵從頭到尾都待在他身邊。歐里奇看完後，把報紙還給士兵。

「你不打算告訴我這件事？」

阿達瑪一副小孩偷吃被抓到的模樣。「本來要，」阿達瑪說。「但我想先想辦法說服你留下來幫我。」阿達瑪吞嚥口水。他即將失去最後一批能幫他救菲回來的人。歐里奇一走，阿達瑪就得照顧八個孩子，而他妻子和一個兒子還在敵人手裡。

「沒什麼好說服的。」歐里奇說。「我收到命令。湯瑪士是我的指揮官，也是老朋友。他說不管他有沒有活過這場戰爭，我都要完成這個任務。」

「你會照辦？」

「會。」

阿達瑪忍不住鬆了一大口氣。他拿手帕拍了拍額頭，這才發現自己在流汗。「謝謝你。」他頓了頓。「你的反應似乎很冷靜。」

「頭條就是要聳動。」歐里奇指著報紙。「事實上，只是『推測死亡』而已。湯瑪士和第七旅、第九旅身陷敵境，之後就沒了消息。那兩個旅是艾卓軍最剽悍的旅，除非看見屍體，不然對我來說湯瑪士人就在凱斯，把他們的部隊生吞活剝，然後像牙籤一樣吐出來。」

「所以我不能拿湯瑪士死了來說服你釋放榮寵法師？」

「抱歉，你得想其他辦法，而且要快，因為我只在凱斯兵臨城下前有空幫你對付維塔斯。」

阿達瑪起身。「我去想辦法。」

「另外，」歐里奇說。「既然湯瑪士被推測死亡了，出納就會緊縮你的經費。我們遲早都會要用到錢去賄賂或補給。如果你有藏錢的話……」

「我會想辦法。」阿達瑪應了下來。他不太情願地向孩子們道別，往門口走去。歐里奇跟著他到走廊。「中士？」

「我有話對你說，」歐里奇壓低音量，看了餐廳一眼。「或許能讓你好過一點。你不必擔心你的孩子，我的手下很喜歡他們。如果有人找到我們，跑進來抓孩子，我的手下會教訓他們，絕不留情。」

阿達瑪忍著眼角的淚水。「謝謝你。」他說。「你這麼說……對我意義重大。謝謝你。」

⚔

阿達瑪在凌晨一點左右抵達安全屋。他疲憊地前往公寓房東太太家樓上，聽著自己的靴子踏得木階梯嘎吱作響。他真的有五天沒回來了嗎？自從遭遇大業主後，他睡過公園長凳、收容所的小床，還有吧檯高腳椅，計畫著對付維塔斯的下一步。

他要先去洗個澡。

索史密斯坐在沙發上，旁邊有一盞火勢不旺的油燈。拳擊手面前擺著一副紙牌，他抬頭看阿達瑪，眉頭深鎖。

「我擔心死了。」索史密斯說。

阿達瑪嘆口氣關上門。他本來期待能先好好睡一覺，再來面對索史密斯。他覺得糟糕透了，渾身痠痛，過去十天睡得不多，而且需要大吃一頓。他這輩子只有過一、兩次這種感覺，當年曼豪奇剛剛繼位，百姓焦躁不安，所有警察都要一天值班十八個小時。

他從未想過自己還會再重溫這種感受，以為那一切都是過去的事了。

「抱歉。」阿達瑪說。

索史密斯回頭去看牌。他把一張牌疊到另一張上，然後抽出兩張牌，放在旁邊的沙發上。

「你看起來很慘。」索史密斯說。

「感覺也很慘。」

「上哪兒去了？」他瞪大眼睛打量阿達瑪的臉。

「我被大業主抓走。」阿達瑪一瘸一拐地走到沙發旁的椅子，癱坐在上面。「我被他手下逼供了一整晚，然後才見到他，結果整件事都是一場誤會，說句『對不起』就把我丟回街上。」

「你見到大業主了？」

索史密斯的語氣是在擔心嗎？

「是最接近大業主的狀況，我和他坐在同一個房間裡，不過他待在黑屏風後，透過打毛線的女人和他交談，彷彿他是啞巴。」阿達瑪皺眉。或許大業主是啞巴，或許那女人不只是祕書，還是口譯員。「有吃的嗎？」

索史密斯拇指朝沙發旁的盤子指了指，盤蓋下有塊三明治，肉和乳酪都是溫熱的。阿達瑪拿起三明治倒回椅子上。這三明治雖然普通，卻似乎是他這輩子嚐過最美味的食物。

吃完後，阿達瑪覺得力氣稍微恢復了一點。「看來他的目的和我一樣。」阿達瑪邊咀嚼邊分析。「維塔斯閣下給他帶來麻煩。大業主的手下抓我，是因為我們都在跟蹤同一個女人。」阿達瑪將手指舔乾淨。「但如今大業主知道我們的目的一樣，他似乎打算退居幕後，讓我先去對付維塔斯。這實在太可惜了，因為我需要他的幫忙！」阿達瑪聽見自己說最後那句話時音量提高，還抓起放三明治的盤子扔過房間。盤子在屋角摔個粉碎。

索史密斯靠回沙發，丟下他的紙牌遊戲看向阿達瑪。

「我從來沒像現在這樣這麼想殺一個人。」阿達瑪低聲道。「我知道他人在哪裡，我找到了他的總部。我有機會殺他，只要大業主願意幫忙就能成，他卻只是把我丟回街上。」他斷斷續續吸了口氣。「我要做件非常蠢的事，索史密斯，我想你該離我遠點。我現在解雇你。」

索史密斯挑眉。「那得由我決定。」

「我要勒索大業主。」

索史密斯動手收拾紙牌。片刻後他把牌收好，站了起來。「難得一次，」他說。「我同意你的看法。」

阿達瑪閉上雙眼。他不怪索史密斯，一點也不，但他還是有點期待索史密斯會再度拒絕離開自己，期待他會待在身邊直到事情結束。

索史密斯從門旁的衣架上拿起他的外套。「抱歉，朋友，」他說。「我願為你而死，但大業主不會只殺我就了事。」

當然，索史密斯要擔心他哥哥的家人。

他們握了握手，阿達瑪聽見索史密斯下樓出門的沉重腳步聲。

阿達瑪退回椅子上，雙手抱頭。

索史密斯孔武有力，打起架來可以一敵五，但他同時也是朋友。

阿達瑪不能有朋友，他打算做這件事的話就不能。

阿達瑪奮力起身走到床前。他沒有費力脫衣服，直接倒頭就睡。

14

坦尼爾揉了揉眼睛，努力回想睡覺是什麼感覺。

他三天內在前線浴血奮戰五次，每一次都是凱斯軍強大攻勢下最後一個撤離防禦工事的人，每一次都被迫帶著傷兵或垂死者越過屍橫遍野的戰場，對己方陣營一再任由前線淪陷怒不可抑。在全軍覆沒之前，他們還能撤退多少次？

坦尼爾停下來，看向南方。巴德威爾每天都比之前更遙遠，前線——或半小時前的前線——位於四分之一哩外，籠罩在硝煙中。凱斯軍在填平防禦工事，推走陣亡的士兵。

最後這場進攻死傷慘重，十七旅的步兵大部分都是新兵，早在撤退命令下達前就潰不成軍。坦尼爾懷疑在那場混戰後，還有誰能毫髮無傷。醫官營帳裡的傷兵呻吟聲淒厲到令他毛骨悚然。

他看到卡波坐在他們營帳外的火堆旁凝視著炭火，一邊心不在焉地用針頭清理指甲縫。一壺水在火堆上滾。她看了坦尼爾一眼，又回頭去看火。

坦尼爾在她身邊坐下。他全身都在痛，身上有數不清的割傷和瘀傷。一個特別凶狠的勇衛法師差點解決了他，在他側腹留下一道乾淨俐落的傷痕。

卡波默默起身走到他身後幫他脫下外套。他不喜歡她幫他脫衣服。好吧，他喜歡，但他已經聽到有些軍官在討論他們的關係有多不恰當了。不過今晚他累到不想和她爭。她解開他的上衣鈕釦，用熱濕布清潔他的脖子和身體。

他側躺著，讓她縫合腹部傷口，每次下針都痛得他齜牙咧嘴。

「波，」他說。「妳知道湯瑪士在艾鐸佩斯特成立火藥法師學校的事嗎？」

她兩指輕拍他手臂。有。

「我想是薩邦在負責。不知道他還在不在那裡……該死，我需要他的幫忙。」坦尼爾停下來思考。薩邦的臉浮現在他面前，完美的牙齒在黑皮膚上格外顯眼。薩邦是唯一一個湯瑪士會聽從的人。他教坦尼爾射擊，是個好軍人，是好人。「可惡，我該問問理卡的！就算薩邦和湯瑪士在一起，艾鐸佩斯特肯定還有幾個火藥法師。我們要他們上前線。」

卡波縫好傷口後，坦尼爾站了起來。他的上衣顏色幾乎變成黑色，被乾掉的血塊弄得硬邦邦的，整個人聞起來像一座屠宰場。他把髒衣服留在地上，卡波會找人幫他洗，另外從營帳裡拿了僅剩的一件上衣，扣起鈕釦。

他的營帳位於瑟可夫谷一座山脊側面，表示他得睡在斜坡上，但他同時也能將谷裡的情況盡收眼底，而此刻他正看著亞頓之翼的營區。亞頓之翼離前線比艾卓軍更近，他們靠著河岸鎮守河谷東側。

根據報告，亞頓之翼每天都守住了他們的陣線，卻因艾卓軍撤退而被迫跟著撤退，以免遭受凱斯軍夾擊。

要是湯瑪士在，看到傭兵表現得比艾卓軍更優秀，一定會氣炸。

兩名亞頓之翼旅長從他們營區走向艾卓軍的白藍指揮大帳，還有幾名軍官似乎也往同一方向前進，看來是要開會。如果湯瑪士在這，坦尼爾也會參加那場會議。

湯瑪士不在，很多事都不一樣了。

餐廳帳距離指揮帳不遠。大多數的軍隊，伙食通常是以連或班為單位自行煮食。而在前線，據傳所有伙食都是由一個主廚負責。

米哈理。

他輕易就找出那道在煮食火堆間遊走並督導女助理們的高大胖身影。坦尼爾皺眉，這個自稱是神的男人究竟是什麼人？坦尼爾見過一個神的臉——克雷希米爾——一彈貫穿他的眼睛。克雷希米爾看起來像神，米哈理不像。

坦尼爾拿起外套走下山坡，前往指揮帳。

他所到之處似乎都會成為士兵的目光焦點。有些人對他點帽致意，有些向他敬禮，有些就這樣看著他走過。坦尼爾其實不喜歡引人注目。他是供人欣賞的奇珍異獸嗎？這些年來他一直把部隊當自己家，但如今沒了湯瑪士和火藥法師，讓他覺得很孤獨，彷彿自己是個外來者。

坦尼爾不知道自己在士兵眼中是什麼模樣。他聞起來像是屠夫身後的小巷，看起來可能也像。他渾身是傷，頭髮因昨天的火藥爆炸而燒焦，骯髒的臉上滿是瘀青。

他也好奇自己是什麼怪物，能在五場血腥混戰中生存下來。過去兩天他被子彈擦過七次，起碼六次差點被刺穿。他動作真有那麼快嗎？還是有其他原因？

坦尼爾的運氣好得不可思議，沒人能這麼幸運。在法特拉斯塔時有這樣嗎？不，他從未經歷過如此血腥的戰場。他想起在艾鐸佩斯特扯出勇衛法師肋骨的事，懷疑這種好運是不是和他新取得的力量有關。

他抵達指揮帳，無視要他停步的守衛。

帳篷裡擠滿了人，約有二十名軍官，看起來所有亞頓之翼的旅長和艾卓軍的將軍及上校都在這裡了。裡頭人聲吵雜、拳頭亂舞。坦尼爾沿著帳緣走，試圖弄清楚他們在吵什麼。

他看見一張熟面孔，於是擠了過去。

伊坦上校比坦尼爾年長十歲。他個高膀寬，留著棕色短髮，相貌醜陋，不過沒人敢說他醜。第十二旅的擲彈兵是艾卓軍中最高大壯碩的一群人，膽敢說他們上校的壞話，就等於招惹了兩千名擲彈兵。

「怎麼回事？」坦尼爾低聲問。

伊坦上校看了他一眼。「是……」他住口，又多看一眼。「坦尼爾？見鬼了，是你！坦尼爾！我聽說你來前線了，但我不相信。你待在哪裡？」

「晚點再說。」坦尼爾說。「他們在吵什麼？」

伊坦的笑容消失。「凱斯來的信差要求我們投降。」

「所以？」坦尼爾嗤之以鼻。「有什麼好吵的？不投降。」

「我同意，但有些高層不同意。他們在害怕。」

「他們當然害怕，每次交戰都在撤退！只要撐住一次，我們就能擊潰那些凱斯混蛋。」

「不是那個，」伊坦說。「凱斯宣稱克雷希米爾在幫他們。不光是精神上的，他們說他就在他們營區裡。」

坦尼爾感到渾身發冷。「喔，該死的！」

「還好嗎？你看起來不太好。」

「克雷希米爾不可能在那裡，我親手殺了他。」

伊坦的注意力完全放在坦尼爾身上。「你……殺了他？我聽說南矛山崩塌之前曾有過一陣激烈交戰，但你……」

「對，」坦尼爾說。「我朝他眼睛和心臟各送了一顆子彈，親眼看他在神血中倒地。」

「凱特將軍！」伊坦叫道。「凱特將軍！」他抓起坦尼爾的手臂，擠開前面的軍官。眾人紛紛讓道。不會有人去阻擋他這種體型的擲彈兵。

「不，伊坦……」

伊坦把他拉到大帳中央，二十幾名神色不善的軍官等著看是怎麼回事。「把你告訴我的話告訴他們。」伊坦對坦尼爾說。

坦尼爾再次清楚地意識到他的破衣服和髒兮兮的臉。帳篷似乎在緩緩旋轉，空氣異常悶熱。

他清了清喉嚨，開口說道：「克雷希米爾死了。我親手殺了他。」

吵鬧的人聲比槍林彈雨更令他頭痛。他環顧四周，努力想找尋盟友。他看見凱特將軍，但她不是朋友。西蘭斯卡將軍呢？

「讓他說！」一個女人叫道。是阿布拉克斯旅長，隸屬亞頓之翼傭兵團，比坦尼爾父親小十歲，表情卻嚴肅兩倍。她的頭髮剪到耳上，制服是白色的，配有紅金飾邊。

凱特將軍趁大家安靜下來時對坦尼爾冷笑。「你殺不了神。」

「我殺了。」坦尼爾說。「我看著他死。我發射兩顆用魔法加持過的子彈，子彈正中目標，他身體癱軟。南矛山崩塌時，我人就在現場。」

「喔？」凱特問。「那你是怎麼下來的？」

坦尼爾張口欲言，然後又閉上。他是怎麼下來的？他記得的最後一個畫面，就是抱著昏迷不醒的卡波，四周的建築開始崩塌。

「我就知道。」凱特說。「你吸火藥吸糊塗了。」

「長官，他是英雄！」伊坦上校說。

「英雄也會發瘋！憲兵，把他趕出去！上尉沒資格參加這場會議。」

坦尼爾被人推到一旁，聽見別的聲音說：「克雷希米爾不在這裡！到底在鬼扯什麼？」

「我見過他。」

所有人都安靜下來。坦尼爾認得那個聲音，是西蘭斯卡將軍。

所有人都站著，只有西蘭斯卡坐著。他身穿軍禮服，別了數十枚勳章，衣領剛上過漿，空蕩蕩的左袖別在胸口。將軍神情疲憊，渾身重量都癱在椅子上，一張臉累得垮了下來。

西蘭斯卡繼續用低沉的聲音冷冷說道：「你們都見過他！今天早上的和談會他就在場，你們這些天殺的笨蛋，而你們全都無視他。就是站在後面的那個男人，他沒開口說話，戴著的金面具只有一個眼洞。如果你們有用心聽，亞頓之翼的榮寵法師說他魔力充沛，比任何他們見過的法師都更加強大。」

「那也只是榮寵法師，」凱特說。「不是神。」

西蘭斯卡奮力起身。「說我瘋了吧，凱特，有膽就說。湯瑪士相信克雷希米爾再臨了，相信雙槍開槍打了他，但那兩顆子彈並沒有殺死他。畢竟，克雷希米爾是神。」

凱特謹慎地打量西蘭斯卡。「而湯瑪士還是率領第七和第九旅去凱斯後方送死。」

「他沒死。」坦尼爾說，感覺自己血脈賁張。

凱特轉向他。「已故戰地元帥的小鬼說話囉。」

「小鬼？」坦尼爾視線變得模糊。「我殺了幾百個人，過去兩天我幾乎憑一己之力守住那該死的戰線，我覺得我是這裡唯一想打贏這場仗的人。而妳說我是小鬼？」

凱特一口啐在他腳邊。「你把一切歸功於自己？真是個自大狂！你從湯瑪士胯下噴出來並不表示你擁有他的能力，小鬼。」

坦尼爾幾乎無法思考。他每天跑上前線就是為了這種人作戰？他怒不可抑。「我要殺了妳，妳這個蠢婊子！」

坦尼爾繃緊肌肉，正準備撲向凱特，卻被什麼東西砸中腦袋。他踉蹌著要衝過去，一隻手抓住他，把他拉開。他腦袋再度被擊中。他吼叫著掙扎，被人強行帶出指揮帳。

「坦尼爾！」他聽見伊坦上校在他耳邊說話。「冷靜，坦尼爾，拜託！」

坦尼爾看到六支利矛對準自己的臉，才終於冷靜下來。持長矛的是憲兵，艾卓軍警，而他們一副隨時可以在他身上刺幾個洞的模樣。

「夠了。」伊坦說著，推開一支矛，讓憲兵後退幾步。

憤怒退去後，坦尼爾開始覺得很冷，很虛弱，渾身顫抖。他真的在參謀總部叫凱特婊子嗎？他到底是怎麼了？

「你想害死自己嗎？」伊坦問。「我聽說過去幾天有個火藥法師在前線作戰，好像一心求死般撲向虎口，我一直沒想到會是你。他們如果只判你鞭刑就算你走運了。攻擊凱特將軍！我真不敢相信。」

坦尼爾抱住自己的膝蓋，努力讓身體停止發抖。「你說完了嗎？」他為什麼抖成這樣？這比凝視勇衛法師的劍刃還要令他害怕。是瑪拉菸的戒斷症狀嗎？還是他的火藥導致的？

「坦尼爾……」伊坦盯著他，坦尼爾看得出來他是真的關心自己。「坦尼爾，我被你拖出五呎才終於打到你的頭。我那一拳足以打倒比你壯兩倍的人，而我一共打了三拳才讓你有點感覺。見鬼，我的體型可是你的兩倍！我知道火藥法師很強壯，但……」

「我願意負全責。」坦尼爾說。「希望不會拖你下水。」

「我不擔心我自己。」

「上尉？」

兩人同時抬頭，看到西蘭斯卡將軍站在一旁，而憲兵已經走了。

「上校，我想和上尉私下談談，拜託。」

伊坦離開了。坦尼爾緩緩起身，不確定自己站不站得起來，但十分肯定西蘭斯卡將軍很可能是他在這個營區裡唯一的盟友。「長官？」他搖搖晃晃地絆了一跤，西蘭斯卡伸手扶他。

「凱特要你的頭顱。」西蘭斯卡說。

「可以想像。」

「你知道，」老將軍說。「湯瑪士死了，火藥法師已經失勢。有些高階軍官似乎想假裝你們從未存在過。」

坦尼爾頭往後仰，看著黑暗的天空。星星出現了，月亮在東方地平線發光。「你認為他死了？」

西蘭斯卡開始走路，強迫步履蹣跚的坦尼爾跟上。坦尼爾的手沒有之前抖得那麼厲害了。

「我不想相信。」西蘭斯卡說。「不管其他人表現出什麼樣子，我們都不想相信。我們都愛你父親，他是天才戰略家，但我們徹底失聯，已經三週沒收到凱斯部隊裡的間諜回報。我們得面對現實，湯瑪士很可能死了。」

如果湯瑪士死了，就表示芙蘿拉、薩邦、所有火藥法師團，還有第七旅和第九旅全都死了。坦尼爾心裡一沉。沒有淚水。他不會為此流淚。不會為了湯瑪士。但說起他永遠消失……「那克雷希米爾呢？」

「不管你對他做了什麼，他都活下來了。」

「米哈理是誰？那個主廚神？」

西蘭斯卡聳肩。「你父親似乎認為他是亞頓轉世。」

「你呢？」

「我沒證據證明他是或不是。他的廚藝高超，據說已經和克雷希米爾達成停戰協議，讓凡人自己去打之類的。」西蘭斯卡從嘴角吐口水。「我不喜歡淪為諸神戰爭的棋子。」

「不，」坦尼爾說。「我也不喜歡。」他腦袋開始清楚了，一切不再天旋地轉。「凱特能怎麼處置我？」

「她是將軍，你是上尉。指揮帳裡的人都看見你要殺她。」

「我不會真的殺她。而且我不只是個上尉，我是火藥法師。」

西蘭斯卡說：「我知道，湯瑪士把你隔在指揮體系外。如果他還在這，你就可以輕易脫身。湯瑪士知道凱特是個好將軍，但心胸狹窄，不過你現在就只是個上尉。」

「前線撤退的命令是誰下的？」

西蘭斯卡停步，轉身面對坦尼爾。「我。」

「你？」坦尼爾得阻止自己後退。

西蘭斯卡伸手搭上坦尼爾肩膀，彷彿父親對待兒子一般。「我們守不住的。」西蘭斯卡說。「在你抵達之前，我們完全無法應付黑勇衛法師。他們屠殺士兵，勢不可當，比起普通的勇衛法師，他們更快更凶猛，火藥在他們身邊點不著。即使你來了，我們還是守不住。」

「魔法呢？亞頓之翼有榮寵法師。」

「魔法對那種新的勇衛法師無效。這種情況很怪，真的，我不知道凱斯法師團怎麼會創造出那種可能連他們自己也無法控制的怪物。」

坦尼爾思索片刻，腦袋再度開始運轉。這似乎是個好跡象，剛剛的暴怒已成遙遠的回憶了。

「或許不是他們創造的。」

「什麼意思？」

「嗯，我們從未見過以火藥法師改造而成的勇衛法師。或許是克雷希米爾幹的，或許剩下的凱斯法師團無從置喙。」

「合理。」西蘭斯卡盯著他看了一會。「你睡哪？」

坦尼爾抬頭望向山坡。「上面有座帳篷。」

「我幫你弄間真正的房間。」西蘭斯卡說。「你需要睡眠。一小時內來找我，我去安排一下。現在，我得說服凱特不要吊死你。」

坦尼爾的心臟終於不再猛烈跳動。他覺得很洩氣，感到十分不舒服。「謝謝你……將軍？」

西蘭斯卡停步回頭。

「我被十幾個後勤官拒發火藥。他們說我們的黑火藥不夠，參謀總部採取配給制度。火藥真的短缺嗎？」坦尼爾想起理卡·譚伯勒的話。工會領袖提到前線的火藥需求量高得很不尋常。

「情況沒那麼糟。」西蘭斯卡輕聲道。「我會確保你不缺彈藥。還有別的事嗎？」

「有。」坦尼爾遲疑，不確定他是不是想知道下個問題的答案。「艾鐸佩斯特還有火藥法師嗎？我知道湯瑪士在訓練新人。」

「火藥法師全都跟他走了，包括訓練學員。」

「該死！我希望薩邦還在這裡。」

西蘭斯卡臉色沉了下來，輕輕嘆了口氣。「你沒聽說？」

「聽說什麼？」

「孩子，薩邦死了。他一個月前被空氣來福槍的子彈擊中腦側。」

西蘭斯卡拍了拍坦尼爾肩膀，走入黑夜之中。

坦尼爾過了一段時間，才終於斷斷續續吸了口氣。他再度望向天空。日光只在西山一隅微微冒頭，頭頂上的天空是宛如深藍地毯般的燦爛星空。

薩邦，死了。他的良師益友。

那對湯瑪士肯定是很大的打擊，或許大到讓他犯錯。

如果薩邦死了，說不定湯瑪士也死了。

自己該不會是艾卓最後一個火藥法師吧？看來是如此。部隊每天都在撤退，克雷希米爾還活著，並要求他們投降，他能怎麼做呢？

戰鬥。

唯一的答案。

15

湯瑪士站在馬鐙上，透過望遠鏡觀看局勢。凱斯斥候翻越凱斯騎兵和湯瑪士兩個落魄步兵旅之間的最後一座山頭。

他又看了一會兒後坐了下來，把望遠鏡交給歐蘭。

「他們追上來時，我們會有三分之二的人進入森林。」

在他們身後，胡恩朵拉森林聳立在草原後頭。草原上的樹在一世紀前就被砍光，但胡恩朵拉是一道樹林屏障，受到王家法令保護，被宣告為凱斯的公有地。這裡的地形大幅改變，從草原起伏的山丘變成高聳山脊，宛如粗壯的老樹根般深入琥珀平原。

湯瑪士認為砍伐胡恩朵拉森林之所以如此困難，除了受國家保護外，可能還和國王要在裡面打獵有關。

他策馬追上隊伍後端。前排隊伍因森林道路寬度有限而從六排縮成四排，以至於部隊現在只能半速前進。

「亞伯上校。」湯瑪士加入後衛隊伍時喊道。

亞伯上校就部隊的標準而言算是老人。他比湯瑪士大上十歲，很久以前就聽力衰退、牙齒掉光。但儘管年紀大，亞伯上校還是可以行軍作戰，酒量和三十歲時一樣好，他歸功於每天睡前一杯紅酒和抽上好雪茄。上校與後衛最後一排人走在一起，像普通士兵般把來福槍掛在肩上，身側佩戴一把騎兵劍。第七旅第一營是湯瑪士手下最強的戰力，他們會負責殿後不是沒原因的。

「嗯？」上校說。

「我希望你騎馬。」湯瑪士幾乎得用吼的才能確保上校聽得見。

上校動了動下巴，把假牙吐到手裡。「不騎。」他說。「馬鞍會壓痛我的老睪丸。再說了，長官，我們的馬要給斥候用。」他看了一眼湯瑪士和歐蘭的馬，一副他們也該要把馬讓給巡邏隊才對的模樣。

「再過十五分鐘左右敵軍就會來襲。」湯瑪士解釋。「你們是後衛部隊。我要且戰且走，穩紮穩打。」

亞伯清了清喉嚨，吐了口痰。「第一營！」他喊。隊伍前面一個上尉嚇了一跳。「上刺刀！結風車陣形，十分鐘後交鋒！」

中士沿著隊伍傳達命令，不過大概半個旅的人都聽見了。亞伯在制服外套上擦擦假牙，塞進後口袋裡。「我可不想在近戰中弄壞假牙。」

「對。」湯瑪士策馬上前，加入其他火藥法師。他身後亞伯的營散入草原中，在部隊後方形成半圓的盾牌陣形。

「長官！」安卓亞在湯瑪士靠近時轉身向他敬禮。五名火藥法師聚集在安卓亞身邊，他們一整晚都在打獵搜索，看起來筋疲力竭，眼袋很明顯。湯瑪士能聞到他們周圍瀰漫著一股火藥味。

湯瑪士勒馬。「凱斯前鋒就在那座山丘後，一千兩百名重裝騎兵迅速接近中。」

「我們要停下來交戰嗎？」安卓亞問，臉上浮現每次要殺凱斯人時的飢渴神情。

「不。」湯瑪士說。「先鋒會比主軍早一小時到，我要利用這段時間進入森林。」他在看見安卓亞滿臉失望後補充。「別擔心，我們有很多敵人可殺。」

他環顧戰場——因為這確實是戰場。如今毫無疑問，一小時內雙方就會見血。他仔細觀察了樹林線、四周地勢，以及遭人棄守的胡恩朵拉古老城牆。如果有更多時間計畫，哪怕一天，甚至幾個小時，他就可以布置陷阱，剷除凱斯前鋒部隊。但現在他得讓部隊先撤離平原。

他指向森林地勢陡然升起之處。「安卓亞，我要你的小隊待在樹林線外幾百碼的位置。芙蘿拉，妳的小隊去那邊那些岩石附近。」他朝北方一指。「等他們進入射程範圍，就射擊前線的馬，想辦法把整排部隊絆倒。若他們散開來準備衝鋒，就殺掉軍官。解散！」

火藥法師快步散開。他們會在幾分鐘內就定位，展開射擊，這樣或許能幫部隊多爭取一些時間進入森林。

他把火藥法師安排在制高點，加長他們的射程，但道路本身先陷入了一道寬敞平坦的峽谷，才再轉為上坡進入樹林。地形對凱斯先鋒部隊衝鋒有利。

森林之中，第七旅第四營已經占好開火位置。如果到時候第一營必須衝入森林撤退，他們會提供掩護。

湯瑪士調轉馬頭，面對西北方的森林，然後下馬。他捏碎火藥條，撒了一點在舌頭上，進入火藥狀態。

「卡賓槍。」他下令。

一直默默跟在身後的歐蘭交給他一把上膛的卡賓槍。湯瑪士單膝跪下，卡賓槍是短版的來福槍，更適合在馬背上射擊和裝填彈藥，不過最好還是下馬開槍。卡賓槍不是靠長槍柄穩定槍身，而是在槍管下加裝鋼握把。

湯瑪士緊握卡賓槍，槍口瞄準地平線，看著重裝騎兵斥候逐漸接近。凱斯重裝騎兵通常會攜帶一把卡賓槍、一把手槍，還有一把長劍。傳統凱斯指揮官把他們視為有騎馬的步兵指揮——他們會騎馬，但是作戰時要下馬。年輕指揮官把他們當成輕裝騎兵。

就目前的情況來看，對方應該會先以卡賓槍射擊，之後是手槍，最後才會展開衝鋒以突破湯瑪士的後衛部隊。湯瑪士願意用他的馬去賭凱斯採取這種戰術的可能性。

沒過多久，前鋒騎兵衝出遠方的山丘。湯瑪士輕輕吐氣，透過卡賓槍瞄準。重裝騎兵距離約一哩遠，依然維持四排隊形。騎兵尖頂頭盔上的馬毛在風中飄揚，隨著馬匹顛簸而上下抖動。

湯瑪士聽見左側傳來來福槍響，安卓亞開了第一槍。幾秒過後，到處都是來福槍在開火。

第一個重裝騎兵腳下一絆，那匹馬當場翻身跌倒，然後是另一匹，又一匹，在地上激起一片塵土。前線後排的馬立刻撞成一團，很多都摔倒在地，被自己人踩扁。

湯瑪士不需要親耳聽見馬匹的慘叫聲，它們已經在他腦中迴盪。

他們肯定知道湯瑪士手下有火藥法師，但還是維持緊密隊形。湯瑪士很想為對方犯的錯誤搖頭，重裝騎兵應該有備而來才對。

但話說回來，有誰會料到敵軍還是地平線上的小黑點時就能開槍擊中自己？

他扣下扳機。

數秒後，子彈射入一匹馬的眼睛，馬抽搐倒地，騎士高高跳起，落地的力道足以摔斷脖子。

湯瑪士把卡賓槍交給歐蘭，又拿了一把裝填好的槍。

凱斯隊伍開始散開拉長隊形，更多凱斯騎兵翻過山丘。湯瑪士剛剛看著十幾名騎兵被擊倒的好心情瞬間消失。他還有一千兩百名騎兵要應付，打倒隊伍前的幾名騎兵完全算不上什麼勝利。

他在重裝騎兵身上搜尋軍官的肩章，很快就找到了，於是將卡賓槍抵住肩窩，深吸一口氣，吐氣，扣下扳機。

子彈命中了年輕軍官的喉嚨。他摔下馬鞍，湯瑪士立刻轉而鎖定下一個目標。

之後的兩分鐘內，他的火藥法師任意射擊，除了少數例外，所有子彈都擊斃了目標。凱斯前鋒隊距離越來越近。

「長官，你最好上馬。」說是這麼說，但歐蘭的語氣一點也不緊張。

湯瑪士能讀懂重裝騎兵的隊形。他們在道路東側散開，縱深六匹馬，會攻擊第一營的側翼，迫使第一營遠離胡恩朵拉城牆的保護。重裝騎兵會迅速猛攻，避免纏鬥，用最短的時間脫離傳統火槍的射程範圍。他們可以繞過胡恩朵拉城牆，避開火藥法師的子彈，然後攻擊行軍部隊側翼。

湯瑪士看見騎兵舉起卡賓槍。他翻身上馬，清空卡賓槍槍管。

「注意牆。」他對歐蘭說。「我們走。」

亞伯第一營的動作放慢了，每隔兩人就有一個人突然停步，轉身單膝跪地。湯瑪士聽見亞伯下令開火，空氣中噴出一陣硝煙，五十幾名重裝騎兵應聲倒地。士兵跳起來，一邊裝填彈藥一邊行軍。

湯瑪士衝向後衛部隊，拔出他的騎兵劍。

重裝騎兵以卡賓槍射擊，在他們身後留下了宛如回憶般的硝煙。

後衛士兵紛紛中槍，有人倒地，有人一瘸一拐地繼續往前走，一邊大喊救命。沒人離開隊伍照顧傷兵。

他們都受過專業的訓練。

重裝騎兵將卡賓槍插回馬鞍，舉起手槍瞄準。

艾卓軍第二陣線的士兵轉身跪地，開槍射擊。

重裝騎兵以手槍反擊，噴出一陣硝煙，下一秒他們衝出硝煙，舉起劍展開衝鋒。

亞伯的第一營轉身應付重裝騎兵的衝鋒，火槍口都上了刺刀，武器和矛差不多長。湯瑪士咒罵一聲，陣形太鬆散了……

重裝騎兵以雷霆萬鈞之勢衝入湯瑪士的兵陣中。

馬在被刺刀戳穿時發出慘叫，騎兵摔下馬背。艾卓兵被騎兵的直刃劍砍中脖子和臉。步兵和騎兵陣線交會，消失在血腥亂鬥之中。

湯瑪士向前傾身，催促他的戰馬加快速度，歐蘭緊隨其後。戰場對面，胡恩朵拉的老城牆繞過一座山丘處，另一隊騎兵正朝這裡衝鋒。

那隊騎兵為首的是加瑞爾，兩百名藍褲深紅外套的艾卓胸甲騎兵趁著剩下的凱斯重裝騎兵遠離第一營時衝過草原。

儘管以一敵三，加瑞爾的胸甲騎兵仍以砲彈般的衝擊力撞向重裝騎兵，撞擊聲清晰可聞。重裝騎兵的呼喊聲在側翼突現敵軍時轉為絕望。一片混戰後，凱斯吹響了撤退號角。

過了一段時間，湯瑪士也加入戰局。他揮舞著騎兵劍，差點斬斷一名凱斯重裝騎兵的頸動脈。他在馬鞍上轉過身，勉強招架另一個重裝騎兵的劍擊。他釋放感知引爆對方胸口口袋的火藥條，隨即策馬急追下一個目標。

倖存的重裝騎兵先鋒隊慌忙撤退，逃向他們的主力部隊。

湯瑪士的手下高聲歡呼。從第一營沿著隊伍向上，一路延伸到已安然進入森林的第九旅。

湯瑪士調整呼吸，騎馬穿越死屍，來到加瑞爾身邊。「騎兵集合。」湯瑪士對加瑞爾叫道。

加瑞爾點頭下令。

「騎兵主隊會在一小時內趕到。」湯瑪士喘著氣表示，心跳劇烈，硝煙刺痛他的眼睛，提醒他自己老了。

加瑞爾騎到湯瑪士身邊低聲詢問：「死者和傷兵怎麼辦？」

湯瑪士檢視戰場。凱斯和艾卓加在一起，死傷起碼上千人。凱斯撤退的人數不超過三百，湯瑪士不可能帶著傷兵行軍。

「亞伯！」湯瑪士邊找邊說。「歐蘭，去找亞伯。」

片刻後，老上校來到湯瑪士身邊。他臉頰上有道新傷，衣袖有焦痕。看來他也加入了混戰。

「長官？」

「第一營如何？」

「狀況良好，長官，我們大獲全勝。雖然還未仔細清點，不過我們折損不超過兩百人。」

湯瑪士最頂尖的營折損兩百人，幾乎占全營四分之一。就對抗一千兩百名重裝騎兵而言，算得上一場大勝利，但湯瑪士不能折損一兵一卒，更別說兩百名頂尖士兵。

「治療傷兵，跟上隊伍。在戰場上搜刮所有能用的東西。」

「長官，可否請求殺馬？」亞伯說。「我們需要肉。」

「准。為你的手下舉行戰地葬禮。希望我們能有更多時間，但我們必須在其他凱斯軍趕來前離開這片草原。」

亞伯輕輕點頭，轉身去傳達指令。

「長官，戰地葬禮是？」歐蘭問。

「我們在葛拉行軍時的做法。作戰後又有其他敵軍逼近時，我們就用營帳帆布包裹死者，標示他們的姓名，希望敵軍願意好好埋葬他們。」湯瑪士嘆氣。他不喜歡戰地葬禮，死者理應得到更好的待遇。

「他們有嗎？」

「有什麼？」

「好好埋葬他們，長官？」

「五次裡有四次……沒有。他們把屍體扔在葛拉的陽光下腐爛。」

湯瑪士翻身下馬，跪在一名艾卓傷兵身旁。對方瞪著天空，咬緊牙關，膝蓋血肉模糊。湯瑪士一眼就看出那條腿八成得截肢。在獲得治療之前，該怎麼移動他？湯瑪士拔出匕首，刀柄朝向傷兵。

「咬著。」他說。「能讓你好過一點。歐蘭，找幾個人去搜索城內，或許有些棄置的馬車。加瑞爾，派人去抓所有沒受傷的凱斯馬，我們或許用得上。」

他看向南方地平線。要不了多久，一萬五千名騎兵就會翻過山丘。

阿達瑪整整找了四天，花了超過一千克倫納到處行賄，才終於發現戰地元帥囚禁包貝德——那位曼豪奇皇家法師團僅存的榮寵法師——的地方。

阿達瑪覺得很有趣，因為他在用湯瑪士的錢去撤銷湯瑪士的命令。

維朗迪敘上校站在他身邊。她是個外表精明的戴利芙人，大約五十歲，黝黑的膚色和艾卓軍的深藍制服很配，一頭直髮綁在腦後。

「他在這裡？」阿達瑪問。

「對。」她確認。

他們站在艾鐸佩斯特最北區的一座峭壁上，那裡是一排排房屋和農地的交界處，街道上沒有太濃的糞便和煤灰味，工廠和居民都比較少。

是個宜居的地方。如果阿達瑪能活到退休，或許可以和家人搬來這裡。

維朗迪敘朝下方的莊園點了點頭。庭院滿是雜草，大部分窗戶都破了，牆壁殘破不堪。這裡和許多之前屬於貴族的莊園一樣，遭到湯瑪士的部隊洗劫一空，於處決過後開放給大眾掠奪。

阿達瑪跟著維朗迪敘走下山崖，從後門進入莊園。這地方的淒涼景象令阿達瑪傷感。他不喜歡貴族，一點也不喜歡，但這些莊園裡有不少藝術傑作，有些付之一炬，有些淪為磚瓦廢墟。這間還只是遭人破壞而已。

他們從僕役間進屋，走向二樓。阿達瑪一共看到二十幾名男女，外表看來都是軍人。雖然是夏天，他們還是在制服外面套了一件大外套，每個人都在阿達瑪走過時瞥了他一眼。

臂章上的山形火藥桶說明這些人隸屬來福槍戰隊，是湯瑪士手下最頂尖的士兵。

維朗迪敘停在僕役區後方最後一個房間外。「你有五分鐘。」她說。

「既然湯瑪士死了。」阿達瑪問。「妳打算怎麼處置他？」

上校嘴角扭曲。「如果湯瑪士死了，我們就會等到其他將軍返回艾鐸佩斯特，然後將人交給他們，讓他們去決定他的命運。」

「他不會危害湯瑪士的性命了。」

「我不在乎你以為你知道什麼，調查員。」維朗迪敘說。「戰地元帥屠殺皇家法師團是有原因的，而這人是最後一個法師團成員。現在進去。」維朗迪敘取出懷錶。「五分鐘，開始計時。」

阿達瑪開門進去。

榮寵法師被綁在屋角一張椅子上，雙腳被緊緊綑在椅腳上，雙手鎖在僵硬的鐵手套當中，讓他手指無法動彈。但即使繩子綁得很緊，他似乎還是很自在。他看起來比上次見到時更瘦了，下巴蓄起大鬍子。他面前有個支架，類似音樂家擺放樂譜的那種。包抬起頭來。

「包。」阿達瑪說，伸手取下帽子。

包清了清喉嚨。「怎樣？」

「我是阿達瑪，我們幾個月前在肩冠堡壘見過。」

「噢對，調查員，我記得你。你就是把我的制約告訴湯瑪士的人。」

阿達瑪皺眉。「很抱歉，我當時在替他工作。」

「現在不是了？」

「這個，聽說他死了。」

包伸長了脖子，頭部左右轉動，那大概是他全身唯一能動的地方。他沒有回應。

「包，」阿達瑪說。「你脖子上的項鍊，那個制約的實體，在他死後有沒有鬆脫？」

包瞇起雙眼，動作不大卻足以讓阿達瑪得到答案。制約還在運作，湯瑪士還活著。包沒告訴看守他的士兵。

「有趣。」阿達瑪大聲道。

「可以幫我翻頁嗎？」包朝面前的支架點頭。

阿達瑪繞過去，看見架上擺了本書。他把書翻到下一頁，用手掌壓平。

「非常感謝，我已經盯著同一頁看半小時了。」

阿達瑪問：「你想殺湯瑪士的衝動有多強烈？」

「問這做什麼？」

「你能抗拒這股衝動嗎？他離這裡很遠，你能抗拒去找他的衝動嗎？」

「暫時可以。」包說。「可以。曼豪奇死亡至今才六個月，我想制約會在一年後害死我。」

「兩分鐘！」維朗迪敘在走廊上喊。

阿達瑪壓低音量。「如果我把你弄出去，你願意幫我嗎？」

「幫你做什麼？」

「我要你救我妻子，還要殺一個威脅整個國家的人。」阿達瑪不知道包是不是愛國者，但這個說詞聽起來很不賴。

「現在是怎樣，你在對我演一齣爛戲嗎？」包笑著說。

「事實上，我很認真。」

包的笑容消失。「你為什麼要我幫忙？」

「我要殺的人有六十幾個打手，其中一個是榮寵法師。」

「有這種事？你幫戰地元帥湯瑪士做事，謠傳他已經死亡，而你還要對付一個綁架你妻子、有六十個打手和榮寵法師的傢伙？」阿達瑪幾乎能感覺到包想扭動手指的慾望。「你有沒有考慮過不當調查員？」

「你不知道我考慮過多少次。」阿達瑪說。

「只要你幫我離開這裡，要我去國王花園當默劇演員一星期都行。」包說。「任憑吩咐。」

阿達瑪打量榮寵法師片刻。他的身體狀況有辦法對付榮寵法師嗎？阿達瑪知道榮寵法師要透過手套施法，避免雙手被艾爾斯燒傷，但包的手套不見蹤影。他能信任榮寵法師嗎？

「好，」阿達瑪說。「我盡力而為。」

維朗迪敘開門。「調查員，時間到了。」

阿達瑪跟著維朗迪敘回到僕役區。走到庭院外圍時，她叫住他。「你自己認得回去的路嗎？」她問。

「認得。」阿達瑪盯著她很長一段時間。她看著他，棕色雙眼透出難以解讀的神情。她就算不穿制服也看得出是軍人，背部挺直，雙手交疊在背後呈稍息姿勢。

這麼做風險很高，但想要釋放包貝德，然後救出菲，他就別無選擇。

「我需要榮寵法師包貝德。」阿達瑪說。

「你說什麼？」正要轉身離開的維朗迪敘停下腳步，回頭看他。

「我要妳釋放他。」

維朗迪敘清了清喉嚨。「不可能，調查員。」

「出個價錢。戰地元帥死了，放包走，妳和妳的手下就可以趕去協防瑟可夫谷或離開艾卓。據我聽到的消息，那或許是最好的做法。」

「那——」她的語氣憤怒又緊繃。「那是叛國行為。」

「拜託，」阿達瑪解釋。「榮寵法師包貝德是唯一能救出我妻子的人。或許還能拯救這個國家。釋放他，他能發揮價值，而繼續囚禁他，只會妨礙妳和妳的手下。」

「你該走了，調查員。」維朗迪敘說。

阿達瑪輕嘆一口聲。他本來以為她會直接逮捕他。他應該高興她放他走。

「調查員。」

他停步。「怎麼？」

「七萬五千克倫納，要鈔票，給你一週的時間。」

16

坦尼爾走在戰場的屍體之間，懷疑當天究竟死了多少人。

幾百人？幾千人？

軍醫、盜賊、士兵家屬，所有人都在屍堆中行走。他們先找出傷兵帶回各自的部隊，才開始把屍體當成木柴般堆上推車，帶去萬人塚埋葬。

傷兵向來比死者多很多，情況就是如此，就算有魔法參戰也一樣。至少剛打完是如此。接下來一週內起碼會有半數傷兵死去，更多人會落得終身殘疾的下場。

我選了個非常糟糕的職業，坦尼爾心想。

好吧，說不上什麼「選」，當你父親是湯瑪士時，你根本沒得選擇。坦尼爾想不起來這輩子有任何時刻不想當軍人。芙蘿拉——他以為是自己一生最愛的女孩——也想當軍人。於是坦尼爾順應父親的期許，受訓成為火藥法師。他這輩子只會幹這個。

如今湯瑪士、芙蘿拉、薩邦，還有所有小時候影響過坦尼爾的人都死了。

坦尼爾努力甩開這個想法，繼續前進。

大戰結束後，士兵通常不該回到戰場上。每場戰役過後的短暫休兵協議，讓雙方各自搬運傷兵和屍體就已經夠緊張了，絕不適合熱血沸騰的武裝士兵出沒。

但那並沒有阻止某些士兵跑來。坦尼爾看見一個哭泣的凱斯兵和受傷的艾卓中士大打出手，凱斯和艾卓憲兵很快就阻止衝突，把雙方拉開。

「妳通常會在戰場上待多久？」坦尼爾問。

卡波跪在一具艾卓兵屍體旁。她抬頭看他一會，舉起屍體的左手，用長針從對方被咬碎的指甲裡挑出一些東西。什麼東西？凱斯軍官的毛髮？哪個活人的血？答案只有她知道。

坦尼爾其實並不指望得到答案。她最近很少和他溝通，比平時更少。

她移動到下一具屍體旁。坦尼爾跟上去，看著她割下凱斯軍官血跡斑斑的衣衫。

坦尼爾把外套和武器留在營區，沒必要讓人發現他在外面，但還是有些艾卓軍醫對他點頭致意，其他人則和他保持距離。

他抬頭望向凱斯營區。*克雷希米爾在哪裡？*一股懼意沿著脊椎而上。神保持低調，隱身幕後。即使坦尼爾開啟第三眼，還是看不見神身上理應散發的耀眼魔光。

在當前形勢下，相較於落入神的手裡，坦尼爾更擔心死在凱斯軍手上。

凱斯部隊每天都在前進，有時候只前進數百呎，有時候多達四分之一哩，但每一天都更逼近艾鐸佩斯特。他們遲早會從谷地推進到艾卓盆地，到時候凱斯軍就會利用人數優勢包圍艾卓軍，同時進攻好幾座城。他們會摧殘鄉野，艾卓將會被迫投降。

湯瑪士會怎麼做？

哼，湯瑪士會守住戰線。這就是艾卓軍要做的：不要每天撤離戰線。

坦尼爾唯一能做的就是戰鬥。他沒辦法阻止將軍下令撤退，即使他感覺凱斯軍即將潰逃，也無法憑一己之力守住整條戰線。

「妳在收集的東西。」坦尼爾在卡波起身時詢問。「都是活人的嗎？」

她點頭，把某樣東西放進包包上一個小皮袋裡。

就連活下來的人也會在戰場上遺留下些什麼，血、毛髮、指甲，有時候是根手指或一塊皮。卡波全都收集起來，留待日後使用。

突如其來的火槍聲嚇了坦尼爾一跳，但那只是憲兵在射擊掠奪者。他舔了舔嘴唇，再度望向凱斯營區。萬一克雷希米爾就在這裡，行走於死者之中？萬一他看見自己，知道自己是誰，做過什麼事？

「我要回營區。」坦尼爾說。他回頭看了幾眼來時路，卡波則繼續搜刮屍體上的東西。

坦尼爾在晚餐時間走回營區。後勤官帶著配給的肉、湯壺、麵包回連隊，遠比一般戰場上的伙食豐富多了。坦尼爾聞到食物的香味口水直流。這個主廚米哈理，不管是不是神，總能做出難以想像的美味餐點。坦尼爾不知道麵包能融合這麼多口味，還像奶油一樣柔軟。

坦尼爾待在自己房間。西蘭斯卡將軍幫他弄了間睡覺的棚屋。不算多好，但至少有隱私。他拿起外套，在口袋裡放了幾根火藥條，然後遲疑地看著腰帶。他應該可以大搖大擺走在己方營區裡，但他有預感得武裝自己。或許是偏執妄想，或許是因為凱特將軍的憲兵還在找他。沒人知道他們為什麼到現在還沒找到。

坦尼爾扣上皮帶，腰間掛了兩把手槍。

他才離開帳篷幾步就遇上一名士兵。

「長官！」

坦尼爾停下腳步。對方很年輕，大約二十五歲，但還是比坦尼爾大一點。從肩章可以判斷出對方是第十一旅的士兵。

看坦尼爾沒有反應，士兵語帶遲疑。「長官，我和我的弟兄，我們在想是不是有榮幸請你一起共進晚餐。食物都是一樣的，長官，弟兄們人都很好。」他雙手拿著扁平軍便帽，輕輕擰著。

「在哪裡？」坦尼爾問。

「就在那裡，長官。」士兵有點興奮。「我們有點杜賓蘭姆酒，芬利很會吹長笛。」

坦尼爾不禁起了疑心。他一手放在手槍上。「士兵，你為什麼這麼緊張？」

士兵低下頭。「抱歉，長官，我不想打擾你。」他轉身離開，顯然心煩意亂。

坦尼爾快步趕上他。「你說杜賓蘭姆酒？」

「是，長官。」

「很難喝的狗屎，那是水手在喝的玩意兒。」

士兵皺起眉頭。「我們只能弄到那種酒，長官。」他眼中浮現一股怒意。

他們停在路中間。士兵依然拿著帽子，一邊瞪著坦尼爾。坦尼爾可以想像他腦中在想什麼：可惡的軍官，以為自己多了不起。軍官餐廳有很多好酒。不肯和士兵一起用餐，一刻都不願意。

「你叫什麼名字，士兵？」

「弗林。」

這句話最後沒加「長官」了。坦尼爾點頭，彷彿他沒留意到這點。「我在法特拉斯塔的船上喝過杜賓蘭姆酒，但一整個夏天都沒碰過了。如果你還願意，我很榮幸一起用餐。」

「你在嘲笑我嗎？」

「不，」坦尼爾說。「完全沒有。帶路。」

弗林眉頭漸漸鬆開。「往這裡走，長官。」

弗林的營火距離不到二十碼，有兩個人坐在火堆旁，用老鐵鍋溫著米哈理的湯。其中一個鼻子很大，之前斷過沒有接好所以有點歪，另一個身材矮胖，幾乎塞不進制服裡。大鼻子看到坦尼爾當場僵住，湯匙停在嘴巴前。

「長官，」弗林指了指火堆旁的兩人。「大鼻子的是芬利，第十一旅最醜的傢伙。那個胖子叫芬特(註)，因為她第一次開火槍就昏倒。芬利、弗林和芬特，我們是第十一旅的軍人。」

坦尼爾揚起眉毛。他怎麼也沒想到芬特竟然是個女人。

「各位，這位是雙槍坦尼爾上尉，法特拉斯塔戰爭和南矛山之役的英雄。」

芬特一臉懷疑。「你確定他是雙槍坦尼爾？」

「是他沒錯。」芬利說。「我和阿祖凱爾上尉一起去大學追殺那個榮寵法師。」

「我就覺得你有點眼熟。」坦尼爾說。「我不會忘記見過的鼻子。」

弗林大笑，往芬利的手臂捶了一下。芬利從椅子上摔下去，坦尼爾聽見自己也在笑。笑聲沙啞難聽，像是極需調音的樂器。他多久沒笑了？

弗林拿了一把摺疊椅給他坐。芬利幫他們一人倒了一白鐵罐的湯，然後分配麵包和羊排。他們默默吃了幾分鐘，坦尼爾最先打破沉默。「我聽說幾週前第二旅遭受重創。」

「對，」弗林說。「那是事實。」

「我們在城牆上，」芬特說。「黑勇衛法師攻城時，我們就在巴德威爾城牆上。」

芬利默默看著自己的湯。

「芬特用她斗大的拳頭揍了一個勇衛法師的鼻子，直接把他打落城牆。」弗林說。

「我敢說對方一定嚇到了，聽說當時戰況慘烈。」坦尼爾說。「很高興你們逃出來。」

「大部分都沒這麼幸運。」芬利輕聲道。弗林和芬特的笑容消失。

坦尼爾清了清喉嚨，左右張望。通常吃飯會以班為單位。「你們班剩下你們嗎？」他以最尊重的語氣問道。

芬特輕笑出聲，芬利推了推她。「不好笑。」芬利說。

註：Faint，此處將人名音譯為芬特，原文有昏倒之意。

「有點好笑。」芬特說。

坦尼爾不知道該不該笑。「什麼好笑？」

「不是我們班，長官。」弗林開口。「我們連就剩我們了。」

坦尼爾覺得口乾舌燥。一個連滿編約兩百人，只剩下三個……

「沒有傷兵？」他問。

「可能有。」芬特又舀了一罐湯。「但我們沒遇到。和凱斯軍每場戰役過後各自收屍的協議，是在巴德威爾淪陷後才定的。我們匆忙逃離巴德威爾，留下補給品、彈藥、武器和……心愛的人。逃不掉的人如今淪為奴隸，或面對更悲慘的命運。」

「什麼命運比奴隸還慘？」弗林問。

在捲菸的芬利抬起頭。「你以為他們的勇衛法師是從哪裡來的？如果有囚犯，何必折磨自己同胞？」

「製造並訓練一個勇衛法師要很多年。」坦尼爾說。

「是嗎？」芬利問，用火堆的木柴點菸。「部隊裡有人在傳，說克雷希米爾在他們營裡。」

弗林搖頭。「如果他們有克雷希米爾，我們早就死了。」

「我們有亞頓轉世。」芬特拿起羊排和麵包。「米哈理在阻止克雷希米爾殺光我們。」

弗林翻了個白眼。「拜託，夠了。」

「還有一則謠言。」芬利說著，抬頭看向火堆對面的坦尼爾。「據說雙槍坦尼爾開槍擊中克雷希米爾的眼睛，如今克雷希米爾戴面具遮住半邊臉，而且面具上沒有眼洞。」他湊過去，把菸遞給坦尼爾。

坦尼爾吸了一大口菸。他向來認為這是壞習慣，但可以為今天這樣的夜晚破例，因為今晚重點是同志情誼，而非生活習慣。「我聽過一個謠言，」他咳了一聲，轉向弗林。「據說這裡有杜賓蘭姆酒喝。」

「那個──」芬特朝坦尼爾一指。「是事實。」她走回她的帳篷，片刻後帶回一個陶壺。「去拿笛子，芬利。」她說。「我受夠了這些黑暗的話題。」

她先把酒壺遞給坦尼爾。他喝了一口酒，渾身顫抖。「呃。」他用衣袖擦嘴。

「我爸在杜賓公司工作。」芬特接過酒壺喝了一大口。「味道像惡魔的尿對吧！」

坦尼爾往後靠，看著火堆，在弗林往火堆吐蘭姆酒、火勢瞬間竄起時忍不住大笑。

「不要浪費！」芬特大叫，搶走酒壺。

沒喝幾輪，坦尼爾就開始感受到酒的威力。他身體放鬆，思緒變得模糊，向後靠著看火。芬利在一旁吹起了笛子。

笛音低沉哀傷，和坦尼爾之前聽到那種樂器演奏的活潑曲風不同。不久後，芬特開始唱歌，坦尼爾沒想到她的嗓音如此清亮高亢，足以劃破夜空。

他發現自己在內心世界裡飄蕩，身體的疼痛消失了，前線彷彿遠在百哩之外。

他聽見一些動靜，聲音輕到差點以為出自幻想，然後卡波就這麼躺到他大腿上，沒打一聲招呼，就像交往許久的戀人一般自然。要不是感覺很溫暖，坦尼爾或許會有點不舒服。但他此刻感到滿足，甚至有點高興。

坦尼爾彷彿神遊了好幾個小時，接著在一陣寒意中醒來。他不知道自己睡了多久，但太陽早已下山，滿天星斗高掛天際。剛剛那個滿足的時刻來自夢中嗎？

不。

弗林凝望著燒紅的木炭，芬利正在收笛子，芬特躺在火堆旁輕輕打鼾。卡波依偎在他懷裡，閉著雙眼，面帶微笑。

坦尼爾抬起空著的一隻手，撩開她額頭上的紅髮絲。她的頭髮在山頂之戰後又開始長長了，髮色似乎比之前更深更鮮艷。

坦尼爾察覺到旁人的目光，是弗林在看他。

「她很漂亮。」弗林說。

坦尼爾沒有回答，他怕自己亂說話。他腦中浮現「不恰當」和「野人」之類的詞語，但不像往常那樣刺耳。那些東西有什麼意義？他說不定明天就死了。

「謝謝你。」坦尼爾對弗林說。「謝謝你邀請我。」

「我們的榮幸，長官。士兵很少有機會和你這樣的英雄一起用餐。」

「不是英雄，我不是。我只是個滿腔怒火的普通人。」

「如果你真的滿腔怒火，那女孩就不可能在你身上睡得那麼香。」弗林對坦尼爾眨了眨眼。

坦尼爾覺得臉紅。

「我該給你提個警告，長官。」弗林說。

「警告什麼？」

「憲兵在找你，據說凱特將軍想把你吊死。」

坦尼爾語帶嘲弄。「如果他們真的要找我，早就找到了，我每天都在前線。」

「他們不想在弟兄面前逮捕你。你每天都在前線拯救許多士兵的性命，弟兄們不確定你是惡魔還是天使，但都認為你在看顧他們。你在作戰，而那些高階軍官都待在後方看著我們送死。如果凱特將軍他們在前線逮捕你，很可能會引發暴動。」

「要找到我的房間也不難。」坦尼爾說，看向他和卡波居住的棚屋。

「憲兵在營區裡低調調查，問過我們幾個問題。」弗林笑著搖頭。「大家都叫他們直接去前線找你。」

坦尼爾挑著塞在牙縫裡的軟骨。所以是步兵在罩他。他覺得有點可悲，他不值得他們保護。他會待在前線唯一的原因就是他只懂殺人，不是他想救那些士兵。

「那我又有更多事情要感謝你了。」

「別謝我，長官。」弗林說。「只要繼續在外面看顧我們就好。沒有其他軍官在幹這種事。」

「我盡力而為。」

「另外，長官，請避開第三旅。凱特將軍的弟兄愛戴她，我不知道原因，但他們都很忠誠，他們可能會把你交給憲兵。」

坦尼爾把卡波的重心移到肩膀上，然後站起身用手幫她保持平衡。她沒什麼反應，只有臉湊近他脖子，如羽毛般輕輕接觸，柔軟又溫暖。坦尼爾覺得身體出現反應。

「晚安，弗林。」他說。

「晚安，長官。」

坦尼爾帶著卡波回棚屋。他把她放在床上，蓋上毯子，然後從口袋裡拿出一根火藥條。

他凝視著火藥條好一會。只要吸一點點火藥，他就能在黑暗中視物，不必點油燈。反正他這幾天都沒怎麼睡。上次一夜好眠是多久以前了？兩週前？人類可以這樣過活嗎？他覺得僵硬呆滯，彷彿在夢中行走。

但只要吸點火藥，他就會再度甦醒，活力十足。

坦尼爾抓了一把火藥湊到鼻前聞了聞，然後停下來，將火藥重新捲回去。他找了一根火柴劃亮，點燃了床邊的油燈。棚屋裡突然變亮。

他從床下拿出來福槍開始清理。清槍讓他心靈平靜，方便思考。他把心思從躺在自己床上的卡波身上拉開，遠離憲兵和凱特將軍，遠離他父親的死亡和凱斯軍的入侵。

坦尼爾清理了來福槍，又清好手槍，然後捲了幾十條火藥條。他看著火藥。他需要火藥，想要火藥。

他沒讓自己吸火藥。

他最後清理的是刺刀。從皮套裡抽出刺刀，在火光下檢視。一條血槽裡有乾掉的血塊。他摳掉血塊，然後擦拭刀身。他感覺到床動了一下，於是抬頭。

卡波側躺著，一手放在腰上，一手撐著頭。她瞪大綠眼睛看著他，上衣微微掀起，他看見她腰部的灰白雀斑和臀部的曲線，覺得自己心跳加速。

「我得殺了克雷希米爾。」坦尼爾說。「把他徹底解決掉。但我不知道該怎麼做。」

卡波移動到床邊。她湊上前，伸手往床底下摸索，打開她的袋子。她翻了一會兒，然後拿出一個娃娃。

坦尼爾吞口水。那是個用蠟捏成的人形娃娃，一頭金髮，容貌俊俏，肩膀粗壯，嘴唇有點像女人。坦尼爾認得那張臉，是從天而降、自雲中走出來的那個男人。

克雷希米爾。

她從未見過克雷希米爾，至少他是這樣認為，她怎麼可能知道他的長相？

「我不認為妳的魔法強到足以殺神。」坦尼爾說。「我用兩顆紅紋彈射中他了。」

卡波若有所思地摸了摸下巴。她手指緩緩下移，經過喉嚨，抵達上衣，放在雙乳之間停頓了一下，然後又回到喉嚨。她比畫著切割的手勢，然後攤開手掌。

「血？」坦尼爾問道，感覺口乾舌燥。

她點頭。

「克雷希米爾的血？」

又點頭。

「我絕對沒辦法接近他身邊。」

她做個嘴型。試。

「妳要我和神近身肉搏，希望我能弄到他的血？」

卡波將腳轉移到床沿，從他手中拿走刺刀，放在床頭桌上。然後，她坐到他腿上，雙腿跨在他的兩側。

「波，我不……」

她一手抵著他的嘴唇。他想起在艾鐸佩斯特瑪拉菸館的情景，她在吊床上趴在自己身上，臉貼得那麼近。

他顫抖著。

卡波用兩根手指抵住自己嘴唇，然後貼上他的額頭。她做了個嘴型，沒說出聲音，但那個詞似乎在他心中迴盪。

睡吧。

睡吧。

他感覺自己的背撞到床，眼皮突然間沉如石磨，自己合上了。

睡吧。

「你為什麼要追求溫史雷夫女士？」妮拉問。

維塔斯閣下城中住所的餐廳中央，放了一張能坐十六人的鐵木餐桌。維塔斯坐在主位，餐盤是空的，他右手拿著杯紅酒，左手平放在餐桌上，五指撐開。妮拉坐在他右邊，雅各坐在他左邊，菲坐在妮拉旁邊。

妮拉小時候經常幻想能參加晚宴，透過銀器欣賞自己，拿鑲有金邊的紅酒杯喝酒。她從未想過那個美夢會變成噩夢。

他們已經連續十天和維塔斯共進晚餐。屋裡通常都很吵雜，到處都是人，有時甚至多達六十人，但晚餐時間向來都很寧靜。維塔斯會利用晚餐時間指導妮拉用餐禮儀，用恭維、稱讚和禮物收買雅各。妮拉痛恨每一刻。維塔斯從頭到尾都在閒話家常，有時候在教學，有時會詢問他們私人問題。

妮拉知道不能把這些舉動當成友善的表現。維塔斯在刺探他們，調查新的情報，然後歸檔到他那顆陰險的心裡。

當然，他從未透露過任何關於他自己的事。他是迴避話題的高手，所以妮拉很驚訝他竟然會回答這個問題。

「溫史雷夫女士，」他說。「是亞頓之翼傭兵團的老闆。我相信妳聽過？」

「大家都有聽過。」妮拉說著看向菲。家庭主婦直挺挺地坐在椅子上，凝視著雅各身旁的空位。過去十個晚上，那個位置上都坐著她兒子喬瑟，一個十五、六歲的男孩，右手缺了無名指。今晚那張椅子空了。

「大部分人都有聽過沒錯。」維塔斯說。「此刻他們受雇對抗凱斯軍隊，而我想雇用他們去其他地方打仗。」

妮拉撥動瓷盤裡的食物。她不想待在這裡，不想繼續看到維塔斯那張毫無人性的臉。「就這樣？他們是傭兵，你就不能……直接雇用他們嗎？」

「就這樣。」維塔斯說，冷冷地對她一笑。

當然不僅如此，他追求溫史雷夫女士還有其他原因。或許他是想雇用傭兵團，但他的計畫絕不會那麼簡單。妮拉不在乎，她只想要結束晚餐。但還沒結束，除非維塔斯說結束了。

「你打算利用她。」妮拉說。

「嗯？」維塔斯把紅酒杯湊到嘴邊。

「這才是這一切的重點。」妮拉比向餐桌。除了這一側的餐具外，餐桌上擺滿了紙張──信件、收據、清單，所有和維塔斯閣下相關的物品。她趁機看過一些，但那些似乎都毫無意義。

維塔斯向雅各微笑。「溫史雷夫女士是個合格的寡婦，也是非常聰明的女人，她會是很棒的妻子。」

「妻子？」這個詞在一陣爆笑中脫口而出。妮拉摀住嘴，被自己的笑聲嚇到。

「沒錯，」維塔斯彷彿沒聽出她語氣中的不相信。「妻子。」他靠向雅各。「你應該瞭解，所有貴族都需要妻子，和有人脈的人結婚是很重要的事。」

「我瞭解，維塔斯叔叔。」

「好孩子。」

「維塔斯叔叔，我以為艾卓已經沒有貴族了。」

維塔斯對男孩點頭。「艾卓的貴族都躲起來了，孩子。要記住，你是王位繼承人，有朝一日貴族會重返，到時候你就是他們的領袖。」

妮拉停止移動盤上的叉子。這是她第一次聽維塔斯提起貴族，她一直認為雅各身為王位繼承人一事，肯定在維塔斯的計畫中扮演一定的角色，但他從未提起過。

她等著維塔斯繼續說下去，他卻只是喝了口紅酒。

菲依然凝視著對面的空椅子。她開始輕輕前後搖晃，嘴巴微張，眉頭深鎖。

「你只是在利用所有人。」妮拉說。「我、雅各、溫史雷夫女士。」你到底在計畫什麼？妮拉很想大叫。你來艾鐸佩斯特是為了什麼？

維塔斯微微吃驚。「我當然是呀，這是貴族的處世之道。但是，」他一邊說，一邊親切地伸手拍了拍雅各的小手。「我是為了保護你們。貴族的職責就是要保護人民，不管他們得做多不愉快的事。」

妮拉一拍桌子，嚇得雅各跳起來。「不要！」她用力抓住桌子邊緣，不讓自己發抖。「不要怎麼樣？」維塔斯一派無辜地問。

「妮拉，」雅各說。「妳為什麼吼維塔斯叔叔？」

維塔斯又對妮拉冷冷一笑。

如果菲沒有開口，她很可能會抓起餐刀撲到維塔斯身上。

「我兒子呢？」

維塔斯手指在桌上敲了一下，他的注意力從妮拉轉移到菲身上。「妮拉，」他看也沒看她就說。「我想妳該帶雅各回房了，立刻。」

「不是有甜點嗎，維塔斯叔叔？」雅各問。

「當然，孩子，我派人送上去給你。去吧。」

妮拉還是想抓起餐刀撲上去。她等待、思考、計算自己的動作夠不夠快。「雅各，」最後她站起來伸出手，對雅各說。「走吧。」

她帶雅各上樓回房間，幫他拿出一堆玩具，然後回到自己房間，又衝回走廊，小心翼翼地避開會嘎吱作響的木板，來到向下通往廚房的僕役樓梯。她往下走了幾階，耳朵貼著牆壁。

「……燒掉了，」維塔斯語氣冷淡，聲音隱約穿透泥灰牆。「共有十一座墳墓。看來大火把他們燒死在床上了，附近的人說只剩下骨頭和骨灰。」

妮拉被一個哽咽聲嚇到，接著是一陣低沉的哭泣聲。

是菲。

維塔斯彷彿沒注意到菲的反應，繼續說下去：「我沒有時間上去親自調查，但看來妳的孩子都死光了。」

「我兒子在哪裡？」菲問。她停止哭泣，只剩下抽噎聲。

「我還收到可靠的消息，妳丈夫被湯瑪士監禁。看來他承認遭人勒索，而戰地元帥打算以叛國罪處決他。」維塔斯語氣平淡，彷彿在討論天氣。「我在黑刺監獄裡的線人不多，但再過一週應該就能得到更進一步的消息了。」

「我——」餐桌震動，彷彿有人敲桌子。「兒子在哪裡？」

維塔斯說：「既然妳丈夫被捕，妳和妳兒子對我就失去用處了。我會繼續把妳留在身邊兩週，但我已經把妳兒子賣去凱斯，他會被走私出——」

底下突然傳來尖叫聲和撞擊聲。牆壁震動片刻，然後恢復平靜。妮拉屏息以待。菲動手攻擊維塔斯嗎？她成功了嗎？

死寂延續了一陣，妮拉依稀聽見餐廳傳來粗重的喘息聲。

「那樣做，」維塔斯說。「並非明智之舉。」餐廳門打開，維塔斯對他的手下說話。「帶她下樓，我很快就會過去。」

沉重的腳步聲進入餐廳，下面再度傳來掙扎聲。

「我要殺了你，混蛋！」菲說。「我要挖出你的眼珠！割下你的舌頭！等我殺掉你，一點渣都不會剩下！」咒罵和尖叫聲隨著菲離開餐廳，在她被帶進地下室後很快變小。

妮拉又聽了一段時間，維塔斯才離開餐廳。他的腳步聲輕盈而有節奏，行經走廊，打開地下室的門。妮拉數了一百下，然後從僕役樓梯下樓溜進廚房。

她迅速環顧四周。廚房裡的擺飾和她上次來的時候不一樣。她從洗衣盆旁拿了張板凳站上去，在高櫥櫃裡摸索。什麼都沒有。她暗罵一聲，下了板凳。在那裡，洗手台下面，又回到小孩觸手可及的地方。

她抓起鹼水壺放在廚房桌上，沒多久就找出個空香料瓶。她吹掉瓶底的香料葉，倒了半杯鹼水進去。

「妳在做什麼？」

妮拉差點把鹼水壺摔到地上。她抬起頭。

榮寵法師道佛德站在門口。他的身高和白手套讓他氣勢凌人，所有僕役都知道他脾氣火爆。

「只是拿點鹼水，大人。」妮拉說。

「要做什麼？」

「晚餐的醬汁弄髒我的袖子了。」她捏起一邊衣袖，希望他不會真的細看。「我想在留下印子前先洗一洗。」

「我以為維塔斯閣下說得很清楚，妳不用再洗衣服了。」

「只是一小塊污漬，大人。」妮拉露出她希望是羞澀的笑容，肩膀向前收了收，擠壓乳房讓乳溝凸顯出來。「我不想麻煩僕人。」

道佛德的目光停留在她胸口。「好吧，但要確保孩子睡了。那個可惡的女妖今晚會得到教訓，要讓她安靜可不容易。」道佛德翻箱倒櫃直到找到半片麵包，若有所思地咀嚼著，然後離開廚房。

妮拉將大鹼水壺放回原位，把香料瓶塞進口袋。她回到房間，思考要同時毒死維塔斯和道佛德的難度有多高。

17

阿達瑪坐在出租馬車上，警惕地盯著從市郊街道開往自家的這一路。

他已經有兩個月沒回這裡了，自從他告訴維塔斯戰地元帥要去逮捕查爾曼大主教那天起，就沒再回來過。阿達瑪被迫欺騙維塔斯，但還是差點害死了湯瑪士。維塔斯會想要逮回阿達瑪——死活不論。

阿達瑪敢打賭，維塔斯有派人監視他家。

他留意房子正門附近的街道，沒有可疑人物，沒人逗留在窗口對他家流露出過度的興趣。這個區域的行人很少，只有一家人要前往市集，還有一個老人在陽光下散步。

馬車停在他家三棟房子外。阿達瑪檢查口袋裡的手槍，子彈和火藥都裝填完畢。

他拉高外套領子遮臉並壓低帽沿，下了車，付給車夫幾克倫納，接著謹慎地走向自己家，手杖緊緊握在手中。

窗葉都是闔上的狀態，窗簾和離開時一樣拉上。阿達瑪打量房子正面，看看有沒有外人到過的跡象。答案是沒有。

阿達瑪打開窄巷內的柵門，進入自家後院。他再度仔細檢查，還是沒有不對勁的地方。他等了好幾分鐘，不斷檢查屋子。鎖上沒有新的刮痕，花園裡沒有足跡。

他慢慢開始發現，或許自己對維塔斯而言根本沒那麼重要。維塔斯在為他主人克雷蒙提策劃一樁大陰謀，而自己是否已經無關緊要？畢竟據維塔斯所知，湯瑪士早就以叛國罪私下處決了他。如果維塔斯完全不在乎他，菲和喬瑟會不會已經死了，埋在某處的淺墳裡。

阿達瑪握緊拳頭又鬆開。不，不能那樣想。菲還活著，維塔斯仍囚禁著她，他會救回她的。

阿達瑪打開後門鎖，走進屋內。他閉上雙眼，深吸一口氣。由於門窗緊閉，屋內又悶又熱，但聞起來有老木頭、書、灰塵和菲以前燒的那種薰衣草線香味。他拔出手槍，小心查看每間房。

一切都和離開時一樣。維塔斯的手下在沙發和地毯上留下的血跡，還有天花板上的彈孔。走廊上也有彈孔，地板上也有，加上黑街理髮幫暗殺行動中造成的一切損傷。

阿達瑪一手持槍，一手拿手杖，爬上二樓。理髮幫就是在這裡攻擊他的。他看到索史密斯的血，在深色胡桃木階梯上看起來幾乎是黑色。

二樓沒人。沒有任何人翻過他的東西，或搜過這棟房子。

阿達瑪嘆氣，放低了手槍。他幾乎有點失望，那感覺彷彿維塔斯完全把他忘了。

他把手杖插入前門旁的置物架，隨即走向廚房。儲藏室裡或許有些豆子罐頭或什麼能吃的。弄點食物，找出他的鏟子，然後……

阿達瑪還沒來得及反應，就被某樣甩過轉角的東西打中鼻子。他臉上一陣劇痛，猛地抬頭透過眼淚看向天花板。

有人抓住他的衣領把他高高舉起，然後甩到牆上。阿達瑪嚥下一口自己的血，試圖用鼻子呼吸，結果只能發出一聲嗚咽。

阿達瑪被兩條強壯的胳臂壓在牆上。他掙扎了一下沒效果，然後抬手擦了擦眼淚。他看見一個臉上和衣服上有煤漬的男人。阿達瑪認得這個人，他是維塔斯的打手。

阿達瑪清了清喉嚨，裝出輕鬆的口吻。「你叫卡爾，對嗎？」

「沒錯。」鏟煤工嘴角扭曲。「我在這裡等你很久了。」

阿達瑪腦袋劇痛，鼻子肯定斷了，還一週內毀了第二套衣服。

「維塔斯閣下想和你談談。」卡爾說。「你可以安靜地跟我來，否則我會打斷你的牙齒。」

他是從哪冒出來的？整棟房子阿達瑪都檢查過了。這傢伙肯定是躲在地窖裡。他是拿什麼打自己的？棍子？

「好。」阿達瑪說。

卡爾鬆開手。阿達瑪感覺自己身體貼牆下滑，腳掌接觸到地面。這傢伙動作很快還很壯。該死的，阿達瑪真希望索史密斯在場。

「清理傷口。」卡爾說，放開了阿達瑪的外套。

他感覺膝蓋痠軟，整個人癱在地上。他壓到某樣東西，就在他胸口下。是他的手槍。他盲目地握住槍柄。

一隻手掌壓在他背上。「我沒事。」阿達瑪說。「只是……很痛。我去臥室換件衣服就跟你走，不會再反抗。」他喉嚨咕嚕作響，說話鼻音很重。

他奮力推起自己。見鬼了，臉實在好痛，灌三杯威士忌都不夠止疼。阿達瑪沿走廊走出三步，隨即轉身舉槍扣下扳機。

槍聲讓他的頭不知怎麼地，更痛了。

卡爾瞥了槍一眼，然後看向阿達瑪。

阿達瑪低頭看槍，然後看向卡爾，最後看著地板。

子彈在地上，肯定是手槍落地時滾出槍管的。

卡爾兩步上前打掉阿達瑪的槍，抓住阿達瑪喉嚨把他舉在空中摔向前門。牆壁都在震動。

阿達瑪掙扎著呼吸。他拳打腳踢，但不管怎麼做都不能逼卡爾放手。

「我要折斷你一根拇指。」卡爾說。

阿達瑪右手亂揮。他得想想辦法，他得……他感覺到自己的手碰到了架上的手杖。他緊緊抓住手杖末端，抬起它，用力擊打卡爾的太陽穴。

卡爾踉蹌退開，鬆開了手。阿達瑪推開他，使盡吃奶的力氣一杖敲下。

鏟煤工摔向一旁，一邊伸手格擋手杖。他抓住杖頭，猛力一扯。

阿達瑪發現自己陷入一場拔河比賽。卡爾再度拉扯，差點把阿達瑪拉過去。阿達瑪看見鏟煤工瞇起雙眼，心知自己下一次絕對撐不住。

於是他扭轉杖頭，手杖輕輕發出喀的一聲脆響。

卡爾用力拽著手杖，摔倒在地，驚訝地看著手上的半截手杖。

阿達瑪向前一撲，用前半截的杖劍刺進卡爾腹部。他拔劍，再刺入，又一次刺入。阿達瑪在最後一刺之後退到一旁，瞪著卡爾。

鏟煤工看著他，雙手摀著肚子，劇痛難耐。

「他會知道的。」卡爾說。「維塔斯閣下會知道你回來了，他會殺了你妻子。」

阿達瑪站起身平舉杖劍。「她還活著？」

卡爾沒回答。

「喬瑟呢？我兒子？」

「給我找醫生。」卡爾說。「立刻去，我就告訴你兒子的事。」

「我隔壁鄰居就是醫生。告訴我，我去找他來。」

卡爾痛苦長嘆。「你兒子……你兒子沒了。他們把他……我不知道帶去哪裡，但他走了。你妻子在這裡……她……」

「她怎樣？」

「找醫生。」

「告訴我。」阿達瑪的頭痛到達頂峰，簡直無法忍受，從他濕透的上衣和外套來看，他鼻子肯定流了很多血。

「維塔斯……會知道。他認為或許湯瑪士抓了你……你被逮捕或被槍斃……但如今他會知道你還活著。」

阿達瑪咬牙切齒。「只要他們沒找到屍體就不會了。」他不確定自己能不能刺得又狠又準，但他的杖劍還是插入卡爾眼中，碰到顱骨才停下。他拔出劍，等到屍體停止抽動，然後用卡爾的外套將劍擦拭乾淨。

阿達瑪脫下上衣，把血衫丟到卡爾的屍體上。他在屋裡搜尋其他鏟煤工製造出來的痕跡，然後去找刮鬍鏡。

模糊的視線和血淋淋的臉冷冷盯著他。他差點認不出自己。

阿達瑪的鼻子幾乎彎折到和頭部垂直，臉每次被輕輕碰觸都會讓他叫出聲。

他雙手分別放在鼻子兩側，凝視自己的雙眼。就是現在，機不可失。

他抓住鼻子把它推正。

阿達瑪直到前門有人敲門，才在自家廚房地板上醒來。他緩緩起身，看了鏡子一眼。透過血跡和塵垢，他看出自己的鼻子回復原位。他不知道為了扳回鼻子痛成這樣到底值不值得，現在還痛得想要倒回地上。

他花了一分鐘才邊抖邊重新裝填手槍。裝好彈藥後，他走到前門，透過窗戶觀看。是鄰居。一個老女人，有點駝背，穿著連身裙，匆忙間在頭上裹了條圍巾。他似乎從未問過她的名字。

阿達瑪拉開一條門縫。

女人看到他時差點尖叫。

「有事嗎?」他問。

「你……還好吧?」她聲音顫抖。「我以為聽到了槍聲,五分鐘前還有很淒厲的叫聲。」

「槍聲?沒有,沒槍聲。很抱歉我這個模樣。我摔斷了鼻子,剛剛在接骨。妳大概就是聽到我接骨時的慘叫。」

她看他的模樣彷彿把他當成幽靈。「你確定你沒事?」

「就鼻子摔斷了。」阿達瑪說,往自己的臉指了指。「意外而已,我保證。」

「我去找醫生。」

「不,拜託不用。」阿達瑪說。「我等一下自己過去,不必幫我找。」

「現在,立刻去找,我堅持。」

「女士!」阿達瑪以最堅決的語氣說。這樣講話讓他的鼻腔震動,痛得他差點倒地。「如果妳在意,我會自行就醫。不要找醫生,任何情況下都不要,不要去找。」

「你確定嗎……」

愛管閒事的傢伙。「很確定,謝謝妳,女士。」阿達瑪關門,看了一眼走廊的慘狀。到處都是血,地毯、地板、牆上,他身後的門上都是。

阿達瑪花了幾個小時清理,加上很多菲的備用床單才把那些血跡清乾淨。他清理得很匆忙,天知道還會不會有維塔斯的手下出現。他得把家裡清潔乾淨，絕不能留下任何他回來過的跡象。

清理完畢後，阿達瑪才開始打理自己。一整瓶紅酒下肚，頭痛終於從持續不斷的榔頭敲打變成隱隱作痛。天黑了，他用髒床單包裹卡爾的屍體拖出後門，心想等菲發現他把床單拿去幹什麼後會氣成什麼樣子。

阿達瑪的小花園角落有個工具間，工具間下有個沒在使用的小儲藏室，空間不比馬車車廂大多少。他進入小儲藏室，在黑暗中摸索幾分鐘，找到要找的東西：地板上一條鋪著鬆土的繩索。他抓起繩子，拉出一個硬木箱。

他把保險箱抬到花園裡，又回去將屍體丟進小儲藏室。他重新擺放工具，製造出很久沒人來過的假象，才關上工具間的門。

保險箱裡放著他為了成立「阿達瑪及友人出版社」而欠帕拉吉債後所存的錢。自從銀行把他的債務賣給帕拉吉後，阿達瑪就不信任銀行了。

然而，那筆錢不到兩萬五。

不夠，差得遠了。

阿達瑪又花了幾小時清理屋內所有血跡，然後拿了個旅行箱塞滿小孩的衣服、保險箱和他的拐杖及手槍，上街找出租馬車。

坦尼爾躺在防禦工事的槍孔牆旁，抬頭看著陰沉的天空。

白色的雲層在天空中緩慢移動，像是波濤上的泡沫在海灘上翻滾。白雲夾雜些許灰點，或許是下雨了？他希望不是。防禦工事會泥濘不堪，雨會淋濕雙方的火藥。

坦尼爾聽見遠方傳來凱斯軍的鼓聲。他躺在冰冷堅硬的地面上聽，鼓聲似乎很遙遠，艾卓軍指揮官的叫喊聲聽起來還比較近。他想叫他們閉嘴。前線所有人都知道今天很可能會死，都知道凱斯軍的進攻會成功，像昨天和前天一樣攻下防禦工事。

士氣不僅僅是死了，它已被處以絞刑、槍斃、溺死、分屍、埋在滿是岩石的墳墓裡。

「怎麼樣？」坦尼爾問。

伊坦上校站在防禦工事邊緣幾呎外的位置，揮舞著他的長劍，和其他軍官一樣努力提振士氣。他頭戴代表第十二擲彈旅軍官的紫羽熊皮帽，目光集中在進逼的凱斯步兵身上。對方距離防禦工事還很遠。

有些伊坦的擲彈兵輕聲竊笑。坦尼爾睜眼看是誰在笑，然後也對他們笑。他很驚訝自己可以笑得如此輕鬆。不過幾天前，「笑」還彷彿是個遺忘許久的概念。如今……

他在伊坦身後看見卡波。她坐在防禦工事上，縮起膝蓋，手托著下巴。她在注視著凱斯軍進逼。就連擲彈兵，艾卓軍中最強壯勇猛的部隊，眼睛裡都透露出狂野和緊張，因為他們知道身處前線代表什麼意義。但卡波的目光深邃、銳利，完全沒有一絲恐懼。她看起來和法特拉斯塔野貓一樣致命。

坦尼爾好奇她看見了什麼其他人看不見的東西。

「接近了。」伊坦說。他渾身緊繃，指節發白，緊握長劍。

坦尼爾懷疑克雷希米爾在哪裡。神為什麼還沒現身？他為什麼還不殺光他們，用魔法攻擊，而是一天一天慢慢磨損他的部隊？

「他們來了！」

坦尼爾雙手抓起來福槍。時機一定要抓準才行，不能遲疑。他得——

「動手！」

坦尼爾眼角隱約閃過一道陰影。他高舉來福槍，將兩呎半長的刺刀插入空中勇衛法師的兩腿之間。

坦尼爾感覺槍托在手中扭動。他大叫一聲使勁推出，把勇衛法師當成某種戰利品般舉起，然後把人重重摔在防禦工事上。

看來就連勇衛法師也會吃驚。怪物驚訝到在地上躺了很長一段時間，表情驚慌。接著他開始掙扎，企圖拔出坦尼爾插在他屁股裡的刺刀。

十幾名擲彈兵拿著刺刀和劍撲到勇衛法師身上。轉眼之間，勇衛法師就只剩下血肉模糊的肉塊。坦尼爾在艾卓陣線開火時從怪物屍體中拔出刺刀。

「把屍體丟出去。」伊坦說。他和兩個手下抓起勇衛法師推到防禦工事外，讓屍體滾落到下方的戰場上。

凱斯軍在火槍攻擊下攻勢受阻，好幾百人摔倒在地，但凱斯的戰爭機器直接穿越他們，壓低上了刺刀的火槍，準備妥當就展開衝鋒。

坦尼爾爬上防禦工事擊發來福槍，把一個凱斯少校擊落馬背。

伊坦來到坦尼爾身邊。「認識你是我的榮幸，朋友。」他說，眼睛盯著衝鋒而來的凱斯軍。

「我們今天不會輸。」坦尼爾把用棉布包裹的子彈塞入來福槍裡，用拇指壓碎一根火藥條。他深深吸入火藥，然後用手背擦了擦鼻子。「今天不會。」他提高音量。「我們今天不會輸。」

坦尼爾感受到滿腔怒火。他們有什麼理由輸？他們為什麼要轉身逃命？他們比凱斯軍強，全九國都害怕艾卓部隊。

他轉向擲彈兵。「你們是不是戰地元帥湯瑪士的手下？是不是？」

「戰地元帥死了。」有人說。

坦尼爾覺得自己口沫橫飛。「我問是不是？」

「我是戰地元帥的手下！」伊坦舉劍。「不論死活，我永遠都是！」

「你們是不是？」坦尼爾對擲彈兵吼道。

「是！」他們異口同聲，舉起火槍。

「艾卓部隊！湯瑪士的部隊！不會輸！撤退號角響起時——」坦尼爾指向擲彈兵。「想逃的人就逃，逃回那些脫離現實的將軍身邊，讓凱斯軍對你們的背後開槍。但我會在這裡，打到凱斯潰敗為止。」

「我也是。」伊坦舉劍喊道。

「我也是！」擲彈兵同聲大吼。

坦尼爾轉向凱斯軍。「送他們下地獄！」

坦尼爾看見他父親的臉宛如破爛旗幟般飄在眼前。他看見芙蘿拉、薩邦和安卓亞，還有其他所有的火藥法師。他看見第七旅和第九旅的朋友。接著，他們都消失了，世界染成一片紅色，坦尼爾感覺雙腳帶著他越過防禦工事，衝向凱斯步兵的利齒。

火槍和火砲聲瞬間淹沒在步兵衝鋒的腳步聲中。坦尼爾的刺刀劃開一名凱斯兵，接著槍托緊扣敵人槍托。他用力一推，士兵翻身退開。

一把劍劃過坦尼爾臉頰，就在眼睛下方。他感覺到那把利刃，但在火藥狀態下，大量腎上腺素在體內流竄，痛楚變得遙不可及。他用來福槍敲擊軍官下巴，然後用刺刀刺中步兵。

四面八方都是凱斯軍，他突然感到一陣恐慌。他速度多快或多強壯其實無足輕重，對方光靠數量優勢就能打倒自己，就和被他及擲彈兵分屍的那個勇衛法師一樣。

坦尼爾看見一把刺刀對準自己心臟刺來。他肩膀一沉，等著刀尖接觸他的外套順勢劃過，然後一拳打在對方臉上。

突然之間，援軍出現了。身穿熊皮帽和紅袖口外套的艾卓擲彈兵趕到他身邊，揮動火槍逼退凱斯的攻勢。

「推！」伊坦的聲音蓋過戰場喧囂。「前進！突刺！推！前進！突刺！」

凱斯步兵莽撞衝鋒，第十二擲彈旅陣勢整齊，每個人都體格壯碩，訓練精良，毫不畏懼地面對敵軍。他們緊跟坦尼爾衝出防禦工事，開始推進，刺刀疾刺，宛如農夫割草般剷除凱斯步兵。

坦尼爾加入擲彈兵的隊列和他們一起前進。他驚訝地發現凱斯軍彷彿在面前融化。坦尼爾見識過力量，見識過速度，但這些擲彈兵攜手合作所產生的戰力令他震撼。他打從內心深處感受到他們推進的節奏。

一名凱斯兵飛撲而來，撞退坦尼爾。擲彈兵封住縫隙，節奏絲毫不亂。坦尼爾和該名士兵扭打，把對方摔到地上，對準喉嚨一腳踩下。他回頭看一眼陣線，然後……

他眼角餘光看見一個勇衛法師撞穿擲彈兵陣線，艾卓部隊中最強壯的士兵如同玩具般被怪物撞散了。

又一個勇衛法師闖入陣線。伊坦上校向後跌開，眉頭染血。他迅速恢復過來，揮動沉重的長劍，砍斷勇衛法師手腕。勇衛法師撲上前抓住伊坦喉嚨，舉起重達十五石的男人，像狗甩老鼠般搖晃他。

號角響起。

撤退。

坦尼爾怒不可抑。不，他不撤退，他沒打贏絕不離開戰場。

坦尼爾大吼，忘掉腳下的士兵。他看見伊坦雙眼後翻，進入休克狀態。坦尼爾舉起來福槍，備妥刺刀衝鋒。

有東西從側面撞飛他，難以克制的墜落感令坦尼爾心跳加劇，接著他摔在地上，從一具步兵屍體上彈開。撞擊的力道震脫了坦尼爾的來福槍，當他再度起身時已手無寸鐵。

他沒有時間反應，這個新來的勇衛法師動作太迅速了。一記重拳擊中坦尼爾的臉，打得他原地轉圈。

坦尼爾站穩腳步，準備應付下一波攻勢。他透過心靈接觸一點火藥，但沒有反應。這傢伙是黑勇衛法師。

勇衛法師突然扭動掙扎起來，沒有繼續攻擊坦尼爾，因為卡波撲到他背上。她抓著一根深插在對方肩膀中的長針，掛在對方背後。她只差一點就插中他的脊椎，但此時那根針除了激怒對方外毫無作用。

坦尼爾拔出靴子裡的匕首，挺起肩膀，準備躍起，但勇衛法師突然僵住。對方身體前傾，雙膝跪地。卡波冷靜地拔回她的針，跳離勇衛法師。她笑容詭譎，手裡拿著半成形的蠟刻娃娃，手指飛快地完成這個娃娃。

勇衛法師搖晃起身，歪倒向一側，接著突然加速衝向凱斯軍。

約有半數擲彈兵還站著，戰線零零落落，每一刻都有更多人倒在凱斯步兵之前。勇衛法師一躍而過，落入凱斯陣中。

大部分步兵都不理會他，他們當然已經習慣勇衛法師，直到這個勇衛法師撿起地上一把長劍開始屠殺凱斯軍，恐慌才開始擴散。

凱斯軍驚慌失措，尖叫著遠離勇衛法師。有些人想留下來作戰，有些人開始攻擊他。一把刺刀刺穿了勇衛法師的脖子，怪物從槍口上折斷鋼刺刀，繼續戰鬥。凱斯軍開始動搖了。

坦尼爾曾赤手空拳殺過那些令艾卓軍聞風喪膽的勇衛法師，而如今卡波讓其中一個怪物去對付凱斯軍。一股興奮之情從他腳趾一路擴散到手指，坦尼爾不禁懷疑自己究竟發生什麼轉變，竟然能夠和那種凶猛的怪物對抗。

「過來！」他高舉來福槍。「集合！」他的聲音蓋過越來越響亮的撤退號角。「別管撤退信號，我們打！」

凱斯軍開始潰敗。他們的軍鼓沒有下令撤退，但士兵還是撤退了。戰場上僅存的勇衛法師終於寡不敵眾，慘遭屠殺。有些凱斯兵丟下武器，跪倒投降。

卡波控制的勇衛法師一路追趕凱斯軍回到營地，被其餘十幾個勇衛法師衝上去阻止。

卡波神色歡愉，手裡的蠟刻娃娃抖動旋轉。她張開嘴唇無聲歡笑。

勇衛法師繼續作戰。被刺、被射、被砍。他說什麼也不肯倒地。

接著卡波舉起娃娃，用拇指推斷娃娃頭。

勇衛法師倒地。

坦尼爾目瞪口呆地看著卡波。這個女孩，如此親密膩著他的女孩，怎麼能夠前一刻還像孩子般窩在他懷裡睡覺，下一刻就帶著復仇女神般的力量上陣殺敵？

她轉身，彷彿察覺他的目光，朝他露出羞澀的笑容。轉眼之間，她又變成了他在法特拉斯塔叢林中骯髒小屋裡解救的小女孩。

坦尼爾很想衝向她，把她扛離這個瘋狂之地，確保她毫髮無傷。但她不再是他要保護的人了。自從克雷辛克佳之後，他就有一種感覺，卡波的真正身分或她的真實面目將逐漸露出端倪。

坦尼爾不理會自己身上的傷，開始四下尋找伊坦上校。他在一具勇衛法師屍體下找到擲彈部隊上校。坦尼爾推開屍體，發現伊坦還有呼吸後鬆了口氣，但對方眼中有股強烈的恐慌。

「我的腳不能動。」伊坦說。

坦尼爾跪在伊坦身邊，開始被對方的恐慌所感染。「沒事的，」坦尼爾安慰他。「我們帶你去找醫官。」

「我的腳沒感覺！」伊坦抓住坦尼爾手臂。他喘氣，坦尼爾看出他試圖移動時吃力的表情。

「完全沒有感覺。」

坦尼爾覺得心碎。伊坦是他認識最強壯的人之一。死在戰場上是一回事，但終身殘廢……

「去找醫官！」坦尼爾喊道。「叫他們停止吹號角。我們贏了，可惡！」

伊坦身體一癱。「我們贏了？」

「我們贏了。」坦尼爾環顧戰場，看見艾卓營區有士兵跑來支援，如果他們當中沒有醫官，他就要找個人來掐死。

「你守住了。」伊坦說。「你守住戰線了。」

「不，是你，你和你的擲彈兵。」

「要不是你，我們也辦不到。」伊坦迅速眨了眨眼。坦尼爾檢查他全身，想找出傷口。伊坦的手指抓住坦尼爾外套的袖子，指節發白，表情痛楚。「我看到我弟兄看你的表情，他們此刻願意跟隨你直奔地獄，就和湯瑪士一樣，就和你父親一樣。」

「別說這種可怕的話。」坦尼爾說，覺得臉頰上有熱淚。「我一點都不像那個老混蛋。」

「坦尼爾，向我保證你會打贏這場戰爭，保證你會結束這一切，保證這場勝利不是艾卓最後一場勝利。」

「沒必要保證。」坦尼爾說。「你不會死。」

伊坦將坦尼爾扯近自己。「我天殺的腳沒感覺了，我知道那是什麼意思，混蛋，我再也上不了戰場了。所以你現在就向我保證，你會打贏這場戰爭。」

「我不知道辦不辦得到。」坦尼爾說。

伊坦甩了他一巴掌，坦尼爾的臉頰一陣火辣。「向我保證。」又一巴掌打得坦尼爾差點轉了一圈。即使躺在地上，腳不能動，伊坦還是很壯碩。「保證！」

一名女軍醫在伊坦面前跪倒。她上下打量著他，眉頭深鎖。「傷在哪裡？」

「我的背斷了。」伊坦語帶哽咽地說，眼睛仍盯著坦尼爾的雙眼。「向我保證。」

「不。」

伊坦熱淚盈眶。「懦夫，如果我要死了，你就會向我保證，因為那樣你不必對我負責。但我不會死，所以你不肯保證。天殺的懦夫！」

坦尼爾轉過頭去。他知道這是實話。

他們推了輛有遮棚的救護擔架車過來，車板上放著四張病床，把伊坦送回營區。伊坦轉頭不看坦尼爾，坦尼爾也沒有跟著一起過去。

他們摧毀了凱斯的進攻行動，敵軍約一千人死亡，傷兵多一倍，抓了數百名戰俘。坦尼爾過了一會兒才發現周圍都是士兵。第十二擲彈旅裡最矮小的士兵都比坦尼爾高出一個手掌。他不知道有多少人死於激戰，但他們的陣營肯定也損失慘重。

一名擲彈兵迎上前，坦尼爾考慮轉身離開。他可以推開他們走回營區。他們剛剛在聽嗎？有聽到他們的上校說坦尼爾是懦夫嗎？

壯漢把熊皮帽拿在手上，另一手空著握起拳頭。坦尼爾昂起下巴，等著被揍。

「長官。」擲彈兵說。

「動手吧，我活該。」

擲彈兵一臉困惑。他低頭看到自己的拳頭，連忙鬆開手。「長官，你絕不是懦夫。上校……沒人想要落得那種下場。他說的話……你不是懦夫。我們剛剛目睹你孤身一人衝向一整個凱斯步兵旅。我想告訴你，如果你有任何要求，任何需要，只要一句話，我立刻趕到。我想大家都是一樣的想法。」

擲彈兵紛紛點頭，開始踏著疲憊的步伐回營。

坦尼爾獨自在戰場上呆立片刻，看著軍醫推車運送死者和傷兵。他感覺有人在他身邊，不用轉頭就知道，是卡波。

他用外套袖子擦掉臉上的淚水。「妳不是該去檢查屍體還是什麼的嗎？」他問。

她牽起他的手。他很想縮回手，但是辦不到。

他們默默站在一起，活人、死人、垂死之人的血混在一起，把艾卓土地染成一片紅海。坦尼爾拉起她的手。這個突如其來的動作出於衝動，之後他會好奇是什麼驅使他這麼做，但他在她手上堅定一吻。

「我要了結這件事。」他說。「我要殺了克雷希米爾，徹底除掉他。妳要他的血？我去弄，就算會死也無所謂。」

他的餘光看見她輕輕搖頭。

她毫無預警地轉到他面前，一手摟著他後腦，把他拉到自己面前，溫暖的嘴唇貼到他唇上。那感覺彷彿有火隨著嘴唇接觸竄入他的血管，而當她終於退開時，他完全喘不過氣。他抗拒著想要跪倒的衝動，告訴自己會如此虛弱都是因為失血的緣故。

激情的片刻過去，卡波就和往常一樣，無聲地去做她自己的事，湊到艾卓兵屍體上。

坦尼爾呆呆地看著她好幾分鐘，直到凱斯陣線後方某樣東西令他回過神來。他轉瞬間又變回了軍人——警覺、專注、隨時準備應付來自敵方的威脅。

凱斯軍在營地裡豎立起一樣東西，就在巴德威爾城牆以北。這種距離都能看見，表示那玩意兒起碼有八層樓高。他吸入一小撮火藥強化視覺。

那是根大木樁，看起來像是用一棵大樹劈成的。士兵和囚犯圍在木樁底部周圍打轉，在其後成扇形散開，拉著綁在木樁頂端的幾條繩索。木樁被高高拉起，然後突然下降十到二十呎——大概是插入地上挖好的深洞——筆直豎立起來。

坦尼爾皺眉。他看見木樁旁有東西。人？

他聚焦火藥強化的眼睛。對，看起來是個女人，赤身裸體，手腕被釘在木樁上，手掌不見了，腰部有條繩子把她和木樁綁在一起。

坦尼爾大吃一驚。難道她是叛徒，綁在那裡是為了示眾？手掌被砍掉表示她是榮寵法師。是誰能……

對方身體動了一下。天殺的她居然還活著。

她抬起頭，坦尼爾覺得自己的血突然變得冰涼。他認得她，她在聖城克雷辛克佳和他作對，當時他在阻止她召喚克雷希米爾。

是祖蘭。

18

湯瑪士等待著夜班斥候歸來，同時聽著士兵們拔營的熟悉聲響。

今天早上部隊的聊天聲比過去兩週行軍期間多了一些。自從巴德威爾失陷後就一直缺少這樣的聲音。遠處有人在笑。最能提升士氣的方法就是飽餐一頓，加上擊敗凱斯先鋒部隊的高昂情緒，讓湯瑪士的部隊幾乎稱得上是興高采烈。

幾乎。

湯瑪士不喜歡吃馬，那會讓他想起在葛拉的日子，想起饑荒、疾病和炎熱的沙漠，他們為了生存而被迫屠宰自己的馬。馬肉比牛肉甜一點，味道重一點，騎兵戰馬的肉比較有嚼勁。

不過，至少他的肚子沒在叫了。

「士兵，什麼事？」

芙蘿拉立正站在他的營火對面，向他敬禮。

「發現凱斯軍，長官，他們舉白旗來。」

湯瑪士往火堆甩入一塊脂肪，看著它滋滋作響。他起身，在已經弄髒的手帕上擦手。這又是他們得面對的另一個麻煩，沒有隨軍人員表示沒有洗衣工，他的兩套制服都髒兮兮的，整個人聞起來像座糞坑。

亞頓禁止你自己洗衣服，他腦後有個小聲音說。湯瑪士輕笑。

「長官？」芙蘿拉問。

「沒事，士兵。我在營區外圍接見他們。歐蘭！」

「來了，長官。」

歐蘭和來福槍戰隊一名身材矮小的保鏢來到湯瑪士身旁。第九旅擔任後衛部隊，最後幾頂帳篷已經捲起來收好，火堆也熄滅了，二十分鐘內就會出發。第七旅的前線部隊已經走出半哩外。

他走過一排馬車，都是在棄城胡恩朵拉裡找來的。車板上染滿傷兵的血跡，離十步遠都能聞到死亡的氣味。今天它們將運送過去兩天中倖存下來的傷兵。

「把馬車清洗乾淨。」湯瑪士對歐蘭說。「事實上，我是要強制部隊洗澡。樹林裡有很多溪流，配合斥候排班，只要經過溪流就安排五十人下去洗澡。如果不注意清潔，營區很快就會有傳染病。」

「是，長官。」歐蘭戳了戳自己髒兮兮的制服。「我也想洗一下。」

他們離開艾卓營區，經過後方崗哨。此地的森林一片寧靜，只有松鼠和鳥兒的叫聲。湯瑪士喜歡聽鳥叫，能讓他聯想到和平時期，不會去想食腐烏鴉的叫聲和在眼中揮之不去的屍堆回憶。

凱斯騎兵尚未看見湯瑪士，他就已經看見對方了。

共有十幾名騎兵，他們騎在馬上，站在路中間，面無表情地看著艾卓崗哨。他們身穿沉重的胸甲，底下是綠邊褐色制服。他們在湯瑪士接近時下馬，其中一人摘下頭盔走過來。

「戰地元帥湯瑪士？」

「我就是。」

「我是畢昂．傑．伊派爾將軍。」畢昂的艾卓語帶了點口音，他伸出手。「我的榮幸。」

湯瑪士和將軍握手。畢昂是個不到三十歲的年輕人，長相有點稚氣，顯然受到了魔法影響，這種魔法使九國的每位國王在年過半百後仍保有年輕容貌。光是這一點，就足以讓湯瑪士知道畢昂是伊派爾的兒子，更別提他的姓名和聲望。

「國王最寵愛的王子，你聲名遠播。」

畢昂微微側頭。「你也一樣。」

「有何榮幸讓你大駕光臨？」湯瑪士問。這當然是客套話，湯瑪士知道畢昂此行的目的。

「我想瞭解你到我們國家有何企圖。」

「只是為了回我自己的國家，同時防止我國遭受外來暴君侵略。」

聽到對方侮辱父親的言語，畢昂眼睛都沒眨一下。湯瑪士暗自記下這一點。看來他比他哥哥冷靜多了。「恐怕我不能任由你這麼做。」

「那就是沒得談了。」

「我也不認為沒得談。」畢昂說。「我是來請你投降的。」

「沒得談，我不投降。」湯瑪士冷冷駁回。

畢昂點了點頭，點頭的對象彷彿是對自己。「我就怕你這樣說。」

「怕？」湯瑪士聽過畢昂的名聲，他不是會怕的人。畢昂勇猛到近乎莽撞，他會把握謹慎指揮官裏足不前的機會，他的勇氣是他的優點。

「我不喜歡追殺偉大的戰地元帥湯瑪士。該怎麼說呢，你已經讓我的先鋒部隊夾著尾巴逃走了。」他回頭看向其中一名騎士，那是一個重裝騎兵，攜帶長劍，但沒有穿胸甲騎兵的胸甲。「他們的指揮官差點沒命。」

「你可以不要管我。」湯瑪士輕鬆地說。「我幾週內就能離開你們國家。」

畢昂輕笑。「那我父親會砍了我的頭。湯瑪士，你的部隊在挨餓，你們現在除了我的先鋒部隊留下的馬肉，沒有其他食物。我這個人很公平，先來跟你分析清楚局勢，然後你再決定要不要投降，如何？」

湯瑪士輕哼一聲。「那可不光只是公平而已了。」

「很好。我有一萬名重裝騎兵，五千五百名胸甲騎兵。我哥哥的三萬步兵距離我們一週的路程。我知道你有一萬一千人，而我們的人數比你們多三倍，你沒機會逃離我們國家。現在投降，你的手下會以戰俘的身分接受我們的款待。」他停頓了一下，舉起手彷彿對聖繩發誓。「我調查過你，湯瑪士，你不會讓手下白白送命。」

「如果你調查過我，」湯瑪士輕聲道。「你就知道我不會輸。」

畢昂一副饒富興味的模樣。「你死定了，湯瑪士。有什麼要求嗎？」

「有，我有超過一百名傷兵，如果我把他們交給你，你會善待這些戰俘嗎？」

「讓你加快趕路的速度？不，落在我們手中的傷兵都會以罪犯的身分處死。」

畢昂是個徹頭徹尾的紳士，他很可能在虛張聲勢，但湯瑪士敢冒這個險嗎？

「那麼，將軍，我和你無話可說了。」

畢昂點頭致意。「我想祝你好運，但……」

「我明白。」

凱斯人翻身上馬，沒多久就沿路離開。湯瑪士看著他們走遠。那個將軍是個麻煩。「無能」基本上是凱斯軍的特徵，他們的貴族能用錢買軍職，或因國王一時興起而當上將軍。

然而，偶爾也會有人才嶄露頭角。

「歐蘭。」湯瑪士說。

保鏢當即立正，不過目光始終盯著凱斯軍離開的方向。湯瑪士知道他很想動手。

「長官。」

「給我弄把斧頭，和我在隊伍最前面會合。」

所有艾卓步兵的基本工具裡都有手斧和鏟子，用來砍柴火和挖糞坑。

一個好的指揮官，會強化這些工具的用途。

湯瑪士上馬騎到隊伍最前方，在擔任先鋒的第一營中找到亞伯上校。湯瑪士騎到上校身旁時，他正在扭動下巴，把假牙吐在手上。

「好天氣，長官。樹蔭讓森林涼爽。」

湯瑪士環視道路。山道沿陡坡蜿蜒而上，樹木生長得十分茂密，但因有足夠的陽光照射地面，下方的矮樹叢也長得很旺盛，荊棘密布。如果不走山道，這裡的地形基本上無法讓人通過。

「上校，我們聊一聊。」湯瑪士說。「選兩排人馬到路邊。」

亞伯令十九排和三十四排集合。當他們離開山道進入森林時，歐蘭也到了，他下馬遞給湯瑪士一把斧頭。

湯瑪士脫掉外套和上衣，看著眼前的弟兄。「有一萬五千名騎兵在後頭緊追不捨。」他說。「在馬背上，他們比我們快，比我們輕鬆，我打算改變這一點。每當地勢變窄時，就像那裡——」他比向前方山道轉而向上的位置。「我們就留下幾噸碎石。去找岩石、斷樹，任何可以擋路的東西。部隊過去後，我們就把路擋起來。」

湯瑪士挑選最近的一棵樹，樹幹粗到三人也無法環抱，非常完美的選擇。他站在面向道路的一側，開始砍樹。

兩排士兵也跟著拿斧頭和鐮刀砍樹，在附近的森林裡尋找所有可用之物，在路邊堆了許多障礙物。湯瑪士又從隊伍中調了兩排人出來，等到最後一名士兵通過時，他們已經準備好推倒六棵巨樹，讓它們橫在路中間。

湯瑪士在聽見馬蹄聲逼近時轉頭。

來的人是加瑞爾，他停在湯瑪士身旁。

「你是那個方向最後的斥候？」湯瑪士問。

「對。」加瑞爾說。「凱斯軍距離我們一哩遠，他們速度不快，我不認為他們在趕時間。」他看了看湯瑪士在幹的事。「像伐木工一樣砍樹。我喜歡這樣的你，希望不是白費心力。」

「他們要花數個鐘頭才能清掉這些東西。」湯瑪士說。

「他們也可能會繞路。」

湯瑪士擦掉額上的汗水。如果他們在森林裡找到其他路走，這一切就是枉然。「可能嗎？」

「他們得派人探路。」加瑞爾說。「還會小心翼翼，以免你布置陷阱。或許你幫我們爭取了一些時間。」

湯瑪士從歐蘭手裡拿回自己的上衣，一名士兵把他的戰馬牽來。他爬上馬鞍，對著士兵們喊道：「砍倒！」

片刻後，巨樹紛紛倒地。它們交錯傾倒完全擋住山道，讓敵方無法用繩索和馬輕鬆移開。他們又把其他障礙物丟出去擋路。做完這些後，湯瑪士命令士兵加快速度追上部隊。

「命令斥候去找適合擋路的位置。」湯瑪士對加瑞爾說。

「沒問題。」

「歐蘭，那兩排弟兄今晚加配一倍馬肉，他們應得的。」

「是，長官。」

湯瑪士穿回上衣。「想一下還有沒有能拖慢凱斯軍的辦法。他們還是有可能派一、兩個連追上來，但我要他們的主力部隊盡量遠離我們。」

「我聽說你和凱斯將軍見過面了。」加瑞爾說。

「沒錯。畢昂・傑・伊派爾，伊派爾的小兒子。」

加瑞爾咕噥一聲。「我聽說他是好人，至少就伊派爾的兒子而言算是。」

「他是。」

「情況如何？」加瑞爾問。

「有一點遺憾，有一個希望。」

加瑞爾興致勃勃地問。「什麼希望？」

「希望拒絕投降不是大錯誤。」

「遺憾什麼？」

「可惜畢昂不是伊派爾的長子。他會是個好國王，我很遺憾得殺了他。」

⚔

「我用最快的速度趕來。」阿達瑪說。

「請坐。」

阿達瑪在理卡對面坐下，靠著椅背。理卡神色嚴肅，禿頂腦袋上僅存的頭髮凌亂不堪，眼神疲憊，鬍鬚也沒整理，衣服縐巴巴的，非常不像理卡。

理卡盯著地板。「你聽說了嗎？」他問，指向桌上的報紙。

那是一週前報導戰地元帥死訊的報紙。

「全艾卓的人都聽說了。」阿達瑪表示。

理卡終於抬起頭，在看到阿達瑪的臉時，差點摔下椅子。「你又出什麼事了？」

阿達瑪本想哼一聲，但那會讓他痛不欲生。他看起來比理卡更慘，睡眠不足，鼻子最近斷過又接回去，滿臉都是割傷和瘀青。阿達瑪慘不忍睹，而且外貌已經影響工作了，沒人願意和被扁得屁滾尿流的人談生意。

「我最近和人起了幾次衝突。」阿達瑪說。

理卡等他解釋，但阿達瑪不打算多說。

「是啊……好吧……」理卡目光慢慢從阿達瑪臉上移開。「全國都不平靜。凱斯在南方步步進逼，湯瑪士是團結整個國家的膠水，少了他，保王分子又開始蠢蠢欲動。」理卡伸手梳了梳頭髮。「湯瑪士的其他議會成員……我們已經開始起內鬨了。我不知道我們該怎麼辦。」

「選舉還會繼續進行嗎？」

理卡惱怒地雙手一攤。「沒有其他選項了。我們可以宣布戒嚴，延期舉辦選舉，但是所有部隊都在南方前線對抗凱斯軍。」理卡揉了揉眼睛。「這就是我找你來的原因——克雷蒙提閣下已經展開行動了。」

阿達瑪坐直了。「怎麼樣？」

理卡往地上吐口水，立刻又一副後悔的樣子。「他宣稱要競選艾卓第一行政官。」

「那怎麼行？」阿達瑪難以置信。「他又不是艾卓人！」

「啊，他確實是，至少他提供給政府官員審查委員會的資料是這麼說的。飛兒！飛兒，給我進來！」

阿達瑪之前見過的年輕女子閃進房內。她的頭髮編成長辮垂在肩上，身著一件領口寬鬆的摺邊襯衫。「先生？」

「飛兒，關於克雷蒙提，妳查到了什麼？」

「什麼都沒有。」飛兒說。「如果他的出生紀錄是偽造的，那可偽造得真好。我們有人在調查所有和他有關的資料。他從未宣稱自己是布魯丹尼亞人，而布魯丹尼亞—葛拉貿易公司不須要具備布魯丹尼亞公民身分就能出任老闆。」

阿達瑪發現自己不由自主地盯著飛兒看，突然起了疑心，但不太清楚原因。「繼續……繼續說。」阿達瑪說。

「妳找到他和維塔斯閣下之間的關聯了嗎？」阿達瑪所有關於維塔斯和克雷蒙提的情報，都來自大業主的閹人，還有維塔斯自己承認的。如果有人誤導他，那整個調查都會走樣。

「我們查不出來。」

「他有什麼理由想當艾卓第一行政官？理卡，你不是告訴我第一行政官只是名義上的領袖而已嗎？」

理卡不安地變換坐姿。「就我的看法，第一行政官應該是那樣沒錯。」

「實際上，」飛兒不等理卡指示就說。「首任第一行政官將會確立之後所有第一行政官的行事標準。第一行政官能擁有多少權力，如何行使權力，完全取決於首任第一行政官有多強勢。」

阿達瑪撫平外套。這女人為什麼令他如此不安？她舉手投足間有股他之前沒留意到的氣質，一種難以言喻的感覺。「如果克雷蒙提當選，他可能會在艾卓取得類似國王的權力？」

「不會有像國王那麼大的權力。」理卡解釋。「設計這套體系時就有刻意防止那種情況再次發生。不過……還是可以掌握很多權力。」

「該死的。」阿達瑪說。

飛兒走到理卡身邊。「先生，如果我……」

「就是這個！」阿達瑪瞪她。

「什麼？」理卡問。

阿達瑪慢慢把手伸進口袋，抓住手槍槍柄。「妳講話的語氣和他一樣。」他對飛兒說。「抑揚頓挫都很像。不是很容易注意到，你們不像親戚，但很像是在同一所精修學校裡受過訓練。」

「你在說誰?」理卡問。

「維塔斯閣下。」

理卡和飛兒交換了一個眼神。

「不妙。」飛兒說。

理卡同意。「非常不妙。」

阿達瑪的目光在兩人之間游移。他一手抓著槍柄,一手握緊杖頭。他感到下巴緊繃。現在是什麼情況?他們知道什麼他不知道的事?

理卡對飛兒說:「我要告訴他。」

「知道此事的人不多。」飛兒皺眉道。

「你們兩個到底在說什麼?」阿達瑪問。

理卡向前靠在辦公桌上,一手托著下巴。「你聽過斯達蘭的芳騰學院嗎?」

「沒聽過。」阿達瑪說。理卡或飛兒看起來都不像是要撲到他身上的樣子,於是他鬆開手槍和劍杖。「是一所精修學校?」他猜。

「類似。」理卡說。「那是非常獨特的學院,每一千名學生裡只有一個能畢業。」

「為什麼這麼難?」阿達瑪問。

「因為很辛苦。」飛兒開口。「每天上課十八小時,連上二十年,有各式各樣的訓練:格鬥、性愛、科學、政治、哲學,已知世界裡所有知識都有涉獵。入學後終其一生都不能再和朋友或家人聯絡，願意只對一人或一個組織效忠，不在賄賂、威脅、痛楚或死亡前低頭。」

「聽起來很糟。」阿達瑪說。「我應該要聽過這種地方才對。」

「不，」理卡說。「你不該聽過。」

飛兒看著自己的指甲。「芳騰學院只會對潛在客戶透露他們的存在，購買一個畢業生要三千萬克倫納。」

「購買？所以是奴隸？」阿達瑪搖晃椅子。三千萬克倫納是一筆鉅款，九國全境能動用那種程度金額的人不到五十個，而他不認為理卡是其中之一。

阿達瑪不知道該不該相信此事。那種組織怎麼可能存在？世界上肯定還有奴隸制度，但在九國內？已經好幾百年沒有了。「妳是要我相信，妳和維塔斯閣下都是芳騰學院的畢業生？」

「看來是如此。」飛兒說。「我無法肯定此事，但既然你察覺了我們的相似之處，多半就不是巧合。」

「那妳能提供什麼關於他的情報？」

「所有畢業生都有不同的專長，而如果他是畢業生就很危險了。他會很擅長勒索和破壞，比城內大部分人聰明，包括你在內。他也熟悉各種武器，但最可能偏好匕首和手槍。」

「妳的專長是什麼？」阿達瑪問。

飛兒笑而不語。

「我們可以私下談談嗎？」他對理卡說。

理卡朝飛兒點頭。

「先生，」飛兒提醒道。「嚴格來說，芳騰學院不是祕密，但我們不喜歡對外宣揚，請不要洩露此事。」

「我尊重妳的隱私。」阿達瑪說。

飛兒離開房間，留他和理卡單獨談話。

阿達瑪看著友人將近一分鐘，然後才開口。「你買了一個女人？」

「阿達瑪……」

「我沒想到連你也會幹這種事。」

「不是那樣的，我——」

「不是那樣，真的嗎？」阿達瑪揚起眉毛。

「好吧，或許有點算是，但我不是為了那個才買的。」

「那是為了什麼？」

理卡一臉陰沉。「我愛這個國家，愛我的工會，絕不會坐視外來勢力摧毀它們。我一定要成為首任第一行政官，就算為此送命也在所不惜——或是為此殺人。」

「什麼時候？」

「什麼什麼時候？」

「你是什麼時候……買……她的？」

「夏天完成交易的，她四週前抵達。」

「你又上哪去弄來三千萬克倫納？」

「她值一千萬。」理卡說。「約我全部財產的一半。她只在學院學了十年而已，通常要二十年才能畢業。」

阿達瑪搖頭。「一千萬買個女孩，你到底在想什麼？」

「她經營工會的手段比我還強。」理卡低聲道。「一個月內，才一個月，她就幫我賺了五萬克倫納，強化了競選實力。她來之前，我只有幾個好點子，現在我成為艾卓第一行政官的機會很高。她值那個價錢。」

「你信任她嗎？既然她這麼聰明，你怎麼能防止她把你殺了，進而控制工會？」

理卡說：「忠誠。接下來三十年內，她都歸我所有，那就是在芳騰學院學習的代價，還有聲望。如果她背叛我，學院會主動追殺她。」

阿達瑪再度撫平上衣。這件事太誇張了。「這倒提醒了我。」阿達瑪說。「我要借錢。」

「你還欠帕拉吉錢？」理卡問，似乎很高興能不去談飛兒的話題。「我很高興你終於恢復理智了。你到底為什麼不讓我幫你還債？」

「帕拉吉死了。但我不是要說那件事。我要借五萬克倫納，立刻要，而且要鈔票。」

理卡對他眨了眨眼。「五萬？我可以簽一張五萬克倫納的支票，立刻就能開給你。」

「一定要現金。」

「辦不到，艾卓沒有銀行會讓我一次提領五萬。我要兩週才能拿到全款。」

「太久了。」阿達瑪說著，揉了揉眼睛。他只能靠理卡才能籌到錢付給維朗迪敘上校，然後釋放包。靠他自己怎麼可能在一週內籌到這麼多錢？

好吧，或許理卡不是唯一的希望。

「你聞起來就像北行驢子的屁股。」加瑞爾說。

湯瑪士坐在地上，看著自己的戰馬吃山道旁的乾草。部隊停下來稍事休息，而他就在先鋒部隊附近。

湯瑪士聽見遠方傳來來福槍的開火聲。又有凱斯斥候隊接近到攻擊距離內。自從和畢昂將軍會面後，凱斯軍就一直緊追不捨。他們的重裝騎兵待在附近，十到二十人一組，包抄後衛，盡可能製造騷動。

湯瑪士厭倦這種戰術。他設置了十幾處陷阱，害死了數百名凱斯重裝騎兵，但他的部隊就連停下來搜刮糧食都不行，不然就會被更多敵軍包抄。

加瑞爾聞了聞空氣中的味道，彷彿想要強調剛才說的那句話。

湯瑪士低頭看自己的制服。深灰色的部分不太容易看出污漬，但銀色和金色滾邊就有點髒了，而外套下的亞麻上衣早已染黃，袖口則被火藥和塵土弄黑。他的臉上和手上蒙了一層灰，彷彿有兩層皮膚，而他不敢想像脫下鞋子後腳會臭成什麼樣。

「我聞起來還好。」他告訴自己的大舅子。

「洗澡的第一守則，如果聞不到自己的臭味，那就該洗澡了。而且也該停下來吃午飯了。馬肉已經吃完，但至少能讓弟兄們休息一小時。」加瑞爾說。「順著那條溪往上走幾百碼，你會看到瀑布，那裡可以提供一點隱私。」

「你到底要不要回報狀況？」

「等你洗好澡再說。」

湯瑪士打量加瑞爾一會兒。他和湯瑪士多年前認識的那個男人已大不相同。潘斯布魯的賈可拉身材高瘦、英俊瀟灑、下巴乾乾淨淨、肩膀寬厚。加瑞爾擔任守山人期間體重增加不少，他練得很壯，看起來即使大家都餓死了，他還能撐得下去。

這個陰鬱的想法讓湯瑪士輕笑出聲。

「我是認真的。」加瑞爾說。

湯瑪士爬起身，一股幼稚的衝動浮上心頭，於是他對加瑞爾比了個粗魯的手勢，這才沿著隊伍離開。士兵們躺在路旁，汗水浸透了制服。沒人向他敬禮，但湯瑪士也沒有因此發作。休息的隊伍中有兩個人在打架，班長迅速把他們拉開。士兵又要開始挨餓了，形勢會越來越嚴峻。

他找到那條小溪，有數十名士兵脫了個精光在冰水中洗澡，他經過他們，繼續往上游走。

那條溪沖刷出一條溪谷，兩旁都是陡峭的土坡，樹長得更高，聳立在他頭上數百呎，讓湯瑪士有點幽閉恐懼的感覺。

沿著溪流拐個彎，湯瑪士聽見瀑布的水聲。他停下腳步觀察溪谷。這裡的地形對他們非常不利，就算一整個部隊來襲，動靜也會被水聲遮掩。

他們每次休息都會派人在四分之一哩外站崗，不會有人毫無預警跑出來攻擊他。

湯瑪士繞過轉角，看見歐蘭已經在那裡了，脫到剩條褲子，仰頭任由瀑布的水落在臉上。

湯瑪士朝他走過去，正要開口打招呼，聲音突然卡在喉嚨裡。

芙蘿拉和歐蘭一起站在瀑布下。她一絲不掛，制服和其他裝備都丟在溪岸上。歐蘭雙手撫摸著她的秀髮，拉開纏在一起的髮結。她說了句話惹歐蘭大笑，然後她轉向他。她身體貼在歐蘭身上，張開嘴巴，歐蘭低頭湊上去。

她突然睜開雙眼，輕輕走過歐蘭，轉身背對湯瑪士。歐蘭說了句話，然後偷看一眼湯瑪士。他突然開始用力洗自己的頭髮。

「怎麼了？」有人拍拍湯瑪士的肩膀。「沒見過裸女嗎？」加瑞爾走過湯瑪士，往瀑布移動，邊走邊脫衣服。

湯瑪士心跳加劇，暗自感謝自己沒給嚇得跳起來。他發現自己剛剛是在偷窺。他覺得臉紅，於是走向瀑布，脫下他的制服。

芙蘿拉離開水面去拿背包迅速著裝。片刻後，現場就只剩下湯瑪士、加瑞爾和歐蘭。

「你知道，」加瑞爾對歐蘭說，把自己的制服丟到旁邊的岩石上。「洗澡時要脫褲子。」

歐蘭清了清喉嚨，尷尬地笑了笑。他看向芙蘿拉離開的方向。

加瑞爾笑得肚子在抖。「真是個美女。我明白你為什麼不脫褲子了。」他用手肘頂了頂歐蘭的肋骨，差點把他頂倒。歐蘭斜嘴一笑，看了湯瑪士一眼，接著笑容瞬間消失。

「芙蘿拉是坦尼爾的未婚妻，」湯瑪士說。「直到今年初夏為止。」他瞪著歐蘭。他這是撞上了什麼？這兩人是搞在一起很久了，還是只是一時興起？

加瑞爾或許有注意到氣氛緊繃，但完全不加理會。「現在不是未婚妻了，對吧？」他聳聳寬闊的肩膀。「美女就是美女，沒有訂婚只是加分而已。」

「我常常會忘記你……對女人的……嗜好。」

加瑞爾面對湯瑪士，毫不遮掩自己的裸體。「你還忘了艾莉卡死後那年，有多少十七歲的貴族女兒試圖取悅九國境內最有身價的單身漢……我們跑去凱斯之前，你上了多少個？」

湯瑪士完全把洗澡拋到腦後，一把抓起他的外套，繃緊下巴。「說話小心點，賈可拉。」

歐蘭趁機溜出瀑布，撿起地上的衣服和手槍，開始往下游走。

「我們要談談，歐蘭。」湯瑪士說。

歐蘭僵住，水滴掛在棕色鬍鬚上。

加瑞爾用粗手指戳了戳湯瑪士的胸口。「你自己也有過不少女人，湯瑪士，包括我妹妹。這表示我想說什麼就能說什麼。」

湯瑪士低頭看著加瑞爾的手指，認真考慮扭斷它。加瑞爾自以為是什麼人，竟敢這樣和他說話？如果是在公開場合，湯瑪士別無選擇，只能找他決鬥。而現在這種情況，他很想往加瑞爾鼻子揍一拳。真要打，加瑞爾占有力量和體重的優勢，湯瑪士則速度較快。如果他有火藥，那就沒什麼好打的了，他可以……

他阻止自己想下去。此時此刻身處凱斯境內，遠超己方人數的敵軍正在追殺他們，而他一心只想在下次開打前好好洗個澡。但他在做什麼？加瑞爾又不是敵人。

他往後看一眼，歐蘭已經跑了。

「你太頑固了，湯瑪士。」加瑞爾說。

湯瑪士把制服掛在突出的樹根上，走到瀑布底下。冷徹心扉，水簡直和冰一樣冷，從聳立在他們東邊的山峰流下來。

「親愛的克雷希米爾呀！」他覺得兩條腿都要凍僵了。

「我當守山人時洗過更冷的水。」加瑞爾說。

湯瑪士望向下游，歐蘭離開的方向。「芙蘿拉和我的坦尼爾訂婚。據我所知，他現在可能已經死了。我絕不要——」

「婚約解除了。」加瑞爾打斷他。「你自己說的。算了吧，你背著艾莉卡鬼混多少次？」

「一次都沒有。」湯瑪士說，語氣比溪水更冷。

加瑞爾扮了個一點也不相信這種鬼話的鬼臉，張口欲言，但湯瑪士搶先說話。

「敢質疑我的榮譽你試試看。」

「我不會再提了。」

「很好，現在他媽的給我回報情況。」

「凱斯軍拉開距離約八哩。有些路障發揮了功用，有些沒有。在這種山道上，騎兵最多只能兩騎並行，所以他們自己的部隊就好幾哩長。他們往四面八方派遣斥候，想找尋捷徑。我讓我的巡邏隊留意企圖包抄我們的小隊，但截至目前為止，我們最大的敵人還是缺乏食物。」

「還要多久才能到達克雷希米爾手指？」湯瑪士搔搔自己的小鬍子。他需要刮鬍子了，非常需要。

「六天。」

「很好。」

「說起那個，有個壞消息。」

湯瑪士嘆氣。「我就在等壞消息。」

「凱斯派胸甲騎兵從西邊繞道，打算穿越平原，有五千五百名騎兵。繞過胡恩朵拉所損失的時間將會透過平地趕回來。如果我沒猜錯，他們會和我們差不多時間抵達克雷希米爾手指。」

「我上次通過克雷希米爾手指時，」加瑞爾繼續說。「森林在第一條河前一哩左右就沒了。那裡是一塊開闊平地直通河岸，然後是一道窄木橋。」

「非常適合讓凱斯軍困住我們。」

「一點也沒錯。」

湯瑪士閉上雙眼，嘗試透過心眼看那個地方。他上次通過那裡已經是十三年前的事了。「我得擊潰凱斯軍。」

「什麼？」

「擊潰他們。不能讓騎兵一路追殺我們到戴利芙。即使能在克雷希米爾手指甩掉他們一陣，他們還是會在北方高原等著，而要在平坦高原上對抗三個騎兵旅，對我們來說毫無勝算。」

「你打算怎麼擊潰那麼多騎兵？湯瑪士，你只有一萬一千人。我以前看過你創造奇蹟，但現在這種情況也太誇張了。」

湯瑪士走出冷水，從樹根上拿起制服，也不管身體還濕淋淋的就直接穿上褲子。

「我們加速行軍，可以在四天內趕到，那就有時間備戰了。」

「空著肚子不能加速行軍整整四天。」

湯瑪士沒理會他的話。「找二十個速度最快的騎兵，多帶幾匹馬，帶我們從凱斯軍那裡拉來的馬，先去克雷希米爾手指。」

「我以為要宰了那些馬給弟兄吃。」

「到了那裡就宰。我要你摧毀橋梁。」

加瑞爾步出水面，搖晃著大腦袋，把水濺得到處都是，讓湯瑪士聯想到熊抓魚的模樣。「你瘋了嗎？」加瑞爾問。

「你信任我嗎？」

加瑞爾猶豫的時間有點久。「信？」

「摧毀橋梁，宰馬，然後開始做木筏。叫你的手下對毀橋的事守口如瓶。等我們抵達時，你們要說橋被水沖壞了，你們是來做木筏的。」

「要在我們過橋前就摧毀橋梁，你最好有個很好的理由。」加瑞爾說。「不然我的人會把我吊死，說我想害死全軍。」

湯瑪士穿上外套。「去辦，帶你信任的手下去。」

他在加瑞爾開始著裝時往下游走，接著加瑞爾叫住他。

「湯瑪士，」他大舅子說。「別把我們都害死了。」

19

「你有沒有想過，」坦尼爾說。「他們為什麼每次都要撤退？」

他坐在伊坦上校床邊，位於大道旁盧鎮中的一間小旅店，距前線約兩哩遠。盧鎮是座寧靜的小鎮，但遠方的砲火聲仍提醒著坦尼爾，即使少了他們，戰爭依然在繼續。

伊坦坐在床上，用一堆羽毛枕頭把自己墊高。一個護士常駐在門外專職照顧他，而伊坦的擲彈兵一整天都跑進跑出，祝他早日康復，然後帶著命令回到前線。

坦尼爾知道，只有受傷的上校才有這種待遇。他聽過一些步兵背脊受傷，大部分都在缺乏照顧下於短短幾個月內死去。

坦尼爾用眼角餘光看向他朋友，在素描本上做了些記號，用炭筆勾勒出伊坦力量感十足的下巴。伊坦拒絕暫停職務，他說他可以，也願意繼續指揮第十二擲彈旅，就算得坐在椅子上指揮也一樣。據說西蘭斯卡將軍打算強迫他辭職。

坦尼爾希望事情不會如此發展。唯一能讓伊坦不對絕望屈服的前提，就是繼續指揮擲彈旅。

「我們撤退是因為始終寡不敵眾。」伊坦說著，拿起羽毛筆沾墨，在大腿上的紙上寫了一句話。坦尼爾第一次拿出素描本畫他時，被他怒斥阻止，而現在他似乎在盡力忽視坦尼爾在畫他的事實。

坦尼爾看著伊坦的臉，心思卻在別處。撤退信號感覺不太對勁。撤退，而且是每天都撤退。

「你和歷史學家一樣熟悉湯瑪士的戰史，他下令撤退過幾次？」

「沒記錯的話，七次。」

「總共歷經多少場戰役？」

「數百場。」

「那這幾週以來，我們在凱斯軍前撤退了多少次？」

伊坦嘆了口氣，放下羽毛筆，揉了揉眼睛。「坦尼爾，這有什麼差別？那些將軍別無選擇，要不在損失慘重下撤退，不然就是全部死在前線。」

「萬一有將軍和凱斯合謀呢？」坦尼爾自言自語。「下令每次都提早撤退？」

「這是非常嚴重的指控。」

「湯瑪士認為有叛徒——」

伊坦打斷他。「而他想的沒錯，他抓到那個混蛋了，查爾曼不會有重見天日的機會，不管教會如何威脅都一樣。」

「湯瑪士或許沒把所有叛徒抓出來。」坦尼爾小聲說。

「那些將軍都是湯瑪士親自挑選的，每個將軍都支持他很多年了，甚至支持他政變——失敗的風險極高，所有人都會被貼上叛徒的標籤。他們有能力，也夠忠誠。」

坦尼爾捏了撮火藥放在手背上，吸入鼻腔，努力沉浸到自己的思緒裡。以前只要一點點火藥就能讓他專心思考，如今卻越來越難了。

火藥，那又是另一件困擾他的事。

「你能接觸到後勤官的報告嗎？」坦尼爾問。

伊坦寫完另一份命令放在床邊。「我自己部隊的當然可以。」

「我不要你們部隊的，是全軍的。你弄得到嗎？」

「我得動用關係……」

「那就動用吧。」

伊坦嘴唇抿成一條線。「因為我現在正好有空幫你忙，是吧？」

「拜託你？」坦尼爾邊說邊描繪伊坦的肩膀。

「為什麼要看報告？」

「有件事一直令我不安，我只想知道部隊的火藥用量有多少。」

「好吧，」伊坦嘆氣同意。「我想想辦法。」他安靜片刻，屋內只剩下羽毛筆劃過紙張的聲響，伊坦似乎完全投入工作中。自打癱瘓以來，他就埋首於行政工作中，過去三天都在檢查補給報告、查看徵兵數字和翻閱人事升遷檔案。

坦尼爾很高興伊坦能保持忙碌，不執著在傷勢上。

伊坦寫字的聲音突然停了。「凱斯怎麼會有這麼多天殺的黑勇衛法師？」他問。「你父親之前，不，是一直以來，不是都很難找到火藥法師嗎？」

「我也不確定。」坦尼爾說，手上加強描繪畫中伊坦的下巴。他自己也抱持懷疑。「凱斯每隔兩年就會屠殺國內的火藥法師，常態性搜尋他們的下落。湯瑪士向來假設他們抓到的法師都被處決，他的間諜從未回報過其他狀況。」

伊坦用羽毛筆在紙上點了點。「你認為凱斯一直都在囚禁火藥法師？」

「我是這樣想的。」坦尼爾說。「凱斯的人口比艾卓多很多，這大概是他們兵力充足的原因。而我認為是克雷希米爾把他們變成火藥勇衛法師，這些新冒出來的混蛋和克雷希米爾同時出現，絕不可能是巧合。」

伊坦再次動筆，但沒寫多久又停下。「喔，我有東西要給你。」

「嗯？」

伊坦拿出一個銀鼻菸盒遞給坦尼爾。「我聽說你之前那個在南矛山丟了，我想你會喜歡。」

坦尼爾翻開蓋子。裡面有刻字：雙槍坦尼爾，殺不死的人。

「殺不死的人？」坦尼爾輕笑。

「弟兄現在是這樣叫你的。」

「太荒謬了，是人都殺得死。」他推回鼻菸盒。「我不能收。」

伊坦開始咳嗽。他皺眉躺下，摀住身側。「拿去，你這固執的混蛋，不然我又要開始叫你懦夫了。你和你的女人在戰場上拯救了我們的性命。」

「她不是我的女人。」

伊坦嗤之以鼻。「喔，真的嗎？謠言四起啊，坦尼爾。」伊坦低頭看著手。「我不該告訴你的，不過參謀總部打算拆散你們。他們說戰爭英雄和野人瞎混有損士氣。」

「你信那種鬼話？還認同？」坦尼爾語氣嚴厲。他大可不必坐在這裡聽這種鬼話。

伊坦比了個手勢要他冷靜。「我見過你看她的模樣，就和你以前看芙蘿拉一樣。」伊坦聳了聳肩。「我不做批判，只是想提醒你有那些謠言出現。」

坦尼爾強迫自己放鬆下來。他以前看芙蘿拉的模樣？這話就和擲彈兵說他是「殺不死的人」一樣荒謬。「我該怎麼做？我不可能趕她走。」

「娶她？」

坦尼爾笑著搖頭，這想法有夠荒謬。

「我沒在開玩笑。」伊坦說。「參謀總部可以對你的財產指指點點，但如果她是你妻子，他們就得忍耐。」他又開始咳嗽，這次咳得更激烈。

「你需要休息。」坦尼爾說。伊坦的臉白得和坦尼爾的素描紙一樣。在午後的這幾小時中，坦尼爾幾乎忘了伊坦傷得有多重，直到這陣突如其來的咳嗽才又讓他想起來。

「我還有命令要寫。」

「休息。」坦尼爾拿走伊坦的紙筆，和鼻菸盒擺在一起，然後走向門口。

「坦尼爾。」

「怎樣？」

伊坦拿起床邊的鼻菸盒丟過來，坦尼爾連忙接住。

「拿走。」伊坦說。「不然我槍斃你。」

「好啦、好啦！我拿就是了。」他關上房門。

卡波手裡拿著一個蠟刻娃娃，盤腿坐在門外的走廊上等他。她收起娃娃站起來，就算有聽見伊坦提起她，她也沒表現出來。

「妳幫得了他嗎？」坦尼爾問。

她輕輕搖頭。

「可惡，波，妳幾乎讓我死而復生，就不能……」

她豎起一根手指，眉頭深鎖。坦尼爾以為她有話要說，但她轉身離開。

他跟著她走過旅店大廳，一群傷兵在裡面交談喝酒，等著回家或上前線。這裡氣氛凝重，一個膝蓋以下被截肢的女人獨自坐在角落呻吟著，而所有人都努力無視那個孤獨的哭聲。

外頭天氣沒讓坦尼爾心情變好，一整週看起來都一副快要下雨的樣子，雲層每天都比前一天更厚。昨天傍晚下了一點毛毛雨，讓草地變得濕滑，更添作戰凶險。

坦尼爾停在旅店門外，考慮要不要喝一杯再回前線。

街上兩個憲兵朝他走來，兩人都攜帶沉重的鋼矛，身穿艾卓綠邊藍制服，肩章是兩根棍子在山前交叉。

是巧合嗎？還是專程來等他？

「雙槍坦尼爾上尉？」

「什麼事？」

「長官，你得跟我們走一趟。」

那肯定是在等他了。「誰的命令？」

「凱特將軍。」

「我想我不會去。」坦尼爾摸摸槍柄。

「我們要逮捕你，長官。」

逮捕？這太過分了。「什麼罪名？」

「凱特將軍會告訴你。」

一名憲兵上前，抓住坦尼爾的手臂。

坦尼爾甩開他。「不要碰我！我知道艾卓軍人應有的權利，你得告訴我罪名，不然就下地獄去。」坦尼爾感應到他們身上沒有火藥，是有備而來的，就是為了抓他。

又或許不是？憲兵用力抓坦尼爾的手，好像他是什麼淘氣小鬼一樣。「安安靜靜跟我們走，那個女孩也一樣。她在哪裡？」

卡波上哪兒去了？坦尼爾環顧四周，甩開憲兵的手。

「立刻走，長官！別逼我們——」

坦尼爾一拳打中憲兵下巴，把人擊倒在地。另一名憲兵壓低鋼矛，面色不善地上前。坦尼爾閃向一旁，抓起矛柄，扯得對方失去平衡。憲兵往前跌，坦尼爾對準他腦側就是一拳。

被擊中下巴的憲兵爬起來揮拳進攻。他兩耳通紅、表情扭曲，因突然被打倒而怒不可抑。憲兵比坦尼爾高出一個頭，體重多出四石。

坦尼爾接下憲兵的拳頭，另一手擊中對方手肘。他聽見骨頭折斷的聲音，看見鮮血和白骨爆出皮膚。

憲兵的慘叫聲引起了不必要的注意。坦尼爾放開對方，朝前線快步走去。

逮捕他？凱特將軍有種逮捕他？他可是唯一能擋在凱斯和艾鐸佩斯特之間的人。他殺了半數敵軍僅存的榮寵法師，讓亞頓之翼取得明顯優勢，所殺的步兵已經刻滿來福槍柄了。

幾分鐘後，卡波來到他身邊。前一刻他還獨自走在路上，努力迴避那些看見他打斷憲兵手臂的旁人目光，下一刻她就出現在他旁邊跟著他走，彷彿什麼事也沒發生。

「妳他媽去哪了？」

卡波沒回答。

「好吧……」坦尼爾咬牙。該死的，有個將軍下令逮捕他，他們遲早都會集結大隊人馬來抓人。他能怎麼辦？打斷部隊所有憲兵的手？「如果他們再來，妳就和剛剛一樣消失。我不要他們的臭手碰妳。」

她點了點頭。

坦尼爾察覺自己趕回前線的步伐越來越急。他改變方向，走向伙房帳。

坦尼爾在第三座餐廳帳裡找到要找的人。

大主廚米哈理一個人在裡面盤點。他一手拿著炭筆，一手拿紙，長黑髮在腦後綁成馬尾。

「午安，坦尼爾。」米哈理頭也不回地打招呼。

坦尼爾在帳簾落下時停下腳步。「我們見過嗎？」

「沒有，但我和你父親是朋友。請進。」

坦尼爾謹慎地待在帳簾附近。卡波和他一起進來，她毫不猶豫地就在角落一個桶子上坐下。

「湯瑪士死了。」坦尼爾說。

「喔，別傻了，你根本不信。」

「我慢慢接受了。」

米哈理還是沒轉身，但即使背對坦尼爾，他也有一種氣場，讓坦尼爾懷疑自己來此是否為明智之舉。他擁有某種特質，又或是一種味道？不，還有更微妙的東西，是有點熟悉的感覺。

「湯瑪士還活得好好的。」米哈理說，他嘴唇無聲動作，手指晃動，數著帳篷角落裡的木桶。「大部分第七旅和第九旅的士兵也都還活著。此時此刻，有三個騎兵旅和六個步兵旅正在追殺他們。」

坦尼爾嗤之以鼻。「你怎麼可能知道？」

「我是亞頓轉世。」

「所以，你真的自稱是神？」

米哈理終於轉過身來，嘆了口氣，在紙上做標記。他的臉頰豐腴，但臉型很長，感覺是艾卓和羅斯維的混血。他的白圍裙上沾有麵粉和血，乾乾淨淨的下巴黏了片馬鈴薯。「有那麼難以置信嗎？你都嘗試殺過一個神了。」

「我親眼看見克雷希米爾從天而降。我看見他的臉，看著克雷希米爾，毫不懷疑他就是神，但你……」坦尼爾越說越小聲，等著大主廚大發雷霆。

「看起來不怎麼樣？」米哈理並沒有感到被冒犯，反而哈哈大笑。「克雷希米爾向來擅長毫不費力展現強大的氣勢。你父親要自己來驗證這一點。但我覺得，你需要更直接的方式。」米哈理走到他面前，伸手指向他的頭，然後突然一頓，又縮回手。坦尼爾注意到米哈理的手在抖。

「我可以嗎？」米哈理問卡波。

卡波回應他的目光，以眼神挑釁他：試試看。

米哈理再度朝坦尼爾伸手。距離越近，他的手就抖得越厲害，彷彿受到某種看不見的力量影響。最後，主廚的手指終於碰到坦尼爾皮膚。

坦尼爾感覺到一點火星。

接著，彷彿全宇宙都在他眼中發光，無盡的歲月掠過，填補坦尼爾的記憶，好似那本身就屬於他所有。他看見克雷希米爾第一次從天而降的景象，感應到神召喚弟弟妹妹前來幫忙建造九國。他見證了大荒蕪年代的亂象，以及歲月的殘酷無情。無數人生的景象轉眼之間掠過他眼前。

然後一切都消失了。

坦尼爾踉蹌後退，氣喘吁吁。

幾個月前卡波曾對他做過類似的事，當時他的情緒強烈到幾乎喘不過氣，那還只是經歷瞬間的回憶而已。

這次經歷了整整兩千年。

他過了好一會兒才恢復正常。平復下來後，他開口說：「你是神。」這次語氣毫無疑問。

「神這個字很有趣。」米哈理邊說邊回頭繼續盤點工作。他在紙上做紀錄，然後低聲數著裝有洋蔥的袋子。「神代表了全知全能。但我可以保證，我並非全知全能。」

「那你是什麼？」包之前說過，神就只是力量強大的榮寵法師而已，但擁有那種程度記憶的米哈理怎麼可能不是神？

「語義學，這要談到語義學了！」米哈理舉起雙手。「為了方便討論，我們姑且就說我是神吧。我想我們兩個此刻都沒時間來場神學辯論。請坐。」米哈理拿起一個酒桶放在坦尼爾身邊，彷彿那玩意兒只有幾磅重般，然後又去拿另一個。

坦尼爾試著調整酒桶的位置，結果發現推不動。他皺眉，看著米哈理給自己和卡波都搬了個酒桶來。

卡波的手輕輕掠過米哈理手臂。

「好了，女孩。」米哈理的語氣像在輕聲訓斥女兒。「別來這套。」她是不是打算偷主廚的毛髮？

他碰了一下她的手指。只看見火光一閃，卡波立刻退開，對著指尖吹氣，皺眉瞪向米哈理。

米哈理靠上他的酒桶。「我和我的兄弟姊妹不同，創造九國之後決定留在這個世界。當然，我掩飾了身分，但我還在學習。」米哈理目光飄遠，凝視著坦尼爾看不見的事物。「遠方的星辰美麗又有趣，但我認為這裡的人形形色色，彷彿有股魔力，使我無法離去。」

米哈理看向卡波。「我研究過骨眼，但不算深入。戴奈斯和法特拉斯塔距離艾卓太遠了，跑過去非常耗費精力。我不知道克雷希米爾和其他神是怎麼離開這個星球的。他們老說我是居家男人，因為我不想探索宇宙。總之，骨眼擁有強大的魔法，與克雷希米爾和其他神所理解的魔法截然不同。妳——親愛的，妳真的很可怕，潛力無窮。」

米哈理看起來一點也不害怕，倒是顯得饒富興味。

主廚轉向坦尼爾。「還有火藥法師！克雷希米爾絕對料想不到，畢竟火藥是他離開後數百年才發明的東西。」米哈理伸出胖手指敲了敲自己的下巴。「你知道，他快瘋了。你射到他眼裡的骨眼子彈一直沒拿出來，子彈卡在他腦子裡，使他每天都痛苦萬分。」

坦尼爾努力讓嘴巴不那麼乾。克雷希米爾，一個神，要瘋了，都是因為他。「他知道是誰開槍打他的嗎？」

「我想他知道。你在南矛山上的所作所為已經在艾卓軍裡傳開了，而凱斯陣營裡只有祖蘭和克雷希米爾存活下來。」米哈理停頓了一下。「當然，他抓了祖蘭，所以他肯定知道。」

「他把祖蘭釘在木樁上，還砍斷她手掌。他為什麼要那樣做？」

米哈理皺眉。「祖蘭，那個遭到誤導的孩子。她或許活該，或許不活該，但我不認為折磨人對任何人有好處。」

坦尼爾發現米哈理迴避了關於祖蘭的問題，他決定不要繼續逼問。

「我要怎麼殺他？」

「克雷希米爾？嗯，你為什麼認為我會告訴你？」

坦尼爾往後仰。「但……你和我們一國，不是嗎？」他覺得肌肉緊繃，心裡浮現一絲恐懼。

「我保護艾卓，畢竟艾卓是我的國家。但是話說回來，克雷希米爾怎麼說也是我哥哥。我愛他，不樂見他死去。然而，我想阻止他，也想幫助他。如果我能幫他取出腦中的子彈，或許能和他講理，徹底結束此事。」

坦尼爾曲指握拳。「我要殺了他。」

「那或許是你的道路。」米哈理檢查他的盤點表，似乎又在盤點了。

過了好一陣子，坦尼爾才開口。「那些將軍，他們知道……」

「喔，湯瑪士有告訴他們，大部分將軍都不信。」

「但他們知道你是個強大的榮寵法師？」

米哈理點頭。「令人不安的事實。他們要求我參戰，而我拒絕。畢竟，亞頓之翼的榮寵法師在對付凱斯法師團方面表現得還不錯。」

「你有告訴他們湯瑪士還活著嗎？」

「當然。」

坦尼爾眨了眨眼。「那他們為什麼不告訴我？西蘭斯卡……如果還有希望的話，他肯定會說點什麼。」

「就連神也非無所不知。」米哈理說。「我不知道，但我不信任那些將軍。我敢說大部分將軍都把艾卓的福祉放在第一位，但少數幾個……」

「凱特將軍。」

米哈理聳肩。「順帶一提，憲兵到了。」

坦尼爾走到帳簾往外面偷看一眼，數十名憲兵在外頭集合。

「該死，我能從後面溜出去嗎？」

「他們包圍了帳篷，你最好跟他們走。」

「我不會讓他們逮捕我的，那些混蛋！我——」

米哈理清了清喉嚨。「我說過了，最好跟他們走，至少暫時如此。」

坦尼爾思緒飛速運轉著。該怎麼辦？逃命？還是保持尊嚴，出去讓他們帶自己走？「首先回答我，我身上出了什麼事？我比從前更強壯，也更敏捷了。我從未感受過這種力量，要吸能毒死馬的瑪拉菸才能讓我有點感覺。我知道自己不再只是火藥法師。是因為她嗎？」他指向卡波，卡波聞言揚起一邊眉毛。

米哈理遲疑片刻。「你被改造過了。」他說。「這個女孩在你身上加持防禦魔法。克雷希米爾在你開槍打他後的反擊威力足以摧毀南矛山，你的肉體應該粉身碎骨才對。根據我對魔法的理解，他打你的那一擊甚至能打死我，但你……」米哈理輕笑，彷彿有什麼好笑的事。「那一擊只讓你更強了。」

「毫無道理，那——」

「你該走了。」米哈理說。

坦尼爾深吸一口氣。「好吧。卡波，待在這裡，我不要他們碰妳。」他不等她回答就走出帳篷，來到陽光底下。

憲兵立刻包圍他，舉起鋼矛。

「好了，你們這些混蛋，帶我去見凱特將軍，我——」

有人往他腦袋敲了一棒，出手狠辣。坦尼爾向前跌倒，吐了口鮮血。另一根棒子擊中他的腹部，然後是膝蓋。他癱倒在地，被人拳打腳踢、破口大罵，當他以為自己再也撐不住時，又被人扶起來毆打頭部，直到失去意識。

20

湯瑪士騎著戰馬在部隊後方沿道路前進，聽見自己肚子咕嚕咕嚕叫。在他前方，第九旅的士兵在一名小鼓手的敲擊聲中蹣跚前進。空氣又悶又熱，即使有高大松樹遮蔭也沒用。夏天的濕氣浸透了湯瑪士的骯髒外套，使他每一口呼吸都很費力。

他看著前方的一名步兵。對方很高，髒兮兮的金髮綁成馬尾垂在一邊肩膀上。大約二十分鐘前，他的肩膀就開始隨著步伐搖晃。湯瑪士敢打賭，他會是下一個昏倒的人。

時不時會有士兵表情飢渴地回頭看向湯瑪士的馬。他們用同樣的目光打量所有還在騎馬的斥候和軍官，那目光令人不安。

兩天前他們殺掉了最後一匹凱斯馬，把肉分配下去。湯瑪士聽說有些連的後勤官在囤積馬肉，販售最後幾磅寶貴的肉。他嘗試調查此事卻沒人承認。每次經過溪流就會有十幾個人離開隊伍，跳到泥巴堆裡抓魚和小龍蝦，班長不得不把他們打回隊伍中。

「牠們以為再過不久就有東西吃。」歐蘭說。

湯瑪士如夢初醒。他覺得有點頭暈，身體虛弱。他已經四天沒吃東西了。徒步行軍的弟兄比他更需要食物。至少馬都有草吃。

歐蘭指著在天上盤旋的兩隻鷲。

「啊。」湯瑪士說。

「牠們已經跟了我們五十哩。」歐蘭說。

「你不能肯定是同樣的兩隻。」

「其中一隻羽毛尖端是紅的。」

湯瑪士咕噥一聲。他講話速度變慢了，悶熱讓他不太想開口。

「大部分的鷲兩天前都留在營地吃我們殺的馬，只有紅羽鷲繼續跟上。」歐蘭噘起嘴。「我想牠在等大餐。」

湯瑪士抬頭看鷲。他不想談論這種鳥，他在太多戰場上看過太多了。「我有一整週沒看你抽菸了。」他說。

「天殺的太熱了！請原諒我說髒話，長官。」歐蘭拍拍胸前口袋。「再說了，我只剩最後一根菸了。」

「等特別的時候抽？」

歐蘭繼續盯著鷲看。「加瑞爾說我們或許要在克雷希米爾手指和敵軍決戰，我覺得死的時候嘴裡叼根菸也不賴。」

湯瑪士不禁皺眉。「你有對別人說嗎？我是指決戰的事。」

「沒有，長官。」

「可惡的加瑞爾，他該管好他的嘴巴。」

「所以是真的？」

「我不是要最終決戰，歐蘭，我要擊潰凱斯軍。最終決戰是認定會輸的人在幹的事。」

「說得沒錯，長官。」

湯瑪士暗自嘆息。軍人都有種奇特的宿命觀，大部分軍人都不明白，再危急的情況都有補救的可能。

「歐蘭……」湯瑪士開口。

「長官？」

「我上次說的事……」

歐蘭下巴肌肉抽動。「哪件事，長官？」

「我想你知道我在說哪件事。芙蘿拉。如果我再晚一分鐘到，我想你們兩個會處於毫無防備的狀態。」

「那是我原本的期望，長官。」

湯瑪士眨了眨眼，沒料到對方會說得這麼直接。「你真是口無遮攔，是吧？」

「即使在生死關頭也一樣。」

「我不允許那種親密關係，歐蘭。」

「哪種，長官？」歐蘭眼角緊繃。

「你和芙蘿拉，她是上尉，而你是——」

「上尉。」歐蘭說。「你親自升的。」他特別摸了摸領子上的金徽章強調。

湯瑪士清了清喉嚨，抬起頭，那些可惡的鷲還在上空。「我是說，她是火藥法師，你知道我的火藥法師軍階和普通部隊不同。我不准你跨越那條線。」

歐蘭一副有話要說的模樣，動了動下巴，彷彿在咬一根看不見的菸。「是，長官。你怎麼說都好，長官。」

歐蘭的嘲諷語氣像水透過紙一樣滲了出來。他向來忠心耿耿、絕對服從。他這麼做讓湯瑪士吃驚，打算張口斥責。

綁馬尾的士兵跌出了隊伍，重重倒地，兩名弟兄停下來幫他。

「去隊伍前面。」湯瑪士說。「下令休息。弟兄都累了。」

歐蘭巴不得趕緊離開這裡，當即策馬狂奔大叫：「戰地元帥下令部隊停止前進！散開！」

湯瑪士聽見命令沿著隊伍傳下去。慢慢地，隊伍停止前進。有些人去找附近的溪流，有些人在樹林裡休息，其他人當場坐倒在地，累到動彈不得。

湯瑪士打開水壺，喝掉最後幾滴水。水是熱的，還有金屬味。「士兵，」湯瑪士說，指著一個看起來不是很累的人。「幫我找點乾淨的冷水裝滿，然後告訴班長你今晚不必挖茅坑。」

士兵接過水壺。「是，長官。」

湯瑪士爬下戰馬，把韁繩掛在樹枝上。他在路上來回行走，試著讓騎了半天馬的雙腳恢復一些知覺。他停步望向南方。沒有凱斯軍的蹤跡，樹林太茂密了。根據斥候最新的報告，凱斯部隊最前端位於十哩外，兩軍之間有重裝騎兵遊走，企圖俘虜脫隊的艾卓士兵或騷擾後衛部隊。但湯瑪士只在乎騎兵主力部隊的位置。

他需要領先足夠多才行。

「長官。」

湯瑪士轉頭，看見芙蘿拉站在他的戰馬旁。她的制服很髒，外套領口解開，黑髮綁在腦後。他不禁想起她在瀑布下赤身裸體湊上去親吻歐蘭的模樣。他把那影像從腦海裡逼走，努力不露出尷尬的表情。

「上尉。」

「長官，腳怎麼樣？」

湯瑪士伸展腿部肌肉，感到一陣痛楚。騎馬不會幫助腿部肌肉放鬆，但也不算太痛。「還好，謝謝。打獵有收穫嗎？」

「鹿都和部隊保持距離。如果離開道路一、兩哩外，就沒辦法把獵物搬回來。有幾隻松鼠和兔子，足以餵飽火藥法師。」

至少他的法師可以保持體力。他感覺胃部在聽見兔子時絞了一下。

「如果我們紮營過夜，甚至稍微放慢速度，就有機會打到鹿。」

「抱歉，上尉，不能那樣做。我們得盡可能領先凱斯軍抵達克雷希米爾手指。」

「斥候說我們可以在兩天內趕到。」

「沒錯。」湯瑪士說。「渡過第一條河後，我們會燒掉橋，然後就能輕鬆幾個晚上，稍作休息和補給。」

「希望如此，長官。部隊狀況不太好。」

湯瑪士轉向剛剛昏倒的士兵。他現在坐起來了，拿著水壺喝水，和其他弟兄說話。湯瑪士雙手交疊在身後，轉身面對芙蘿拉。

「上尉，妳和我都很清楚那天發生的事，非常不成體統。」

芙蘿拉眼睛都沒眨一下。「你是說，你偷看我洗澡的事？」

湯瑪士很想一巴掌甩過去。可惡的女孩，她知道他想說什麼，而她不打算讓他好過。

「妳和歐蘭……」

「長官，我認為那不關你的事。沒有不敬的意思。」

「我是妳的指揮官——」

「是，長官。而你向來表示得十分明白，兩個士兵閒暇時間要幹什麼是他們的私事，只要不違背階級倫理就好。」

「這不一樣。」這不一樣，湯瑪士對自己說。「我不允許我的標記師和我的保鏢鬼混，妳懂嗎？我不允許我的保鏢去和……和……」

「妓女？」

她話說得很小聲，但湯瑪士覺得自己呼吸困難。

「你想這麼說對不對，長官？你想為了我對坦尼爾做的事叫我妓女？還是蕩婦？我可以從你舌尖聽見這些字，即使你沒說出口也一樣。」

「注意妳的語氣，士兵。」湯瑪士警告。

「可否允許我自由發言，長官？」

「不准。」

芙蘿拉不理他。「你以為我不知道我對坦尼爾做了什麼？你以為我不知道，我為了和一個白痴激情幾個月而拋開了我們多年的情誼？」

「不准自由發言，上尉。」

「你沒聽到部隊裡是怎麼傳的。」芙蘿拉提高音量。「你沒聽說大家在背地裡是怎麼說的，有些人還當著我的面說。你沒看到他們不屑的表情。『芙蘿拉，她現在和誰都可以搞。』你不會聽見他們晚上在你帳篷外面這麼說，打賭誰能先上到我。」

「不准發言！」湯瑪士上前。任何士兵都會在湯瑪士眼中的怒火前卻步，但芙蘿拉拒絕後退。

「我孤零零地過了十八個月，只因為你派坦尼爾去法特拉斯塔。坦尼爾，戰爭英雄，大家都說法特拉斯塔所有女人都對他投懷送抱，然後又聽說有個小野人隨時跟在他身邊。我要怎麼想？

大學裡沒有男人敢看我第二眼，他們都知道我是誰。他們害怕坦尼爾，不敢對我說半句好話。」

芙蘿拉把這些話噴到湯瑪士臉上，聲音裡摻雜著苦澀，氣得渾身發抖。「接著，出現了一個男人，不在乎我是誰的未婚妻。他對我好，愛我，向我保證世界上沒有別的女人能讓他這麼開心。我相信他。」芙蘿拉表情因厭惡而扭曲。「然後我發現，他和我上床是為了讓你難堪。」

湯瑪士難以承受芙蘿拉眼裡的痛楚和語氣中的怨毒。他曾經是她的父親、她的朋友、她的老師，如今卻只是她痛恨的對象和唾棄的敵人。

「給我滾開，上尉！要不是在打仗，我就把妳送軍法審判。」

芙蘿拉湊上前，比任何不瞭解湯瑪士的人敢做的都要靠近，近到足以擁抱他，甚至能在他肋骨間插把刀。「這麼想殺我的話，你就親自動手。」她說。「別交給下面的人去做。」

她轉身大步離開。士兵目瞪口呆看著她走過，然後轉頭去看湯瑪士，等待著他的怒火像閃電後隨之而來的雷聲一樣爆發。

前方的芙蘿拉幾乎要消失在轉角處，卻在歐蘭騎馬過來時突然停步。保鏢在馬上彎腰，對她說了幾句話。她手掌貼上他的大腿，他輕輕推開她，意有所指地看向湯瑪士。

芙蘿拉抓住歐蘭的腰帶將他拉下馬，把他推到樹林裡。湯瑪士低聲咒罵，朝他們走了兩步。

有人清了清喉嚨。湯瑪士轉頭。

是他派去打水的士兵。「你的水壺，長官。」

湯瑪士搶走水壺。再度轉頭時，歐蘭和芙蘿拉已經不見了。

他深吸幾口氣，回到他的馬旁。

「長官，我可以請問還能休息多久嗎？」士兵問。

湯瑪士喝了一大口水，水冰涼到讓他喉嚨有點灼痛感，他連牙齒都在痛。

「三十分鐘，該死的。快去休息。」

⚔

阿達瑪敲著紡織工坊領班辦公室的門。樓下有十幾台蒸氣紡織機在巨響中運作，發出的噪音淹沒了所有叫喊聲。數百名工人在操縱機械，彷彿昆蟲般辛勤工作。

阿達瑪逕自走入辦公室。這裡安靜多了。

「瑪吉。」他大聲呼喚。

女人從辦公室後方出現，看見阿達瑪後露出笑容。他湊上去親吻她臉頰。

她訝異後退。「看在九國的份上，你把自己怎麼了？」

「摔下樓梯。」阿達瑪說。他說話有鼻音，臉還是痛得像鼻子一小時前才剛折斷。

瑪吉哼了一聲。「看起來比較像是被人揍了。」她說。「我之前就說，老是拿鼻子去刺探別人的事情，就是會把鼻子弄斷。」

阿達瑪抬手做出投降的動作。「我時間不多了，瑪吉。我只是路過，來看看那張地毯有沒有任何頭緒。」

「好啦。」瑪吉走到顯微鏡旁邊的書桌旁開始翻閱文件。「我上週寫了封信給菲。」

「我會問問她有沒有收到。」阿達瑪靠著門柱，閉上雙眼。他的臉在痛，他的背在痛，他的手和頭都在痛。他渾身無處不痛，而且睡眠不足。他不記得上次吃不是吐司和茶的東西是什麼時候了。他在瑪吉塞了張紙到手裡時再度睜眼。

「那就是買家。」她說。「查不到姓名，只有一張支票收據上的地址。」

「謝謝妳，瑪吉。」

「請菲快點來找我，好嗎？」

「當然。」

阿達瑪在離開紡織工坊後才把紙條拿出來看。沒有名字。他得另外想辦法找出那個地址的主人。而據他對大業主的瞭解，他得撥開好幾層假名和地址，才能查出大業主的身分。

他招了輛出租馬車，看了看地址。

他又看了一次，眨了眨眼，確定自己沒有看錯。

他認得那個地址。

⚔

上午的天色越來越陰暗，阿達瑪跑去西艾鐸佩斯特的安全屋拿傘。他停在走廊上，那間公寓的門是開的。

他內心有一部分正尖叫著要他轉身離開，要是再遇上維塔斯的手下，他未必能夠逃出生天。他拔出手槍，確認裝填好彈藥，然後輕輕推開門。

索史密斯坐在沙發上，雙手放在腹部，下巴低垂到胸口，正在打盹，上衣都是血。

「索史密斯？」

高大拳擊手突然驚醒。「啊。」

「你怎麼了？」

索史密斯對他揚眉，彷彿阿達瑪問他衣服上怎麼有血是很奇怪的事。「你才怎麼了？有人打斷你鼻子了？」

阿達瑪請女房東來燒開水，然後關上房門。「你渾身是血。」

「不是我的血。」索史密斯說。「至少，我的血不多。你的鼻子是？」

「維塔斯的手下在我老家等我，拿木棍打我的臉。現在這是怎麼回事？你不能什麼都不解釋就渾身是血坐在別人家客廳裡。」

「四個維塔斯的手下跑去我哥家，」索史密斯說。「開槍打了我一個姪兒。我和戴維爾……我們把那四個人都殺了。」

「該死的，索史密斯，我很抱歉。你姪兒……」

「他才十二歲，戴維爾剛送他去學校。」索史密斯站起來伸展四肢。他衣服上的血漬又黑又乾，大概已經好幾個小時了。他的小眼睛閃著怒火。「我加入。」他說。「不管會不會招惹大業主，我都要燒了維塔斯。然後我得去照顧我家人。」

阿達瑪本來想問他們是如何處理屍體的，隨即想起索史密斯的哥哥是屠夫，他可能不會想知道答案。他謹慎地點頭。

他能信任索史密斯嗎？萬一維塔斯的手下策反他呢？如果——就和阿達瑪一樣，維塔斯抓了索史密斯的家人威脅他？

他能問這些問題嗎？阿達瑪需要每一個能對他有幫助的人。

「去清理一下。」阿達瑪說。「這裡有你的衣服。」

「我們要出門嗎？」

「我要去找人要五萬克倫納。」

阿達瑪在絡茲區下了馬車。這裡是城裡最高級的區域，到處都是銀行家的大磚房，寬敞的街道鋪有石板，兩旁都有高大的榆樹。阿達瑪抬起帽子，看向他要找的房子。

就在那裡——兩棟有錢銀行家的豪宅中間有一棟樸實無華的小屋，屋外有座整齊的花園。阿達瑪走向那棟屋子的通道，索史密斯緊跟在後。

「總管大臣，對吧？」索史密斯問。

「對。」總管大臣昂卓斯，湯瑪士的議會成員之一，推翻曼豪奇政變的幕後推手。他是個乖戾不友善的老人，阿達瑪其實不想再來找他。他敲門。

他敲了十分鐘，終於聽見屋內傳來拉動門閂的聲音。門被拉開一條縫。

「就有錢人而言，」阿達瑪說。「我很驚訝你會自己來應門。」

總管大臣瞇著眼睛瞪向阿達瑪。「給我滾，不然我就告你騷擾。」昂卓斯身穿睡袍和拖鞋，頭髮凌亂。

「我需要錢。」阿達瑪說。「你的會計說我的財源斷了。」

昂卓斯不屑地瞪他。「湯瑪士死了，他承諾你能動用的錢都沒了。我建議你去找其他雇主。」

「你看，問題就在這裡。我能進去嗎？」

「不能。」

阿達瑪靠上門板。昂卓斯嚇了一跳，轉身退入他的小門廳。

「請在這裡等，拜託了。」阿達瑪對索史密斯說。拳擊手點了點頭。

昂卓斯大步走向他的辦公室。阿達瑪從口袋裡拔出手槍，清了清喉嚨。

總管大臣看見手槍便僵立不動。「你這是什麼意思？」他問。

阿達瑪環視屋內，和上次來訪時有點不同，壁爐架打掃過，壁爐也清理過，地毯沒有變髒，味道也一模一樣。這間屋子似乎根本沒住人。

「我從這裡能透過門口看見你的辦公室。」阿達瑪說。「那裡有條繩鈴。我上次來訪時幾乎沒注意到，但我不禁要想，在有三個房間又沒有僕役的房子裡，你要繩鈴做什麼？」阿達瑪指向火爐旁唯一的椅子。昂卓斯坐下。

「你是來打劫的？」昂卓斯問。「我的錢都已經拿去投資。你也看見了，這裡沒有值錢的東西，我家裡連支票本都沒有。」

「看吧，」阿達瑪沒有理會他，自顧自地說下去。「我猜那條繩鈴通往你家底下一大堆房間，而其中一個房裡有四個隨時可以在必要時刻上來保護你的彪形大漢。房間再過去有條通道，多半是通往附近一間用假名購買的豪宅。當然，你不住在裡面，你只是利用它來掩飾另一個身分的行蹤。」

昂卓斯坐在椅子上一聲不吭地盯著阿達瑪。他眼中怒意消退，顯得更加……老謀深算。就某方面而言，這種改變讓他比之前可怕很多。

「你還沒說我死定了。」阿達瑪說，打量昂卓斯一會。「我想你不是會說那種話的人。」

「你的保險措施是？」昂卓斯問。

「信件，寄給我在警界的朋友。」

「告訴他們我就是大業主？」

聽見昂卓斯大聲說出這句話令人激動。沒有否認，沒有承認，直截了當說出口，這讓阿達瑪感到一陣毛骨悚然。「不，當然不是。我告訴他們如果我失蹤了，屍體就在你家底下。沒人願意調查大業主，但我警界的朋友絕不介意調查一個會計師。你是個孤僻的人，孤僻的人向來都很有趣，我朋友或許會玩得很開心。當他們發現你家底下的房間、保鏢、豪宅，還有鉅額現金後，他們會興趣大增。」

昂卓斯語帶輕蔑。「你以為那樣救得了你？」

「對，我就是這麼以為。」阿達瑪有點缺乏自信。萬一昂卓斯根本不在乎呢？擁有他那種人脈的人，可以在調查開始後消失得無影無蹤。「我認為只要能幫你免除幾個月的麻煩，饒我一命根本是微不足道的小事。」

「如果事情不這樣發展，」阿達瑪補充。「我還寄了封信給在出版界的朋友，告訴他我知道大業主是誰。如果我死了，而他聽說針對我的死亡調查牽扯到你，他就會做出結論。這麼說吧，他不是個聰明人，對他來說頭條的價值遠超過他的性命。」

昂卓斯開始笑，笑聲發乾，一時之間阿達瑪還以為他在咳嗽。

「很聰明。」他說。

「如果你願意幫我，而不是要我自己去對付維塔斯，我根本不會調查你的身分。」

「你還是會查。」昂卓斯說著，輕蔑地揮了揮手。「你想怎樣？」

「五萬。不，七萬五千克倫納現金，還要幫我除掉維塔斯，救出我妻子。」

昂卓斯十指交抵，靠上椅背。「你該學著抬高勒索的價碼，我是九國境內最有錢的人。」

「我對你的錢不感興趣，我只想救回菲。」

「維塔斯手下還有榮寵法師。」

「所以我才要用錢。只要弄到錢，就可以弄到我自己的榮寵法師。」

昂卓斯思考著。「人脈很廣啊。那如果維塔斯死後，我決定饒你不死呢？」

「我會忘掉你的存在。」

「你真讓我意想不到，阿達瑪。」昂卓斯說。他的身體不再緊繃，也不再憤怒。他靠在椅子上十指交抵。「費盡心思，而且不遺餘力。很多年前就有人警告我，說你是艾卓警界最有原則、最固執的人，我甚至還花了點心思不去招惹你。」

「相信我，」阿達瑪說。「要不是事關我家人，我絕不會跑來這裡。」

「好吧，既然如此，我有個條件。此事結束後，你要在我需要時替我工作。」

「不幹。」

昂卓斯舉手阻止他拒絕。「如果找你，我會付錢。工作很可能會有風險，但是你要同意我的條件，不然我就殺了你和索史密斯，看看會有什麼後果。」

阿達瑪凝視昂卓斯的雙眼，裡頭鋼鐵般的決心顯示昂卓斯真的會那麼做。而或許……還有點幽默感在裡面？他是不是在微笑？昂卓斯在享受這一切嗎？

「同意。」阿達瑪說。

「太好了。」昂卓斯停頓。「索史密斯知道嗎？」

「他以為我是來要錢的。」阿達瑪說。他沒說出口的是，他告訴索史密斯他要勒索大業主。索史密斯或許自己會推敲出關聯，或許不會。如果想通了，他也肯定聰明到不會亂說話。這些都沒必要告訴昂卓斯。

「錢明天給你。」昂卓斯說。「我該把錢送去哪裡？」

「我在選舉廣場和你的人碰面，就在血跡旁邊。」

「你永遠不准再來這裡。」昂卓斯警告。「一切接觸都要透過我的閹人。你可以走了。」

阿達瑪在突然發現自己不再主導情況時，把槍收回口袋裡。

「還有，阿達瑪。」昂卓斯說。「如果你讓我有理由後悔，你愛過的每個人也都會後悔的。」

21

憲兵在毆打過程中不知何時給坦尼爾套了個黑色頭套，他在被人推搡下跌跌撞撞穿越營區。他聽見憲兵警告路過的人離遠一點，以及自己跌倒時他們的咒罵聲。他完全失去方向感，要不是有強壯的胳臂攙著，他肯定已經摔倒在地。他頭痛欲裂，渾身劇痛。

他們逼他爬上一道台階，又把他拖入一棟建築。是旅店還是軍官餐廳？他不知道。他被丟到一張椅子上綁好，剛想掙扎，後腦就挨了一巴掌。

坦尼爾癱在椅子上，仔細聆聽外界聲響，好判斷自己身在何方。屋外只有士兵閒聊聲，聽不清楚內容。他可能在艾卓營區中任何地方。

他無從判斷時間過了多久。氣溫變低，多半已經入夜了。他的臉頰發麻，他們肯定把他打得頭破血流。他舔了舔牙齒，全都在，但上衣濕了，八成是他自己的血染濕的。如此坐著不動讓他越來越冷。

身體的麻痺感逐漸消退，僅存的火藥狀態也一樣，這導致慘遭毆打的傷痛全面來襲。終於，他聽見有人開門，出現幾組沉重的腳步聲，接著是另一組步伐較輕的聲音，但肯定也是軍人。

頭罩被人扯下。火柴劃亮，點燃牆上的油燈。房間只有三碼見方，除了兩張椅子和牆上的油燈外什麼都沒有。

凱特將軍面無表情地站在他面前，雙手環胸。她身旁兩名憲兵都瞪著他，手持短棒，像在嚇唬他不要亂動。

「妳要用上更多人才行。」坦尼爾說。

她似乎沒料到他會搶先開口。

「如果想把我打到聽話，或是任何其他目的，妳就要用上更多人。」

「閉嘴，雙槍。」凱特搔了搔耳朵的傷口，開始踱步。「我應該要槍斃你。」

「妳得吊死我。」坦尼爾說，忍不出輕聲竊笑。槍斃，這些軍官全都一副無所不知的模樣，但是你不能讓行刑隊出現在火藥法師面前，至少不能讓拿傳統來福槍的行刑隊動手。

一名憲兵使盡吃奶的力氣擊中坦尼爾下巴。坦尼爾的頭甩向一旁，眼前一陣天旋地轉，憲兵變成模糊的殘影。坦尼爾對憲兵吐了口帶血的痰，對方揮拳又要再打。

凱特舉手阻止他。「沒必要打他，憲兵。」她轉向坦尼爾。「你覺得這一切都是笑話嗎？你會被處決！」

「罪名呢？」坦尼爾語帶輕蔑。「守住戰線？」

「罪名？」凱特難以置信地停止踱步面對他。「不服從上司、行為不符合官階、抗命、直接攻擊軍官。你的行為和叛變無異。」

「去死吧。」坦尼爾說，很驕傲自己沒在憲兵上前時露出畏怯的表情。

凱特再度阻止憲兵。

「繼續說，」坦尼爾說。「我可以這樣搞一整晚。叛變？身為整個部隊中唯一想打贏戰役的軍官，妳說這是叛變？集結部隊叫叛變？給他們作戰的目標是叛變？妳在我們每次快要打贏的時候吹撤退號角，還敢說我叛變？」

「說謊！」凱特上前，坦尼爾以為她會動手打他。「下令撤退是因為戰局對我們不利。你人在前線，看不清你們的局勢有多糟。」

坦尼爾傾身向前，把繩索拉撐到緊繃。「我看不清，是因為我們就要贏了。」他又退回去。「妳怕我。妳變節了嗎？那就是原因？妳怕我會——」

這次凱特沒有阻止憲兵。坦尼爾的話被一拳打斷，腦袋一陣嗡嗡響，但他驚訝地發現，自己的牙齒竟然都還在嘴裡。

坦尼爾將滿嘴的血嚥了下去。「這就是妳偷偷摸摸逮捕我的原因？」坦尼爾透過腫大的舌頭說。「套著頭套拖過營區？不讓人看見？」坦尼爾嗤之以鼻，直視憲兵雙眼，挑釁他再度動手。

凱特搔著耳朵。「你很受歡迎。」她承認，又開始踱步。「但像你這種人就算很受歡迎也要接受懲罰，不然部隊會分崩離析。我本來要公開處刑，但其他將軍不同意。他們認為如果公開鞭打你，士氣會受挫。看在克雷希米爾的份上，士氣已經夠低落了。」

「所以妳不打算殺我？」

「不，至少還不是時候。我只會警告你一次。」

「妳以為我會道歉？」

「對。事實上，你要向好幾個人道歉。先從朵拉維少校開始，最後是我。」

坦尼爾聳肩。「不可能。」

「你說什麼？」凱特神色訝然地揚眉。

「我差點殺掉神，還殺了數十個榮寵法師，或許上百個，我算不清了。戰地元帥缺席期間——對了，為什麼有人告訴我他死了？有個神對我說他沒死。啊，對了，就是我們自己陣營裡的神，指揮部假裝不存在的神。」

「我剛剛講到哪？湯瑪士缺席期間，我就是你們對付凱斯最強大的工具。我集結部隊，殺了剩下的凱斯榮寵法師和勇衛法師。所以，不，天殺的我不會向任何人道歉。我父親不能忍受蠢人，我或許不太喜歡我父親，但這點我們看法一致。」

凱特將軍一言不發地聽他說完，這讓坦尼爾很驚訝，他以為講到一半就會被憲兵揍，本來預計要在下巴碎裂的情況下說完這些話。

「湯瑪士死了。」凱特說。「他在凱斯境內絕不可能活命。至於米哈理……要不是弟兄們那麼喜愛他，我們早就把他趕走了。他是個很有說服力的瘋子，僅此而已。」

「那我們究竟幹嘛打仗？」坦尼爾問。「如果克雷希米爾站在凱斯那邊，我們不可能贏。除非……啊，除非妳根本不相信克雷希米爾在那邊，妳認為這些超自然的東西都不是真的。」

「我相信眼見為憑。」凱特說。「我看見兩支敵對部隊。如果有神在那，我們都已經死了。現在，」她頓了頓，拉了張椅子到坦尼爾面前坐下，蹺起二郎腿。「肉體折磨顯然對你毫無意義，那死亡如何？」她打量他片刻。「不，那也不行。」

她自顧自地說下去。「接下來事情會這樣發展：你會被調來第三旅。你會保有軍階，不過是指揮我挑選的來福槍兵，執行我指派的任務。你不准再上前線作戰，你不是步兵。」

「噢，妳要一個屬於自己的寵物火藥法師？」

凱特彷彿沒聽到他說話般繼續說：「你要去向朵拉維少校道歉，而且是公開道歉，之後你會唸一段準備好的稿子，也是在公開場合，對你的所作所為道歉，對你父親的墳墓發誓你會遵守艾卓軍的規定。」

「我不幹。」

「女野人不能繼續住在你房裡。我不允許軍官有這種不正當的關係，特別是和野人。」

坦尼爾嗤之以鼻。「沒什麼不正當的。」

「我還沒說完！那女孩要擔任第三旅的洗衣工，你每天只能和她交談十分鐘。就這樣。」

「太荒謬了！」坦尼爾湊上前。「她又不是艾卓軍的人，她是——」

憲兵的拳頭讓他閉上嘴。那一拳差點把他打倒在地，但另一名憲兵上前扶住椅子。

「不准再插嘴。」凱特冷冷說道。「我已經受夠你這種不服從的態度。聽說那個女孩是某種法師，我會監視她，如果她試圖離營就會被揍，想來找你也會挨揍，聽懂了嗎？喔，在你開口之前，沒錯，我可以把她留在這裡。現在是戰時，我可以強行徵兵。」

坦尼爾等了一會兒，然後開口。「我會殺光所有膽敢碰她的人。」

「你想怎麼威脅都行，但你不可能隨時保護她。照我的話做，不然你的野人就會落入挖泥隊手中。你聽過他們吧?第三旅的垃圾，下賤到就連守山人都不收的傢伙。我讓這種人洗心革面，如果不成功，我就殺了他們。」凱特將軍站起來走到坦尼爾身邊低聲道。「我不認同強暴，也不鼓勵這種行為，但我明白那是強大的心理工具，別以為我不會讓挖泥隊對你的野人為所欲為。」

坦尼爾衡量自己有沒有能力當場殺了她。他得用牙齒咬死她，扯爛她的喉嚨。憲兵多半會阻止他，但或許值得一試。

「我不是怪物，上尉，我不是一時興起才這樣做。讓部隊遵守紀律是我的職責，即使要犧牲你的小野人的童貞，我也在所不惜，懂嗎?」

坦尼爾感覺怒氣離體而去。他不願——他不能讓卡波經歷這種事。

「懂。」他說。

凱特將軍走向門口。「給他鬆綁，打理乾淨。在他向朵拉維少校道歉前都不准離開房間。」

湯瑪士看著部隊緩緩步出胡恩朵拉森林，進入當地人稱之為大拇指河的洪氾平原。平原從森林到河岸約半哩，地面有岩石，不過不算太多，積滿了肥沃淤泥。若是潮濕的夏季，這片平原對於大批騎兵而言根本無法通行，但現在這種時節地面又乾又硬。

大拇指河是由山間融雪匯聚而成一系列河流中的第一條，這些河流統稱為克雷希米爾手指，河道很深，水流很急，沒有堅固的木筏根本無法渡河，只能推著木筏往下游更遠處登岸，或者從橋上過去。

但橋不見了。

消息在隊伍中傳開，湯瑪士聽見一陣驚慌的騷動。他為手下士兵感到痛苦。他們在挨餓，不但疲憊不堪，還要忍受炎熱高溫，好不容易抵達唯一能夠通過的希望，希望卻消失了。

他們不知道的是，橋是湯瑪士下令摧毀的。

湯瑪士看見洪氾平原對面的河岸旁有營火在熊熊燃燒，火上烤著肉，是一週前從凱斯軍抓來的最後一批馬，足夠讓一萬人飽餐一頓。

加瑞爾騎馬穿越平原，湯瑪士注意到他自己的馬還活著。他對湯瑪士敬禮，然後大聲報告：「該死的橋被沖走了！」

「可惡至極！」湯瑪士一拳打在另一隻手掌心。

加瑞爾繼續說：「我們殺了剩下的馬，砍樹做木筏。我需要人手幫忙。」

「好吧，凱斯軍趕到前，我們還有半天時間。歐蘭！」

保鏢差點從馬鞍上跳起來。他來到湯瑪士身旁。打從芙蘿拉的事情以來，他一直刻意落在湯瑪士後頭。

「長官？」

「分發食物。叫軍官集合，我要分配任務。」

「是，長官。」歐蘭甩動韁繩衝入部隊，像個剛死了狗的孩子般頹喪地坐在馬鞍上。

加瑞爾騎馬到離湯瑪士更近的地方。「你他媽對他說了什麼？自從費摩爾女士被丈夫抓到和我及他妹一起上床後，我就沒見過那麼心虛的表情了。」

「我告訴他，我不要他繼續和芙蘿拉在一起。」

湯瑪士看著歐蘭命令士兵幫他分配食物。他得謹慎處理，否則一萬一千人很容易就會暴動。「我也命令芙蘿拉停止這段關係。她……強烈……抗命。」湯瑪士不能忍受那種不順從的表現，至少在戰時不行。他不知道自己要如何處置，他已逃避此事兩天了。

加瑞爾哈哈大笑，拍打自己的膝蓋。湯瑪士很想動手捶他的馬，但決定不要那麼做。他可不想摔斷加瑞爾的脖子，就算這對他有好處也一樣。

「事情順利嗎？」湯瑪士壓低音量，朝河岸撇頭。

「順利。」加瑞爾說。「昨天毀橋，不過弟兄們不高興。我不保證他們不會亂講話。」

「我不要有人謠傳是我下令的。」

「我會想辦法讓他們閉嘴，」加瑞爾說。「但如果這樣會害死我們，我會用死前最後一口氣來詛咒你。」他的表情讓湯瑪士知道他開玩笑的成分只有一點點。

「聽起來很公平。胸甲騎兵距離多近？」

「斥候說一天。」加瑞爾搔了搔鬍子。「我希望你知道自己在做什麼。我們本來可以讓部隊過河，安安穩穩度過兩週，採集食物和休息，然後精神飽滿地在手指以北對抗他們。」

「我很肯定我們該這麼做。」湯瑪士說。他望向西方，大拇指河在約一哩外轉出視線範圍，進入胡恩朵拉森林。明天會有一整旅的重裝騎兵往上游方向穿越平原。他沒有退路，寡不敵眾。「我不要在北方高原上對抗畢昂・傑・伊派爾指揮的三個騎兵旅。即使對我來說，那也是自殺的行為。你要來開會嗎？」

加瑞爾望向營火。「我去幫歐蘭分派午餐。」

「很好。弟兄需要力氣，待會我就要他們開始工作。今晚會很漫長。」

湯瑪士騎到離河不遠的位置，走向前來集合的軍官。有些軍官還在馬背上，剩下的步行，因為他們兩週前就把馬交給加瑞爾的巡邏隊了。

他打量這些隨行的將軍、上校和少校後，跳下馬。

「各位，」他說。「圍過來。原諒我不能提供食物，我把我的神廚留在巴德威爾了。」

這話讓幾個人勉強笑了笑。湯瑪士心裡一沉，決定重新評估他的軍官。這些人外表邋遢、形容憔悴、不修邊幅、制服骯髒，好幾個人在和凱斯重裝騎兵作戰時留下新傷疤。還在馬背上的軍官都以他為榜樣，把大部分配給到的食物交給步行的士兵吃。他們疲憊又飢餓，他還在他們的眼中看見恐懼。在發現橋被沖走之前，那些恐懼並不明顯。

「正如各位所見，我們本來期待用以擺脫追兵的橋被沖走了，這讓我不得不改變計畫。凱斯重裝騎兵在今天結束前就會抵達此地，胸甲騎兵明天到。」

「時間不夠讓所有人過河。」有人說。

湯瑪士看向說話的人。對方是個少校，第九旅的後勤指揮官。他的肩章不見了，鼻梁上有道已經裂了兩天的傷口，凝結的血塊幾乎是黑色的。

「對，時間不夠。」湯瑪士承認。

軍官一片譁然。湯瑪士嘆了口氣。這些都是他最頂尖的軍官，正常情況下沒人會打斷他說話，但今天不是正常情況。

他抬起手。一段時間過去，軍官還在爭吵。

「乘坐臨時建造的木筏匆忙渡河會讓部隊陷入混亂。畢昂的重裝騎兵指揮官趕到時，絕對會立刻展開攻擊。所以我們要等，等到明天下午再迅速渡河。」

軍官們目瞪口呆，不明白他的意思。現場一片死寂，最後亞伯上校動了動下巴，吐出假牙。

「你打算布置陷阱。」亞伯說。

「一點也沒錯。」

「我們要設置什麼樣的陷阱，才能對付人數超過我們兩倍的騎兵？」第九旅的瑟索將軍問。

他強壯結實，中等身材，十年前在葛拉遭騎兵包抄，損失了兩團弟兄和他的左眼，之後他就對騎兵抱持特別謹慎的態度。

「讓我們看起來像是美味的目標。」湯瑪士撿起一根筆直的樹枝撥開長草，開始在平原的沙地上畫圖。

「但我們本來就是美味的目標。」瑟索將軍說。

湯瑪士不理他。「我們在這裡。」他畫一條線代表河道，然後畫山。「重裝騎兵小隊會從西方來襲，騎兵主體從南方進攻。瑟索將軍，我們在軍校裡教育軍官的第一課是什麼？」

「地形就是關鍵。」

「沒錯。」

「但長官，」瑟索將軍堅持道。「你讓我們在平原上對抗將近一萬七千名騎兵，我想不出任何比這還要糟糕的情況。」

「我們背對河道，」湯瑪士說。「而且人力充足。明天地形會變得很不一樣。」

「你打算依照需求重塑地形？」瑟索將軍搖頭。「辦不到，我們需要一週時間準備。」

湯瑪士瞪著他。「認定會輸的人肯定會輸。」他輕聲道。

「我很抱歉，長官。」瑟索說。

湯瑪士花了點時間掃視所有軍官後，接著說道：「早在克雷希米爾時代以前，古戴利芙人對於九國而言就是異族。我們的祖先只是戴利芙人對抗的野蠻人中很小的一部分。當時戴利芙人只有少數人有戰鬥力，但他們組織能力很強。戴利芙軍團可以一天行軍三十哩，然後建造完整的防禦工事和營地。他們能夠存活下來，是因為他們有軍紀和意志。我們也應當如此。」

湯瑪士說話時，畫圖的手也沒停下來過，他指著一條線。「地面有些岩石，不過土很鬆，容易挖掘。」他指向一連串的「X」標記。「胡恩朵拉森林裡有豐富的木材。」

亞伯上校蹲在簡陋的地圖旁研究了好一會兒，突然大笑。「看來有機會成功。我該派弟兄下去挖了嗎？」

「你的營第一班輪休。我們要連夜趕工，所以要輪班。然後你們要砍樹。瑟索將軍，你的部隊去挖地。」

「我的部隊？第九旅？」

「對，全旅。」

「你打算做圍欄嗎？」瑟索將軍問。

「不完全是。」湯瑪士說。「去挖吧。一小時後我會去巡邏，對各連下達具體命令。」他揮動樹枝趕人。「開工。」

湯瑪士看著軍官走向他們的弟兄。今晚會很漫長，他希望天亮開打後，他的努力不會白費，不然他會讓部隊累個半死卻毫無成果。

「米哈理，」他低聲說道。「如果你還與我們同在……我需要幫助。」

這是他這輩子說過最像禱告的話。

阿達瑪和索史密斯看著囚禁榮寵法師包貝德的廢棄宅邸。街上空無一人，四周一片死寂。南方地平線上有厚厚的烏雲，風勢也逐漸增強。今晚將是暴風夜。

大宅裡沒見到維朗迪敘的士兵，阿達瑪不確定那是好事還是壞事。他昨天把錢留在戴利芙上校指定的地址。他忍不住去想所有可能出錯的環節，或懷疑她會不會拿了錢就換個地方囚禁包。

阿達瑪走下山坡，穿越廢墟，來到僕役區。寢具都不見了，垃圾也收拾得乾乾淨淨，唯一能顯示那些士兵待過的跡象，就是火爐裡的溫熱灰燼。阿達瑪越走越緊張，會不會勒索大業主籌錢根本是白忙一場？

囚禁包的房間門是關著的。他轉動門把，走了進去。

榮寵法師包貝德不見了。椅子、床，就連架子和書都還在，就是包不見了。

「天殺的見鬼！」阿達瑪踢翻書架。「天殺的……」他癱倒在椅子上，雙手掩面。維朗迪敘拿了錢就跑了，事情就是這麼簡單。她消失後，榮寵法師包貝德也失蹤了，這讓阿達瑪救回妻子的希望徹底沒了。

索史密斯靠在門口，皺眉看著阿達瑪。「你要怎麼做？」

阿達瑪想挖出自己的眼睛。他能怎麼做？他以為自己瞭解絕望，但現在……

走廊地板嘎吱作響。索史密斯轉身，阿達瑪拔出口袋裡的手槍。如果來人是維朗迪敘，他會毫不遲疑就開槍射殺。

包經過索史密斯走進房內。他頭髮往後梳，衣襟拉得平整，鬍子刮成整齊有型的落腮鬍。

阿達瑪覺得四肢無力。他癱坐在椅子上，盯著榮寵法師。

「我以為你上次看起來就已經被打得夠慘了。」包說。「你的鼻子怎麼了？」

「我要打扁下一個問我這問題的人。」*只要對方不是榮寵法師，*阿達瑪無聲補充。

包露出一抹淡淡的微笑。「謝謝你讓我獲釋。」他說。「他們對我不錯，但沒人喜歡被綁成那樣，連手都不能動。」他扭動手指。「都僵硬了。」

「不客氣。」阿達瑪說。「現在你能履行你的承諾了嗎？」

「我有事要辦。」包走到窗口往外看。

阿達瑪胸口發悶。*有事要辦？*「我現在就需要你。」

「我明天就會幫你。」

「你不能離開我的視線範圍。」阿達瑪說。「我要確保你會幫忙。」

「你不信任我？」

「我不能輕信任何人。」阿達瑪說。

「如果我決定無視談好的條件，你也沒辦法阻止我。」這並非提問，而是陳述事實。

「大概不能。」阿達瑪同意。

他們對視了好一會，阿達瑪得提醒自己包有多年輕，二十歲？或許二十二歲？他的眼神看起來歷盡滄桑，像個看盡世間苦難還能活下來談論這些苦難的人。

「隨便你。」包說。

「你只需要一晚？」

「對。」

「索史密斯，」阿達瑪說。「去找歐里奇中士，再去找閹人。告訴他們我打算明天行動，然後回安全屋會合。」

拳擊手點頭離開。

阿達瑪跟著包上街。榮寵法師步伐堅定、抬頭挺胸、目光警覺，似乎很清楚自己的目標。他們走了半小時才攔到馬車。包交代了車夫該怎麼走，然後上車。

「閹人，是大業主的閹人？」包詢問。他的手伸出口袋，阿達瑪發現他沒戴榮寵法師手套。

阿達瑪拉撐外套前襟。「對。」

「你交了很危險的朋友。皇家法師團嘗試暗殺他兩次，但顯而易見地都失敗了。」

「暗殺大業主還是閹人？」

「閹人。」包說。「大業主和法師團勉強達成停戰協議，但柴克利向來不喜歡閹人。不過，在派去暗殺闍人的榮寵法師死後，他就不再嘗試那麼做了。」

「闍人殺得了榮寵法師？」

「知道的人不多，」包說。「但沒錯。」接下來的旅程中，榮寵法師不再說話，一直看著窗外，把玩著外套下的東西。

惡魔紅玉，阿達瑪猜測，就是他脖子上那顆如果不幫曼豪奇復仇，就會害死自己的寶石。

「我們到了。」包突然說。

他們在貝克鎮中央下車，空氣中瀰漫著熱麵包和肉派的味道，香得阿達瑪口水直流。「我去弄點東西吃。」他說著，在賣派的攤販旁停步。

「也幫我買一個，」包回答。「然後上樓。」

他消失在兩間麵包店中間的磚牆建築內。

阿達瑪付錢買了兩個肉派，跟著包進屋。走上樓梯時，他發現自己來到一間套房公寓，房內有桌子和床，一張舊乾草床墊，還有一扇通往麵包店後巷的窗戶。

「你在幹嘛？」

包沒回答，不過敲了天花板一下，敲得很用力。泥灰落下，接著一個箱子掉了下來，重重落在地板上。

阿達瑪揮開臉上的泥灰，包則打開箱子。箱子裡有一雙榮寵法師手套，還有一堆看來像千元大鈔的鈔票，用絲帶綑起來。

「我以為會看到比較……神奇的機關。」阿達瑪說。

包戴上榮寵法師手套，扭動手指，然後開始把一疊疊鈔票放在箱子旁的地板上。「我並非從小就是榮寵法師，」包說。「和大部分榮寵法師不一樣，我一開始是在街頭混的。」

「所以……在天花板上藏箱子？」

「我並不蠢。除了我之外的任何人碰到這個箱子，就會被上面的魔法炸飛。」

「啊。」

「你付維朗迪敘多少錢放我走？」

「做什麼？」

「多少？」

「七萬五。」阿達瑪說。

包給他兩疊鈔票。「這裡有十萬。」

「我不能拿。」阿達瑪說著，把錢推回去。「我還要你幫忙，我……」

包翻了個白眼。「收下。我還是會幫你。我不在乎你是怎麼弄到錢的，但肯定不容易。只要能力所及，我一定會加倍償還。」

阿達瑪直到理解包不會讓他拒絕後，才把錢收進口袋。他估計包的箱子裡起碼有一百多萬。對阿達瑪而言，這種數目多到難以想像，但對包那種曾加入皇家法師團的人而言，這點錢可能根本不算什麼。

榮寵法師只留了四綑鈔票隨身攜帶，其餘的用牛皮紙綑起來打結包好，好像那只是他在店裡買的包裹。弄完之後，他站起身對阿達瑪點頭。「走吧。」

抵達下一站後，包不讓阿達瑪跟進屋，後來第三次停車也一樣。天黑後，他們到了第四站，阿達瑪終於按捺不住好奇跟了上去。

他們來到比較富裕的區域，逐漸崛起的中產階級住在小巧的雙層建築中，介於貴族和窮人之間。這裡和阿達瑪居住的區域差不多，只是更為擁擠。

包下了馬車，走向兩棟寬敞出租公寓之間的巷子。阿達瑪等待片刻，才溜出去跟在他後頭。他停在巷口，在拐彎處張望，只見包敲響了一扇門，片刻後有人讓他進屋。

阿達瑪沿著巷子慢慢走著，來到窗口偷看公寓內部。

他看見屋裡有兩個孩子在大壁爐旁玩耍，一男一女，大概八歲和十歲。窗戶開著讓晚風吹入屋內。阿達瑪走到下一扇窗前，從這裡可以看到裡面的廚房。

一個留著長鬍子的寬肩男子站在廚房的桌子旁皺眉看著包，女人則坐在桌邊忙著織布。

「只耽誤你十分鐘。」包說著，從口袋拿出一疊鈔票扔在桌上。

女人丟下縫衣針，摀住嘴巴，男人目瞪口呆看著那筆錢。包又拿出一疊鈔票，放到第一疊上。

「你說什麼都行，」男人說。「等我去拿外套。」

門開了，阿達瑪被迫貼牆而立，希望黑暗能掩飾他的身影。

包跟著男人走進巷子，指示他繼續前進。他們來到距離阿達瑪十呎左右時停步。

「究竟是什麼事？」男人問。

包舉起戴手套的手指，輕輕一彈。

男人的頭扭轉一百八十度。包順勢閃開，任由屍體摔倒在地。他檢查了一下屍體，接著轉身走向馬車。

阿達瑪忍不住了。他見過很多可怕的謀殺案，見過壞人做恐怖的事，但就這麼突然……他走出陰影。「你這是什麼意思？」他嘶聲問道。

「繼續走。」包抓住他的手臂，力量大得出奇，扳過他的身子推向馬車。

阿達瑪沒得選，只能任由他把自己帶走。馬車很快就移動了，阿達瑪努力想把剛剛看到的景象化為言語。那場謀殺迅速而冷酷，訓練有素的殺手也不過如此。

「好了。」包說著，從上衣底下抓了樣東西用力一扯，丟到阿達瑪大腿上。「拿去，我不要這個可惡的東西了。」

阿達瑪瞪著大腿上的紅寶石項鍊。「惡魔紅玉？」他不確定自己想不想碰它。

「對。」包說。

「我以為你得殺了湯瑪士。」阿達瑪說。「怎麼……」

包看起來有些得意，一點也看不出這人剛剛在距離對方妻兒不到兩百步的地方，扭斷一個男人的脖子。「我得為國王報仇，剛剛那傢伙是把曼豪奇壓上斷頭台的劊子手。」

阿達瑪終於從口袋裡取出手帕包起紅寶石，就著馬車外的街燈細看。寶石很溫暖，不，是燙手。它似乎自己會發光。他懷疑珠寶商願意付多少錢購買這種魔法藝術品。

「很美，是不是？」包問。

「不可能這麼簡單。制約是奠基於神的承諾，你不可能只殺掉行刑者就夠了，對吧？」

「克雷希米爾只是個人。」包瞇起雙眼，彷彿有什麼事令他憤怒萬分。「只是個魔力強大的大混蛋！他或許比大部分人聰明，有很多時間考慮和計畫，但就連所謂的神也會犯錯。」

「這玩意兒……安全嗎？」阿達瑪問。

「很安全。」

阿達瑪用手帕包起寶石放入口袋。「你為什麼不直接告訴湯瑪士？」

「我不敢肯定。」包說。「我是最近才冒出這個想法的。要是讓他的士兵殺死了無辜之人，紅玉卻拆不下來，我就會看起來像個蠢蛋。」

「你不敢肯定？什麼樣的惡人——」

包揚起手掌，冷冷瞪著阿達瑪。「你什麼時候以為皇家法師團裡有好人了？」

「是你讓我這樣以為的。」阿達瑪說，吞嚥口水。「對，你給我這種印象。」

「好吧，拋開那個想法。」包轉向馬車車窗。「我不是好人，完全算不上。我只是在還債。」

阿達瑪看著榮寵法師許久。那語氣是帶有遺憾嗎？他嘴角在下沉嗎？阿達瑪完全無從判斷。他提醒自己，皇家法師團成員都是危險人物，絕對不能信任他們。

他只希望包真的站在自己這邊。

22

湯瑪士估計到天黑還有兩小時，到時候凱斯重裝騎兵就會接近到能查探他們的位置。

士兵在胡恩朵拉森林裡的伐木聲迴盪在平原上，一組又一組的士兵運送木材穿越草地，前往湯瑪士選定的決戰場。走近後，數千把鏟子挖地的聲音令湯瑪士毛骨悚然。他討厭那種聲音，感覺像有人用指甲磨他的臼齒。

他在河邊看見安卓亞在清理來福槍，標記師的腰帶掛滿過去幾天打到的松鼠尾巴。他和其他士兵的表情不一樣，因為吃得不錯，臉有些圓潤，沒有疲態。

不過他的雙眼卻背叛了他。他的眼睛又大又亮，不斷左右移動。就和湯瑪士的其他火藥法師一樣，安卓亞已連續幾週處於火藥狀態了。那是非常危險的狀況。火藥癮會讓所有法師暈眩、失去判斷力、昏迷不醒，甚至死亡。

「是我就會少吸點火藥，士兵。」湯瑪士輕聲提醒。

安卓亞上下打量湯瑪士。他嘴唇抽動，有那麼一刻，湯瑪士以為他要對自己發火。

「是，長官。」安卓亞說。「或許我該照辦。」

「芙蘿拉呢？」

安卓亞聳肩。湯瑪士不禁懷疑部隊的軍紀何在。

「什麼意思？」

「不知道，長官。」

「把她找出來。」

「她不和你說話，長官。」

「士兵，你再說一次？」

「她說——當然，我只是在轉述——她說你可以去死。」

湯瑪士深吸一口氣。這可不行，絕對不行。他迅速考慮選項。他可以鞭打她，如果普通士兵這樣對他說話，他絕對不會遲疑，但芙蘿拉……她算什麼？要是其他情況下，他或許會覺得她是家人，但她已明白表示他們沒有這層關係了。

再說，在大戰前夕公開鞭笞？他翻了個白眼，這種行為對士氣可真有幫助。他可以公開訓斥她。但萬一她回嘴呢？那他就別無選擇，只能處以嚴厲的懲罰。以她的脾氣，他或許得吊死她。

「集合火藥法師團，」湯瑪士說。「有任務要派給你們。叫芙蘿拉過來。」

安卓亞敬禮，然後繼續清理他的來福槍。湯瑪士走向營火堆旁去找東西吃。

士兵都在排隊。歐蘭和他的來福槍戰隊站在隊伍前面，他們都是值得信任的人，負責管理步兵秩序。最後的馬肉迅速發放給拿著白鑞盤的士兵。

部隊都在努力執行湯瑪士的指令，但營地的準備工作也沒有落下。營帳架起，營火升起，小隊人馬出去收集木柴或在河裡抓魚。打架事件時不時會發生，但很快就會被平息，只是沒多久又會在別處開打。食物似乎是主要的衝突點，因為會有士兵插隊。馬肉或許能讓他們度過今晚，但士氣非常低落，食物撐不過明天。

「長官。」

安卓亞的聲音打斷湯瑪士的思緒。十九名男女在他面前集合，這是所有參戰的火藥法師，包括薩邦死前徵召的新手。

「我們的火藥和子彈所剩不多。」湯瑪士開門見山。他瞥見芙蘿拉在隊伍後方，但沒有直視她的雙眼。「明天我們要對付將近一萬七千名騎兵。我在架設陷阱，應該能提高勝算，但絕對會是一場硬仗。」

湯瑪士環顧四周，突然感到疲憊。他的腳太痛了，本來想吸點火藥，不過他阻止了自己。省著點給士兵用吧。他走向一塊大岩石坐下，指示火藥法師稍息。他們大部分都坐在沙地上，芙蘿拉繼續站著，雙手環胸。湯瑪士沒有理她。

「我會重新分配子彈和火藥，讓你們在接下來二十四小時內擁有足夠的彈藥。你們的首要工作是別讓凱斯斥候進入半哩內，別讓他們占據高地。」他向東指著艾卓山脈。「別讓他們看見我們在幹嘛。所有士兵的性命都取決於此。」

「然而，」他繼續說。「我要他們看見我們有所行動。有在挖地，有在準備木筏，或看起來準備重新搭橋。你們偶爾可以讓一個斥候接近，然後打傷他的手臂再把人趕走，或採取其他更有說服力的做法。」

「明天應該和之前差不多。我認為畢昂會在胸甲騎兵抵達時展開進攻。他懂得把握機會，從來不會遲疑。」

「如果他察覺陷阱呢？」安卓亞問。

「那我們就明天晚上渡河，在手指另一側對付畢昂。」湯瑪士有強烈的預感事情不會發展成那樣。畢昂得現在就阻止他們。他們跑得越北邊，就越可能在戴利芙找到援助，藉此返回艾卓。湯瑪士希望這點會驅使畢昂行動，他可不想在北方高原的開闊地形上與凱斯軍對決。

「我們要分組。」湯瑪士說。「九人和三人。九人執勤，獵殺凱斯斥候，三人休息。」

「我們不必休息。」安卓亞表示。他對湯瑪士咧嘴一笑，歪七扭八的牙齒泛黃。「我們只需要火藥。」

湯瑪士伸手指著安卓亞。「你會有機會殺凱斯人的。」他說。「你們今晚全都得休息。」

現在時間約六點左右，火熱的太陽染紅西方的琥珀平原。湯瑪士心想，今晚或許是他在這世上的最後一晚。

凱斯人數眾多，他卻年老力衰，已經沒有從前的迅速和敏銳。畢昂或許會看穿陷阱，棋高一著，或繞到遠方慢慢削弱湯瑪士的兵力，直到湯瑪士渡河，再從西方繞過手指，先一步到北方高原等候湯瑪士的到來。

下令要加瑞爾去毀橋是不是個錯誤？

「長官？」

湯瑪士回過神來。火藥法師解散了，只剩下芙蘿拉。一時之間，他彷彿看見童年時的她——十歲——在爭取他認同的年紀。太陽西沉，營地一片漆黑。營火黯淡，馬肉蕩然無存。數千名士兵在洪氾平原上工作，另外數千名士兵在胡恩朵拉森林外圍砍樹。

「他們呢？」

「長官是指？」

「火藥法師。」

芙蘿拉眼裡隱含憂色。「你一小時前叫他們解散，叫我留下。」

「然後妳就一直等？」

「你看起來在想事情。」

湯瑪士斷斷續續吸了口氣。他突然想起解散安卓亞和其他火藥法師的事，但這種感覺就像透過濃霧回望過去一般。

真的老了。

「長官，你吃過了嗎？」

湯瑪士肚子咕嚕咕嚕叫了起來。「我之前吃了點馬肉。」

「我一直在注意你，長官。你去檢查營火時什麼都沒吃。」

芙蘿拉從腰帶掏出一塊白色塊莖遞給他。「這是昨天在森林裡採到的松露。你該吃點東西。拿著，湯瑪士。」

湯瑪士不情願地伸手接過食物。

他遲疑著，盯著那些松露。生長在艾卓山脈的松露是九國著名美食，小小的，呈現乳白色，不過他向來不喜歡松露。

「謝謝妳。」他說。

芙蘿拉倚著她的來福槍凝望森林。他看著她的側臉。他看著她從初出茅廬的火藥法師變成經驗老到的戰士，成為他最頂尖的部屬。她很強，擁有會隨著歲月黯淡卻永不消逝的美貌。他再度為了這個女孩不會幫他生下孫子而感到失落。他又看了手裡的松露一眼。

「我之前說的，湯瑪士——長官，我不應該那樣對你說話，在部隊面前不該那樣說。」

「對，妳是不應該。」

芙蘿拉身體僵硬。「我願意接受任何懲罰。」

這麼多年過去了，湯瑪士不知道自己也會心碎。他深吸一口氣。「妳是成年女性，歐蘭是好男人，他能讓妳幸福。」

這話似乎令她吃驚，但不是湯瑪士想像中的那種吃驚。「他只是一個男人。」她說。「晚上取暖的人。」她閉上雙眼。「我們是軍人，明天可能就會戰死。就算我們兩個都活下來，也會繼續去找其他人，這是我們選擇的生活。」她再度睜眼看向營地。「我們所有人都是這樣。」

啊，每個軍人都很清楚，愛人是過客，激情像蠟燭——中間炙熱，但很容易熄滅，要讓火苗持續超過一季或一場戰爭很難。「會是很孤獨的生活。」湯瑪士同意。

「你認為明天我們能打贏嗎？」芙蘿拉問。

湯瑪士看向森林，士兵們正在忙碌工作，拖著木材穿越洪氾平原前往營區，鐮刀砍中木頭的聲音響徹夜空。有些方位傳來槍響，不知道是士兵在獵食，還是火藥法師在驅趕凱斯斥候。

「我認為我們會打贏每一場仗。」湯瑪士說。「這一戰……不輕鬆。只要凱斯軍察覺我在幹什麼，整個逆轉計畫就會失敗。我們彈藥不足，弟兄們飢餓難耐。我們明天非贏不可，不然就會死在這裡。」

天氣炎熱，他卻突然一陣畏寒，覺得自己蒼老許多。

「我不想死在這裡，長官。」芙蘿拉抱著她的來福槍說道。

「我也不想。」

「長官？」

「什麼事？」

「加瑞爾……他說你很久以前在小指頭河埋葬過一個人，是誰？」

湯瑪士覺得自己突然抽離，感覺激流打在臉上，手指沾滿徒手挖墳時留下的泥巴和血。

他強迫自己站起身來，努力不把重心放在傷腿上，那隻腳需要活動。「我埋葬過數不清的朋友，更多的敵人，以及親人，還有親近到和親人差不多的人。我想再次見到艾卓，想知道我兒子是否在考驗中活下來。但在那之前，我們有很多工作要做。就這樣，上尉。解散。」

⚔

坦尼爾坐在自己的房裡沉思，看著窗外那排載運傷兵離開前線的車隊。他想過打開窗戶詢問戰況，但心中已有猜測——戰況很慘。這些人可能遭遇了迫擊砲襲擊，他們的傷口血肉模糊，而從制服來看，他們都是同一連的人。

凱特將軍把他安排在前線後方五哩外的旅店，整天都有人看守。凱特的最後通牒感覺已經下達好幾週了，但他知道才過了一個晚上。

憲兵要求他供出卡波的下落。坦尼爾聳肩叫他們去死，但心裡十分擔心他們抓到她後會怎麼對付她。他們是不是奉命毆打她，就和之前對付自己一樣？還是更糟？卡波沒有憲兵的娃娃，有辦法對抗他們嗎？

凱特將軍一早就跑來他房間，威脅他晚一天向朵拉維少校道歉，就會有更多士兵死在前線。要不是凱特將軍，他人已經在前線了。他才不會讓她把撤離戰線的責任怪到自己頭上。

坦尼爾看見窗外有個年輕人，嚴格說來是男孩，沒超過十五歲。他的膝蓋以下被截肢，坦尼爾無從判斷是砲彈還是軍醫幹的，但男孩臉上的寧靜令他震驚。年紀比他大三倍的人正因各式各樣的傷口而哀號，男孩卻只是默默坐在馬車後，殘肢垂在車外，冷靜地看著一群新兵前赴戰場。

坦尼爾拿起素描本，開始描繪男孩的輪廓。

有人敲了敲門，坦尼爾不理會，專心為男孩的畫像打草稿，以便晚點完稿。

直到他幾乎忘記門外有人，敲門聲才再度傳來。外面的馬車開始移動，受傷的男孩也跟著離開了。坦尼爾把素描本丟到桌上，走到門邊。

來的人竟然是米哈理，這完全出乎坦尼爾的預料。胖主廚一手端著銀盤，一手掛著毛巾，圍裙沾滿麵粉和巧克力漬。

「抱歉打擾你。」米哈理說著，經過坦尼爾身旁。兩名憲兵跟著進屋，一個拿摺疊桌，另一個拿紅酒瓶。「放在那裡。」米哈理指示他們。「放在窗戶旁。現在給我們一點隱私，麻煩了。」

憲兵嘟囔抱怨著，將桌子擺放好後就退回走廊。

「坐。」米哈理指著屋內唯一的椅子，自己則站到桌旁。

「現在是什麼情形？」坦尼爾問。

「晚餐。」米哈理揭開銀餐盤的蓋子。「鵪鶉蛋餅燉牛肉佐甜山羊乳酪，搭配紅酒。恐怕算不上豐盛的大餐，但紅酒是上好的四七年紅酒，還冰鎮過。」

算不上豐盛？光是銀餐盤上飄來的香味就讓坦尼爾愉悅得發抖。他立刻開始流口水。他發現自己衝到桌旁，還沒坐下就扠了塊牛肉時，下意識停了一下。「我可以吃嗎？」

「請用、請用。」米哈理鼓勵他，並拔開紅酒塞，倒了兩杯酒。

被米哈理看著吃飯讓坦尼爾有點尷尬，但他很快就學會忽視主廚的存在，又扠起第二塊肉。

「有什麼事，」坦尼爾看著在喝第三杯紅酒的米哈理問。「值得慶祝的嗎？」

米哈理幫坦尼爾倒酒。「慶祝？一定要有值得慶祝的事才能吃點好的嗎？」

「我以為是這樣。」

米哈理搖頭。「我聽說他們囚禁你，餵你吃士兵口糧。對我來說，那是戰爭罪。」

「啊。」坦尼爾微笑，但無法肯定米哈理是不是在說笑。他湊上前拿起他的酒杯，注意到酒瓶裡的酒還是滿的，他們倆喝了多少，五杯嗎？或許米哈理身上還藏了第二瓶酒。

「我有封信要給你。」米哈理從圍裙裡拿出一封信。

坦尼爾停頓了一下，叉子剛送入嘴裡一半。「誰寄的？」他滿嘴鵪鶉蛋，含糊不清地問。

「伊坦上校。」

坦尼爾丟下叉子搶走信。他撕開信封，閱讀裡面的內容。看完後他推開椅子，深吸一口氣。他不覺得餓了，就連米哈理的食物也不能勾起他的食慾。

「發生什麼事？」米哈理問。

「和你無……」坦尼爾嚥下自己的話。米哈理帶著大餐大老遠從前線過來，傳遞一封透過其他方式多半無法送到坦尼爾手上的信。他應該感謝主廚，而不是對他發怒。「我請伊坦上校查閱部隊黑火藥用量的後勤紀錄。」

「喔？」

「他還查了申請單。數量對不上，部隊申請的火藥比用量多三倍，卻只有將近兩倍的量運達前線。」

「在哪裡遺失了嗎？」米哈理問。

「比較可能是被偷了。任何部隊都有貪腐存在，就連我們也一樣。但湯瑪士在戰時會嚴懲這種行為。這些紀錄——」他把信封丟上床。「表示後勤官涉案，至少還有一個總參謀部的人。有人藉由戰爭獲利百萬。」

「如你所說，」米哈理回應。「到處都有。」

「但火藥……照目前形勢，我們很快就會用完，整個國家都會耗盡，到時候不管我們部隊多精良都沒用，我們會被凱斯軍踩扁。可惡！」坦尼爾用手指敲擊面前的銀餐盤，他想將餐盤扔出去，但盤裡還有牛肉。「你能把我弄出去嗎？」

「抱歉，我想不能。」米哈理嘆氣道。「我說過了，參謀總部完全不聽我的。」米哈理拍了拍自己的肚子。「湯瑪士，他願意聽從建議，即使不信任提供建議的人也一樣。但這些將軍什麼都聽不進去。」

坦尼爾往後一靠，喝著紅酒。米哈理的沉穩語調和平靜態度幫助他冷靜下來。「不管你信不信，他們都是九國中最強的將領。」他很驚訝地發現自己的語氣絲毫沒有怨懟。「但我不能肯定那對艾卓是好事，或對九國其他地方是壞事。」

米哈理輕笑。「那肯定解釋了我們至今尚未戰敗的原因。儘管人數差異這麼大。」

「前線的戰況如何？」坦尼爾問。「我是說，我能看……」他指了指窗外，裝載死者和傷兵馬車的記憶歷歷在目。「但我已經兩天沒有聽到真正的消息了。」

「不好，我們昨天損失了將近一哩地。」米哈理一臉嚴肅。「你知道的，你本來要改變戰況了。上週阻止對方推進，讓部隊嘗到幾個月來首次勝利，他們鬥志高昂，我感覺得出來。他們會跟隨你衝鋒陷陣，直取克雷希米爾咽喉。」

「該死！我得離開這裡返回前線。我還得查出是誰在利用黑火藥牟取暴利。」

「怎麼查？」

「刑求部隊裡每個後勤官，直到有人開口為止。你確定你沒辦法讓我獲釋？」

「參謀總部大部分軍官根本不相信我是神。對他們而言，我只是個瘋主廚。坦尼爾，想要離開這裡唯一的方法，就是向朵拉維少校道歉。」

坦尼爾起身走到窗口。「絕對不幹。」

「別和凱特將軍比尊嚴。」米哈理說。「那女人驕傲自大到連布魯德都相形失色。」

布魯德，聖徒之一——嗯，是諸神之一。坦尼爾用眼角看著米哈理乾掉第四杯酒。他很容易忘記米哈理的真實身分，畢竟在想像中，神的行為舉止都該和國王差不多。神不會嘴角滲酒，然後拿袖子去擦。

「我能怎麼辦？」坦尼爾問，不知道米哈理有沒有提供他父親建議。他無法想像湯瑪士聽從主廚的建議，就算他真的相信米哈理是神也一樣。

「向朵拉維道歉。」

坦尼爾鼻孔大大噴氣。

「我看不清楚。」米哈理輕聲說道，凝視酒杯。「未來在不停變化，始終模糊不清，就算我有能力看見也一樣。我唯一能肯定的是，如果你待在這個房間裡，我們會繼續撤退。凱斯軍會把我們逼出山谷並包圍我們，然後逼迫我們投降。又或是我們會先耗盡火藥，結果也一樣。」

坦尼爾語帶輕蔑。「我只是一個人，不可能造成那麼大影響。」

「一個人總是能造成影響。有時候影響小，有時候能夠扭轉戰局。而你……你不是人，再也不是了。」

「喔？那我是什麼？」坦尼爾問。米哈理越說越離譜了。

「嗯，」米哈理說。「我想世上沒有能用來形容你的詞彙，畢竟你是第一個這種人，你變得像祖蘭了。」

坦尼爾聽見自己倒抽一口涼氣。「我不是普戴伊人。」

「不，不算，畢竟你並非永生不朽。但話說回來，祖蘭也不是，她只是不會變老。我不認為你的魔法能讓你不老，就算有卡波幫助也一樣，但你是火藥法師中的普戴伊人。」

「太荒謬了。卡波在哪裡？」

「躲起來了。我提供我的保護，當然，我其實也有點猶豫，畢竟那個女孩讓我毛骨悚然。」他說。「她沒有接受我的保護，不過我日後或許會有需要她幫忙的地方。」

坦尼爾揉了揉腦側。

「再來一杯？」

「我想我喝夠了。」

「隨便你。」米哈理又給自己倒了一杯。他的臉頰通紅，除此之外看不出他喝了七杯酒的跡象。坦尼爾注意到酒瓶還是滿的。

「你說你可以看見一點未來。」坦尼爾說。「如果我向朵拉維少校道歉，之後會怎麼樣？」

米哈理盯著酒杯。「變動。我就看見這個。那是件小事，但會激起漣漪，讓既定的未來變得不確定。而此刻，那個既定未來對我們不利。」

坦尼爾拿起一支羽毛筆，翻到伊坦的信背面。墨水染黑信紙，他迅速寫了張字條。「你可以把這封信交給理卡·譚伯勒嗎？」他問。「我不能透過正常管道寄信。如果參謀總部有人在發戰爭財，他們肯定到處都有眼線。」

「我可以派我的助手送信。」米哈理說著，伸手接過信。

「謝謝你。你知道我該去哪裡找朵拉維少校嗎？」

「剛好……我知道。」

23

湯瑪士注視著太陽從東方的艾卓山脈升起，不知道這會不會是他這輩子最後一次見到日出。

凱斯重裝騎兵昨晚趕上他們，敵軍在胡恩朵拉森林一哩外紮營。他半個晚上都在觀察他們的營火，聽他們高唱騎兵戰歌。三不五時會有斥候太過逼近，遭遇火藥法師槍擊。

如今世界一片寧靜，只剩下身後的激流聲。湯瑪士躺在地上，在離河一百步遠的地方靠著馬鞍。他手裡拿著火藥條，手指揉捏著紙。

在他的腦海中，可以看見重裝騎兵爬出帳篷，在清爽的晨間空氣中伸展四肢，營火煮著法特拉斯塔咖啡。他們不慌不忙，休息充足，知道己方的胸甲騎兵還要一段時間才會抵達，而畢昂在兵馬到齊前不會進攻。

「胸甲騎兵在哪裡？」湯瑪士問，說話時吐出的氣息凝成白霧。時值炎熱夏季，但在靠近高山的地方，早晨依然寒冷。

加瑞爾嚴肅地看著樹林，彷彿期待重裝騎兵隨時出現。「再過幾個小時就到了，我認為他們會在中午抵達。」

「兩點會整備完畢。如果畢昂身為將軍的能力夠強，一點就能備戰完成。」

「準備的時間不多。」

「足夠了。歐蘭！」

保鏢在湯瑪士身旁幾步外的站哨位置轉身。「長官？」

「撤回森林裡的崗哨。木筏準備好了嗎？」

「好了，長官，有三艘大木筏。」

「開始運兵過河。先從傷兵開始，然後是新兵。慢慢來。我認為凱斯軍會在一到兩點之間進攻。我要約一千名士兵渡河，足以製造假象，又不會影響我們的戰力。」

「沒問題，長官。還有別的事嗎？」歐蘭說話簡短，隨時準備作戰。

「所有人都知道開打後的位置嗎？」

「知道，長官，我們演習了半個晚上。」

「把事情搞得混亂一點。我希望看到很多推擠和爭吵打架，就算在過程中『損失』了一艘木筏也沒關係，重點是要讓敵軍信服。」

「長官，我昨晚和亞伯上校討論過，確保士兵們會藏起裝備和來福槍，假裝丟兵棄甲。」

「很好，解散──等等，把安卓亞和芙蘿拉找來。」

歐蘭在聽到芙蘿拉的名字時抖了一下。他敬了個禮，然後離開。

風向西面吹去，湯瑪士看見一朵烏雲從艾卓山脈朝他們飄來。下雨的話這場仗會很不好打，搞不好畢昂會延遲進攻，讓湯瑪士所有的準備都白費。

不知道米哈理有沒有聽見他昨晚的祈禱。

「你要怎麼做，湯瑪士？」加瑞爾問。

「從這裡看還不明顯嗎？」

「自從你昨天抵達後，我就一直在巡邏。在我看來，就是準備到一半的防禦工事。」

「完美。」湯瑪士站起身。營地是正方形的，北邊是大拇指河岸，東邊是通往山上的碎石坡道，凱斯騎兵難以包抄。營地的西南外圍堆起許多三呎高的土堆，是很標準的臨時防禦工事，步兵會躲在土堆後面尋求掩蔽。

但難以抵擋騎兵衝鋒。

西邊的土堆上有樹幹，交叉形成大X形，樹幹之間有很多尖木樁插在地上。那對騎兵而言是致命的路障。幾百名弟兄辛苦工作，努力在南邊的土堆上增加木樁，但他們人手不足，防禦工事尚有約八分之一哩的缺口，敵軍一萬重裝騎兵可以衝鋒闖入那個缺口。

「長官。」

湯瑪士思緒從營區工事中拉回來。安卓亞和芙蘿拉立正站好，兩人都一夜沒睡的樣子。可惡的笨蛋。

「集合所有火藥法師。」湯瑪士說。「我要你們渡河。」

他們愣愣地看著他。「長官？」安卓亞緊握來福槍說。「你保證過會讓我們殺凱斯人。」

「你們可以在對岸殺，我不要冒險讓我的法師加入混戰。我要你們在不會被槍打到，或被刀刺到的地方開槍。」

「你要我們輪班渡河，應付凱斯斥候嗎？」芙蘿拉問。

湯瑪士遲疑。一陣冷風吹過營區，他注意到山上飄來一陣低霧穿越平原。

「不，我現在要讓凱斯斥候仔細偵查我們的營地，他們想多接近就多接近。」

「長官，我想留在河這一側。」安卓亞說。

湯瑪士嘆氣。「今天不行，安卓亞。」

安卓亞把槍握得更緊了。「拜託，長官。」他咬牙說道。「你保證我可以殺凱斯人。」

「在遠距離殺。」湯瑪士語氣堅定。「再說了，他們會留意標記師，你們渡河會增加他們的信心。」

「那你會和我們一起渡河嗎？」芙蘿拉問。

湯瑪士皺眉。「不，我為什麼要渡河？」

「你也是火藥法師，長官。」

「不，我得待在現場指揮大局。」

「不公平。」安卓亞大怒。他瞪著森林，渾身緊繃，像條聞到獵物氣味的獵犬。「我有權用刺刀貫穿凱斯貴族的眼睛，我要我的雙手染血。」

「雙手染血，長官。」湯瑪士糾正他。他不需要這種情況發生。一萬五千名騎兵即將衝鋒，而正當他以為和芙蘿拉盡釋前嫌時，安卓亞又開始違逆他了。「渡河！這是命令，士兵。」他轉過身去，表明這段談話已經結束。兩名火藥法師離開，留下他和加瑞爾。兩人沉默了一段時間，看著營區陷入預期的混亂中。士兵大吼大叫，湯瑪士隱約看見有人打了起來。片刻後第一艘木筏離岸，它脫離士兵掌握，被水流帶向下游。部隊裡掀起一陣驚慌失措的呼喊，湯瑪士覺得那不像演出來的。

「你要我待在哪？」加瑞爾問。

「在馬背上。」湯瑪士說。「你和你的巡邏隊待在東線，以防畢昂走碎石坡包抄。」

「好。」加瑞爾說。

「拿去。」湯瑪士解開腰帶上的騎兵劍交給加瑞爾。「在馬背上比較好用。」

「你不騎馬？」

湯瑪士微笑，但笑意沒達到眼底。「我待在中央。只要不騎馬，弟兄就不會看到我倒地。」

加瑞爾似乎在考慮他這句話的嚴重性，最後才接過騎兵劍。

湯瑪士拿起馬鞍上的兩把短劍掛在腰帶上。

「戰後見。」加瑞爾說。

兩人擊掌，卻沒想到加瑞爾把他拉過去擁抱。加瑞爾抱了他一段時間，然後朝巡邏隊走去。

歐蘭在一小時後回來。

「今天早上有弟兄吃過東西嗎？」湯瑪士問。

「事實上，我們在河裡抓到很多魚，安卓亞在山裡打了兩頭山羊，馬肉還剩下一點。所有弟兄都吃了些早餐。」

「希望那樣就夠了。」湯瑪士說。

歐蘭抬頭。「至少那兩隻鷲會飽餐一頓。」

湯瑪士之前看見的霧氣籠罩了整個營區。霧不濃，約兩呎厚，足以遮蔽地面，但還看得見營區。天上烏雲密布，看起來快要下雨，不過以湯瑪士的經驗，這只是一陣薄霧罷了。對夏天而言很奇怪的天氣。

十一點半左右，湯瑪士看見西邊一哩外有兩名騎兵，就在河道轉彎處。他在舌頭上撒了點黑火藥，對方的身影頓時清晰可見，身穿褐綠相間制服、閃亮胸甲、羽飾頭盔。胸甲騎兵趕到了。

阿達瑪站在杜威奇鐘塔六樓，眼睛貼著望遠鏡。他在看一個神色警戒的傢伙，身穿褪色紅背心和及膝褲，坐在距離維塔斯總部一百步外的台階上。

「還有一個哨站在第七街和玫芙盧大道交叉口。」阿達瑪說著，聽見身後有寫字的聲音。他用望遠鏡再次掃視了一遍街道，然後將它遞給名叫莉普拉絲的年輕女子，她是閹人的副手。莉普拉絲取代他在窗口的位置，他則轉向聚集在狹小鐘塔房間內的人手。

「你確定都找到了？」閹人問阿達瑪。

阿達瑪瞥了閹人一眼。即使知道阿達瑪在勒索自己的主人，閹人也完全沒有表現出異樣，昨天依約帶著四十個阿達瑪見過最凶神惡煞的惡徒出現——拳擊手、幫派、碼頭工人、皮條客，還有保鏢。

「我陸陸續續監視他們兩週了。」阿達瑪說。「他們會換位置，但是從你和我的報告研判，我們應該都找到了。」

他從進出維塔斯總部的人推斷，對方雇用了超過一百人。這表示他們行動規模不小，總部裡隨時都有三十人左右。大業主說維塔斯有六十名打手。

阿達瑪看向包。榮寵法師閉著眼睛坐在屋角，雙手縮在外套衣袖裡。此時他彷彿感應到阿達瑪的目光，睜開眼睛。阿達瑪不禁打了個寒顫，昨天包隨手殺害曼豪奇劊子手的事還是令他十分不安。

「維塔斯的寵物榮寵法師在裡面。」包說。「現在就在，而且她不是雇來的傭兵，是皇家法師團等級的法師。」

一隻鳥突然從他們頭頂上的鐘衝出，把阿達瑪嚇得跳起來。他發現在場的人只有他被嚇到，於是撫了撫外套。力量強大的榮寵法師？聽起來不妙，非常不妙，他得仰賴包去對付維塔斯的榮寵法師，讓湯瑪士的手下去攻占總部。

包肯定感應到他沒問出口的問題。「我會殺了她，不用擔心。」

「如果你們兩個正面衝突，在場的男人就都死定了。」闍人說。

「好了，你其實算不上男人。」包笑著說，然後轉向莉普拉絲。「她也不是。」接著，他的笑容突然消失，皺起眉頭。「而她肯定不是。」

阿達瑪轉身看見飛兒站在鐘塔樓梯上。芳騰學院畢業生身穿合身的馬甲背心，加上一條男士緊身褲，褲管塞在靴子裡。

「理卡現在騰不出人手，」飛兒說。「他派我過來。」

闍人一臉不悅地看著她。「他知道大業主為這個行動投入多少資源嗎？」他問。

「事實上，」飛兒挑眉回答。「他不知道。我敢說他有興趣知道。」

阿達瑪走到兩人中間。「他投入的資源比你想像得多。」他對闍人說。理卡派他的一千萬克倫納僕人前來犯險，代表他很重視此事。

「哼。」闍人嗤之以鼻。他的手指快速敲打腿側，似乎很緊張，和阿達瑪幾個月前遇上的那個冷靜謹慎的殺手大不相同。

阿達瑪退回窗口，從莉普拉絲手中接過望遠鏡。「還有其他放哨的嗎？」

「沒有。」

「那就把最後的任務分派下去。」

莉普拉絲離開房間。她有所有維塔斯的衛哨位置和外貌描述資料。她把情報交給闇人帶來的惡徒，他們會處理後續事宜。

一切都準備妥當，現在阿達瑪只要等就行了。

他抬起望遠鏡監視維塔斯的總部。之後的一個多小時，他從制高點看著闇人的手下解決掉維塔斯的衛哨。他感覺汗水流下後頸，有太多環節可能出錯，只要走錯一步，菲就沒命了。

「萬一他今天不出門呢？」包問。

維塔斯總部的前門打開了，一道熟悉的身影走出來。他身穿黑外套、禮帽，手裡拿著手杖。阿達瑪一看到他就覺得心跳加速。

「那不是問題了。」阿達瑪說。「他出門了。」

維塔斯撇頭打量街道，或許是在看衛哨向他打的信號。阿達瑪沒去處理最近處的幾個衛哨。維塔斯以細不可察的動作點頭。屋裡又走出一個女人，是幾週前穿紅色晚禮服的赤褐色髮女子，兩人一起走向街道。他們身後兩步遠跟著兩個人模人樣的肌肉男，幾秒後又有第三個男人走出前門，等了一會兒，也跟了上去。

「我去跟蹤他。」說完，飛兒消失在樓梯下。

「解決掉他的跟班，」阿達瑪對闇人說。「然後在那棟房子會合。包？」

包起身，伸展戴手套的手指。「我走近一點，解除榮寵法師的防禦魔法。那要花點時間，不過你們回來前就會準備好。」

歐里奇中士在鐘塔下的禮拜堂等著阿達瑪。他坐在長凳上蹺著腳，一側臉頰內嚼著菸草。他拉開帽子，看著包走出門口。

「所以，」歐里奇轉向阿達瑪說。「你給自己弄了個榮寵法師。」

阿達瑪鼓起勇氣。他不確定歐里奇會如何回應，尤其是在他明確表示過不會幫助阿達瑪釋放包之後。「沒錯。」

「聽說維朗迪敘昨天解散手下出城去了，我想那就是原因。」

「我得這麼做。他已經擺脫制約了，如果你想知道的話。」

「喔？」

「他殺了砍掉曼豪奇腦袋的劊子手。」

「嗯，」歐里奇說。「好吧，我敢說戰地元帥會很高興。你準備好了嗎？」

「動手吧。」

歐里奇的士兵隨著他們一起離開禮拜堂，阿達瑪要求他們跟在一百步距離外。阿達瑪則去跟著飛兒。他看著她在人群中忽隱忽現，穿過大街小巷。午餐剛結束，路上擠滿了人，這讓維塔斯的手下不容易發現阿達瑪，但也讓阿達瑪很難確實跟蹤他們。

半小時後，飛兒停下腳步，揮手要阿達瑪過去。他們站在繁忙的路口，一座花市的轉角處。飛兒肩膀低垂背靠牆壁，彷彿完全不在乎周遭發生了什麼。阿達瑪走到她身旁，模仿她的姿勢。

「跟他來的人在那裡。」她說，朝一個方向微微仰首。

阿達瑪立刻看見對方。那人一邊吃肉派，一邊用懷疑的目光掃視人群。這人不算隱蔽，但確實是個有效率的前哨。阿達瑪在他身後不遠處看到闇人。

「維塔斯在轉角過去的賣花攤販。」飛兒說。「把他交給我，讓你的部隊去解決他手下。」

「我要留活口。」

「我也要。」飛兒說。

阿達瑪要維塔斯活著告訴他喬瑟的下落，但他不知道飛兒為什麼也要留活口。

「我動手了。」語畢，她便像貓一樣輕鬆優雅地消失在角落。

阿達瑪對歐里奇打了個暗號，然後壓低帽沿跟上飛兒。

他走向街道中央，歐里奇和六名手下隨即趕上。有些人假裝看花，有些人假裝交談，但阿達瑪覺得他們都太顯眼了。

維塔斯的兩名手下站在公園精品花店外觀察人群，雙手環胸，看起來一點也不低調。阿達瑪掃了一眼後方那個前哨，人已經不見了。阿達瑪希望那表示闇人已解決掉他。

阿達瑪用眼角餘光監視花店門口，感覺體內每條肌肉都很緊繃。或許維塔斯已經發現他們，從側門跑了。萬一他的手下警告了他，或維塔斯混入人群裡怎麼辦？

當維塔斯終於和紅衣女子一起走出花店時，阿達瑪的手開始因緊張而顫抖。女人拿著一束花，維塔斯則把一個包裹交給一名手下，然後開始掃視花市。

接著，他和阿達瑪對上了眼。阿達瑪感到額角滴下冷汗。他渾身緊繃，準備和維塔斯展開一場追逐戰。

飛兒從花店出來，像個剛付完錢的顧客般悠然步出，衣袖裡落下一把匕首，她優雅地繞過維塔斯的肩膀，將匕首抵在他喉嚨上。

兩名惡徒嚷嚷著後退，拔出手槍。群眾立刻讓開。

阿達瑪彷彿置身夢中，他看著自己拔出手槍開火。一名惡徒倒地，另一個後腦挨了歐里奇手下一棍，剩下的士兵立刻包圍維塔斯，在群眾眼前遮住他的身影。

阿達瑪擠開士兵走進包圍圈。

維塔斯跪在飛兒面前，匕首依然抵在他喉嚨上。她從他身上搜出兩把非常相似的匕首及一把小手槍，全都放在她身後的地上。

阿達瑪十分享受維塔斯臉上略微驚訝的神情。然而，當維塔斯看見他時，那驚訝的表情很快就從臉上消失了。

維塔斯微笑道：「阿達瑪！我就懷疑你還活著。」

「她還活著嗎？」阿達瑪用熱燙的槍管抵住維塔斯的臉。

「你加諸在我身上的痛楚，」維塔斯絲毫不在意槍管的高溫。「我會十倍奉還給你和你的妻子。我要你記得這一點，阿達瑪。」

「所以她還活著？」

「活著。」維塔斯說。「如果我沒回去，一小時四十二分鐘後她就會死。」他停頓，環視四周的軍人。「我想你知道我的總部在哪裡，你八成已經監視我一段時間了。厲害，但你有足夠的人手攻陷那裡嗎？」

「你是說打倒你的榮寵法師？」阿達瑪問。「有的，我想我有。我兒子在哪？」

維塔斯露出變態又滿足的笑容。「一小時四十一分。你確定你有時間問這個問題嗎？」

阿達瑪看向那名紅衣女子。歐里奇緊扣住她的手臂，她瞇起雙眼瞪他，但他看出她的手在發抖。「妳是誰？」他問。

「妮拉。」她說。

「妳幫他做什麼？」他指著維塔斯。

「沒有！我……沒幫他做什麼，我沒有幫他工作，只是在那裡照顧雅各，他只是個孩子！」

「維塔斯來這裡買什麼？」

「買花！」

「給誰？」

「溫黛沃斯女士，或是類似的名字。」妮拉撥開臉前的頭髮。

「溫史雷夫女士？」

「對，就是她。」

「為什麼？」

「我不知道。」雖然驚慌，她回答問題的態度倒是很冷靜。

阿達瑪轉向維塔斯。「為什麼？」

「一小時四十分，阿達瑪。」他說。

阿達瑪用槍柄敲了維塔斯的臉。「關起來。」他對飛兒說，然後轉向歐里奇。「中士，派四個弟兄給她。我們得在警方趕到前離開街上。」

飛兒拉起維塔斯，匕首持續抵著他的喉嚨。歐里奇派四個人給她，加上妮拉和兩個受傷的惡徒，剩下的士兵跟阿達瑪走。

他們在維塔斯總部三個街口外和闇人會合。

「我的人都就定位了。」闇人說。

「包在哪？」阿達瑪問，跑得有點喘。

他轉彎後看見榮寵法師站在街道中央。包在榮寵法師手套外又戴了一層掩飾用的黑手套，他正喃喃自語，戴手套的手指無聲地操弄身前的空氣，彷彿一手演奏鋼琴，一手撥彈豎琴。有三、四個人用看瘋子的眼神看他。他看起來確實很像。

「我們得現在進攻。」阿達瑪說。他彎腰遮掩手槍，重新裝填彈藥。

包的手指持續扭動。「我說過要花點時間。」

「我們時間不多了。」阿達瑪說。「他如果沒在預定時間回去，他手下就會殺了菲。」

「真不幸。」包皺眉說道。「告訴闇人派人就定位。」

阿達瑪下達命令，五分鐘後，闇人來到阿達瑪和包面前。

「我們準備好了。」闇人說。

包上下打量他，目光在訂製西裝和禿頭上停留。「你讓我毛骨悚然。」

「我就當是稱讚了。」

阿達瑪撫平外套前襟。「中士？」

歐里奇剩下的士兵拿起來福槍，路人已經注意到他們了。「我們好了。」歐里奇說。

「那就來大鬧一場吧。」包大搖大擺走上街，直奔維塔斯總部。他手指扭動，演奏著只有他聽得見的音樂。阿達瑪和歐里奇中士交換了一個眼神，這和他們進攻歐芬戴爾小屋的情況不同。

包沒有減速，轉過街角走向維塔斯總部。他抵達屋子正門外的街後，轉身面對正門，雙手高舉過頭。其中一扇窗口有個哨兵大聲發出警告。

即使阿達瑪不能開啟第三眼，他還是能感覺到站在身邊的榮寵法師接觸了艾爾斯。魔法流入世界，包張開雙手，整個房子的正面就像被一把巨刀切開的蛋糕般坍塌崩落。

阿達瑪盯著磚瓦揚起的塵土。屋內的人呆呆看著外面，一邊咳嗽一邊揮開塵土，表情駭然。

歐里奇中士拔劍。「進攻！」他吼道。

現場陷入一片混亂。

《火藥法師2 緋紅戰爭》上・完

火藥法師

中英文名詞對照表

A

Abrax 阿布拉克斯

Ad River 艾德河

Adamat 阿達瑪

Addown River 艾頓河

Adom 亞頓

Adopest 艾鐸佩斯特

Adro 艾卓

Adsea 艾德海

Ajucare 阿祖凱爾

Alvation 阿維玄

Amber 安柏

Amber Expanse 琥珀平原

Andriya 安卓亞

Arbor 亞伯

Arch-Diocel Charlemund 查爾曼大主教

Astrit 艾絲翠

B

bakerstown 貝克鎮

Beon je Ipille 畢昂・傑・伊派爾

Big Finger 大拇指河

Black Street Barbers 黑街理髮幫

Bleakening 大荒蕪年代

Bone Eye 骨眼法師

Borbador 包貝德

Brigadier 旅長

Brudania 布魯丹尼亞

Brudania-Gurla Trading Company 布魯丹尼亞—葛拉貿易公司

Brude 布魯德

Budwiel 巴德威爾

C

Café Palms 棕櫚咖啡

Camenir 坎門奈

Carbine 卡賓槍

Cethal 瑟索

Cheris 雀莉絲

Claremonte 克雷蒙提

Colonel Etan 伊坦上校

Cuirassier 胸甲騎兵

D

Daviel 戴維爾

Deliv 戴利芙

Dellehart 戴勒哈

demon's carbuncle 惡魔紅玉

Donavi Street 唐納維街

Doravir 朵拉維

Dortmoth 道摩斯

Doubin 杜賓

Dourford 道佛德

Dragoon 重裝騎兵

Dredger 挖泥隊

Dwightwich bell tower 杜威奇鐘塔

Dynize 戴奈斯

E

Eldaminse 艾達明斯

Elections Square 選舉廣場

Else 艾爾斯

Erika 艾莉卡

Eunuch 閹人

F

Faint 芬特

Fanish 芳妮緒

Fatrasta 法特拉斯塔

Faye 菲

Fell Baker 飛兒・貝克

Femore 費摩爾

Fendale 芬戴爾

Field Marshal 戰地元帥

Fingers of Kresimir 克雷希米爾手指

Finley 芬利

First Minister 第一行政官

Flint 弗林

Fontain Academy 芳騰學院

Frederik 福雷德利

G

Gaes 制約

Gates of Wasal 瓦賽爾之門

Gavril 加瑞爾

General Staff 參謀總部

Gostaun 高斯唐

Governor 總督

Great Northern Road 大北道

Gurla 葛拉

H

Haime 黑艾

High Talien 高塔里安區

Hilanska 西蘭斯卡

House of Nobles 貴族議院

Hrusch 赫魯斯奇

Hune Dora Forest 胡恩朵拉森林

I

Interlocking windmill 結風車陣形

Ipille 伊派爾

J

Jakob Eldaminse 雅各．艾達明斯

Jakola 賈可拉

Jileman 捷爾曼

Josep 喬瑟

Julene 祖蘭

K

Kale 卡爾

Ka-poel 卡波

Ket 凱特

Kez 凱斯

Kin 金恩

King's Garden 國王花園

Knacked 技能師

Krana 克倫納

Kresim Kurga 克雷辛克佳

Kresimir 克雷希米爾

L

Lady Parkeur 帕凱爾女士

Lord Vetas 維塔斯閣下

Ludik 路迪克

M

Mala 瑪拉

Mala Den 瑪拉菸館

Manhouch 曼豪奇

Margy 瑪吉

Marked 標記師

Mayflew Avenue 玫芙盧大道

Mihali 米哈理

Ministerial Review Board 政府官員審查委員會

Mountainwatch 守山人

N

Nila 妮拉

Noble Warriors of Labor 高貴勞工戰士工會

Northern Expanse 北方高原

Novi 諾維

O

Offendale 歐芬戴爾

Oldrich 歐里奇

Olem 歐蘭

Ondraus 昂卓斯

P

Palagyi 帕拉吉

Parkside Flower Boutique 公園精品花店

Pensbrook 潘斯布魯

People's Court 人民殿

Powder blind 火藥癮

Powder horns 牛角火藥筒／火藥筒

Powder keg 火藥桶

Powder mage 火藥法師

Powder trance 火藥狀態

powder charges 火藥條

Predeii 普戴伊人

Prime Lektor 普蘭・雷克特

Privileged 榮寵法師

Proprietor 大業主

Provost 憲兵

R

Ranger 巡邏隊

Redstripe 紅紋彈

Reeve 總管大臣

Ricard Tumblar 理卡・譚伯勒

Riplas 莉普拉絲

Roja the Fox 狐狸羅加

Rosvelean 羅斯維

Routs 絡茲區

Royal Cabal 皇家法師團

Rue 盧鎮

S

Sablethorn 黑刺監獄

Sabon 薩邦

Samalian District 撒馬利區

Sergeant 中士

Shouldercrown Fortress 肩冠堡壘

SouSmith 索史密斯

South Pike Mountain 南矛山

Starland 斯達蘭

Surkov's Alley 瑟可夫谷

T

Tamas 湯瑪士

Taniel Two-Shot 雙槍坦尼爾

The Riflejacks 來福槍戰隊

The Rope 聖繩

third eye 第三眼

Tinny 丁尼

Toak 托克

U

Undersecretary 工會次長

V

Vanduvian 范度維

Verundish 維朗迪敘

Vlora 芙蘿拉

W

Warden 勇衛法師

WatchMaster 守山人司令

Winceslav 溫史雷夫女士

Wings of Adom 亞頓之翼

Z

Zakary 柴克利

國家圖書館出版品預行編目資料

火藥法師. 2, 緋色戰爭/布萊恩.麥克蘭(Brian McClellan)著；
戚建邦譯. – 初版. – 臺北市：蓋亞文化有限公司, 2024.12
冊；　公分. --（Fever；FR092）
譯自：Powder mage. book II, the crimson campaign
ISBN 978-626-384-128-4（上冊：平裝）

874.57　　113013976

Fever 092

火藥法師〔2〕緋色戰爭 The Crimson Campaign 上

作　　者　布萊恩・麥克蘭（Brian McClellan）
譯　　者　戚建邦
封面裝幀　莊謹銘
總 編 輯　沈育如
發 行 人　陳常智
出 版 社　蓋亞文化有限公司
地址：台北市 103 承德路二段 75 巷 35 號 1 樓
電話：02-2558-5438　　傳真：02-2558-5439
電子信箱：gaea@gaeabooks.com.tw
投稿信箱：editor@gaeabooks.com.tw
郵撥帳號　19769541　戶名：蓋亞文化有限公司
法律顧問　宇達經貿法律事務所
總 經 銷　聯合發行股份有限公司
地址：新北市新店區寶橋路二三五巷六弄六號二樓
電話：02-2917-8022　　傳真：02-2915-6275
港澳地區　一代匯集
地址：九龍旺角塘尾道 64 號龍駒企業大廈 10 樓 B&D 室
電話：+852-2783-8102　　傳真：+852-2396-0050
初版一刷　2024年12月
定　　價　新台幣 430 元
Published and printed in Taiwan

ISBN　978-626-384-128-4